자폐 아동을 위한

플로어타임
프로그램

발달장애 아이의 **참여**와 **의사소통**,
긍정적인 사고와 행동을 유도하는 사회성발달 치료법

자폐 아동을 위한
플로어타임
프로그램
DIR Floortime

권현정·김문주 지음

와이겔리

모든 치료를 플로어타임으로

플로어타임은 사회성발달에 특화된 치료법이다. 그러므로 ADHD, 자폐, 아스퍼거증후군 등 사회성발달 지연을 나타내는 아동 모두에게 적용되는 치료법이다. 우리나라에는 주로 자폐 아동의 치료법으로 알려져 있지만, 플로어타임은 자폐 아동에게 한정된 치료법은 아니다. 사회성 부족뿐 아니라 소아심리장애의 일종으로 분류하는 반항장애, 분노장애 등에 이르기까지 다양한 사회성 장애를 개선할 수 있는 매우 유용한 치료법이다.

플로어타임은 심리학 이론에 아동 신경발달 이론이 결합하여 매우 탄탄한 이론 체계를 구축하고 있다. 기존의 아동 정신발달 이론 대부분이 심리학자에 의하여 만들어진 반면 플로어타임은 소아정신과 의사에 의하여 만들어졌다. 그러므로 의학적인 시각에서 아동의 신경학적인 이상 발달을 해소하기 위한 이론적 배려가 깊게 배어 있다.

단순히 아동을 중심으로 놀이를 한다는 개념만 가지고는 플로어타임을 정확히 장기간 수행하기 어렵다. 그 탄탄한 이론 체계를 제대로 이해해야만 아동발달의 정도와 변화를 평가하고 그에 따른 플로어타임을 시행할 수 있다. 전통심리학 이론에만 익숙하여 신경학적인 이론을 이해하지 못하는 치료사에게는 플로어타임이 다소 생소하고 어렵게 느껴질 수도 있다.

플로어타임은 일반 아동에게도 적용할 수 있는 육아법이다. 플로어타임은 부모 주도의 주입식 양육 방식에서 벗어나 아동의 주도성을 중시하며 상호작용을 통한 각성과 발달을 유도한다. 그러므로 플로어타임은 아동의 건전하고 창의적인 정서발달, 사회성발달을 유도하는 일반적인 육아법을 의미하기도 한다. 플로어타임을 적용하여 성장한 아동들은 창의성 넘치는 아동, 정서가 풍부한 아동으로 자라난다. 정상범위의 아동이라면 그 효과는 더욱 클 것이다. IQ만이 아니라 감성지수인 EQ가 풍부한 아이로 양육하고 싶다면 플로어타임적인 육아법을 적용해야 한다.

플로어타임이 아동의 사회성발달을 위한 치료법으로 적용될 때는 물론이고 일반 아동의 육아법으로 확대 보급되려면 부모들의 의식 변화는 필수적이다. 그런 의미에서 나는 플로어타임이 한국 사회에서 아동 육아에 새로운 흐름을 만드는 사회의식의 개혁 운동으로 발전하길 기대한다. 물론 어렵고 먼 길이지만 당연히 가야 할 길이다. 이 책은 이후 크게 발전할 플로어타임의 흐름에 중요한 출발점이 될 것이다.

플로어타임을 처음 접하던 순간이 기억난다. 발달장애 아동을 실제로 치료할 수 있는 가능성을 접하고 충격을 받았었다. 공부가 깊어가면서 이전에 존재하던 이론이나 치료와는 접근법 자체가 다르다는 것을 알수 있었다. 책으로 공부하는 것만으로는 모자라 미국의 ICDL(플로어타임협회)을 통하여 공부해가며 점점 플로어타임이 가지는 매력에 빠져들게 되었다. 발달장애 아동을 치료할 수 있는 진정한 희망을 만난 듯하였다. 그렇게 '한국플로어타임센터'는 출발했다.

이러한 과정에서 우리는 커다란 변화를 경험할 수 있었다. 발달장애 아동도 조기에 적절하게 개입하여 치료한다면 정상범위의 아동이 될 수 있음을 확인했다. 플로어타임에 대한 그린스판 박사의 보고가 진실이라는 것을 수차례 확인할 수 있었다. 이 과정에서 부모와 치료사의 교육은 필수였다. 그러나 적절한 교재가 없어 어려움이 많았다. 부모들이 지속적으로 학습하고 실천하는 데 도움이 될 자습서가 필요했다.

번역서가 일부 있었지만 부모들이 스스로 현실에 적용하기엔 무리였다. 미국의 책들을 소개하는 것이 간단한 방법이었지만 이론과 실제를 결합한 적절한 교재를 찾기 어려웠다. 할 수 없이 직접 책을 쓰는 길을 택했다. 이 책은 한국플로어타임센터의 경험을 총망라하는 한편 여기저기 흩어져 있는 그린스판의 이론을 간략하게 하나로 꿰어서 집약하고 있다.

　『자폐 아동을 위한 플로어타임 프로그램』은 한국에서 플로어타임에 대해 쓴 최초의 책이다. 다양한 관련 도서가 있는 미국에도 이렇게 이론적인 것부터 실천적인 지침까지 하나로 묶은 책은 드문 듯하다. 어려운 작업 과정이었기에 스스로 대견하게 생각하며, 이 책이 이후 부모와 치료사 들에게 큰 도움이 되길 기대한다.

　　　　　　　　　　　　　　　　　한국플로어타임센터 대표 권현정

플로어타임 정확히 알고 이해하기

필자와 함께하는 치료사들은 플로어타임을 적용한 치료를 실현하기 위하여 지난 수년간 애써왔다. 처음엔 환아들의 부모에게 플로어타임의 유효성을 이해시키는 데 많은 공을 들여야 했다. 아이와 놀아주는 것이 무슨 치료가 되겠느냐는 식의 반응이 대부분이었다.

문제를 해결하기 위하여 우리는 긴 시간 부모의 의식 변화를 위한 부모교육을 수십 차례 지속했다. 그 결과 플로어타임에 대한 의식 변화가 있었는데, 곧 또 다른 문제가 등장하였다. 그냥 아이의 비위를 맞추며 놀아주면 되는데 무슨 전문가의 조언이 필요하냐는 식의 이야기가 많아졌다.

혼자서 책을 보며 플로어타임을 한다고 하는 부모들도 생겨났다. 스스로 플로어타임 치료사를 자처하는 테라피스트들도 나타났다. 좋은 치료법이 널리 알려지는 것은 반가운 일이었지만, 그 실상을 보며 나는 낙심했고 당황하기도 했다. 일반적인 놀이나 놀이치료들이 플로어타임과 혼용되거나 플로어타임으로 오해되고 있는 경우를 종종 보았기 때문이다.

플로어타임을 소개하고 설명하는 것이 중요한 시점은 지나갔다. 앞으로 중요한 일은 무엇이 플로어타임이고 무엇이 아닌지 잘 이해된 플로어타임이 실행될 수 있는 여건을 만드는 것이다. 이 책을 쓴 것은 그래서이다. 이제 플로어타임은 알려지는 것보다 제대로 실행되는 것이 중요하다.

플로어타임은 정말 정확한 이론의 이해 아래 실행되어야 한다. 그래야 자폐스펙트럼장애를 치료할 수 있다. 보급된 지 얼마 되지 않은 플로어타임은 아직 세상에 낯선 치료법이다. 그러나 플로어타임은 발달장애와 자폐스펙트럼장애를 치료하는 근본적인 접근법이 될 것이다. 시간이 지나면서 발달장애와 자폐스펙트럼장애의 대표적인 치료법으로 자리 잡아 갈 것이다. 플로어타임의 원리를 이해한다면 이는 너무 당연한 것이다.

한국에 플로어타임이 소개된 지 얼마 되지 않았지만, 이곳저곳에서 플로어타임을 한다는 곳이 늘어나고 있다. 그러나 안타깝게도 플로어타임을 제대로 시행하는 곳은 거의 드물다. 플로어타임의 창시자인 그린스판 박사의 바람대로 플로어타임이 시행되는 곳은 정말 극소수다.

좋은 치료법이 이렇게 엉망으로 보급되고 있는 이유는 무엇일까? 첫째는 소개 과정의 한계다. 한국에 플로어타임이 소개된 것은 플로어타임 치료를 제대로 시행할 수 있는 사람이 아니라 학문적 관심이 있는 사람들을 통해서였다. 그래서 실행 과정의 현실성보다는 이론 위주의 소개가 주종을 이루게 되었다. 이는 필연적으로 플로어타임에 대한 관념적인 이해라는 한계를 가져올 수밖에 없었다.

둘째는 토착화의 어려움이다. 플로어타임의 정신은 서구사회의 전통적인 육아법과 맥이 닿아 있다. 이는 아동을 주체가 아니라 훈육의 대상으로 여기는 동양적인 육아관과 큰 차이를 가지고 있다. 결국 한국사회에서 플로어타임을 한다는 것은 한국적인 교육관을 넘어선 새로운 아동교육관을 정착시키고 실천하는 과정이다. 이는 몹시 힘들고 어려운 일이다.

지난 몇 년을 정리해보면 답은 분명하다. 플로어타임을 더 적극적으로 보급해야 한다. 한국적인 현실에 맞게 적용하여 생동감 넘치는, 제대로 된 플로어타임이 곳곳에서 이루어지도록 해야 한다. 그러자면 지금이 중요한 시기다.

누구든 플로어타임을 시작한다면 제대로 된 플로어타임을 시행해야 한다. 그래야 아이가 바뀐다. 그래야만 발달지체 아동의 발달이 정상화될 희망이 보인다. 이 책이 플로어타임을 제대로 시행하도록 독려하고 거기에 필요한 정보를 제공하는 역할을 하길 바란다.

『자폐 아동을 위한 플로어타임 프로그램』은 한국 최초의 플로어타임 서적이다. 그동안 번역서가 있었지만 이론 위주라 부모들이 그 내용을 현실에 적용하는 데 어려움이 많았다. 이 책에는 이론뿐 아니라 풍부한 예시가 담겨 있다. 자기 아이를 스스로 치료하겠다고 결심한 부모들에게 실질적인 지침서가 될 수 있을 것이라 기대한다.

그린스판 박사는 조기에 자폐 아동을 발견하여 꾸준히 플로어타임을 실행한다면 자폐스펙트럼장애는 그다지 두려운 질환이 아니라고 자신하였다. 나 역시 같은 말을 하고 싶다. 자폐는 호전이 가능한 질환이다. 장애라는 굴레를 벗고 정상 아동들과 함께 생활하는 아이들을 나는 무수히 보았다. 이후로도 더 많은 아이들이 자폐라는 굴레를 벗어나길 바라며, 그들에게 이 책을 바친다.

2019년 9월 송도에서 김문주

　플로어타임은 아동의 발달과 학습을 돕는
강력하고도 효과적인 기술입니다. 이 책은 무엇
이 플로어타임이고 무엇이 아닌지를 소개하고
있습니다. 권현정은 플로어타임이 아동이 잘 성
장할 수 있도록 돕는 즐겁고 애정 넘치는 정중한 방법이며 특히 자폐증
및 기타 발달 문제가 있는 아동이 최대한의 잠재력을 발휘할 수 있도록
도와주는 기법임을 잘 설명하고 있습니다. 이 책은 학부모나 전문가에
게 플로어타임 기법을 소개할 수 있는 훌륭한 기회가 될 것입니다. 나는
권현정이 거의 30년 역사의 플로어타임의 고향인 ICDL에서 플로어타임
전문가 중 한 사람으로 일하게 된 것을 자랑스럽게 생각합니다.

― 제프리 구엔젤(Jeffrey J. Guenzel), 플로어타임협회(ICDL) CEO

Floortime is a powerful and effective technique to help children develop and learn. Hyun-Jeong Kwon presents what the Floortime technique is and what is not. As she so nicely describes, Flootime is a joyful, loving, and respectful way to help our children flourish and in particular can help children with autism and other developmental challenges reach their fullest potential. This book is a wonderful opportunity for parents and professionals to introduce themselves to the Floortime technique. I am proud to have Hyun-Jeong Kwon as one of the Floortime experts at Interdisciplinary Council on Development and Learning, the home of Floortime for nearly 30 years.

— Jeffrey J. Guenzel, MA, LPC

Executive Director / Interdisciplinary Council on Development and Learning (ICDL)

DIR(Developmental Individual differences Relationship) 과정에 입문하는 전문가들을 훈련시킨 훈련 지도자 중 한 사람으로서 저는 한국의 전문가들이 DIR을 배우고 이해하기 위해 보여준 열정과 깊은 관심에 큰 감명을 받았습니다. DIR 플로어타임은 이제 한국에서 만날 수 있는 중요한 발달중재기법으로 자리 잡을 것입니다. 도움이 필요한 아동과 그 가족들은 이 책에서 아동의 성장과 발달을 지원하는 유용한 기법으로 DIR을 만나게 될 것입니다.

모든 학습은 관계에서 빚어지는 직접적인 결과입니다. 관계의 부재는 집중력 부족, 이탈 및 부정적인 행동, 학습부진 등의 결과로 나타납니다. DIR의 렌즈를 통해 아동의 발달 문제를 고려할 때 우리는 아동을 이해하고 그들을 도와줄 수 있으며 결과적으로 그 관계는 성공적인 학습으로 이어질 것입니다. 이것이 바로 DIR 플로어타임입니다.

―재키 바텔(Jackie Bartell), DIR 플로어타임 전문가 훈련 지도자

As one of the training leaders who trained some of the first professionals in DIR I was very impressed with the enthusiasm and deep interest that the professionals showed for learning and understanding DIR. Bringing DIRFloortime to Korea will be an asset for all Korean interventions services. Children and families who need support will find DIR to be a useful tool for them to support growth and development of children.

All learning is direct result of the connections we make. When the connections between teacher and student are NOT aligned the result is a lack of focus, disengagement and negative behavior. Learning is derailed. When we take into consideration the developmental challenges of a student through the lens of DIR we are able to understand and modify and as result connections are made, and learning is successful. This is what the DIR Floortime is.

— Jackie Bartell, MSEd

Expert Training Leader DIRFloortim / Interdisciplinary Council on Development and Learning (ICDL)

차례

1장 플로어타임, 자폐 치료의 새장을 열다

플로어타임, ABA의 한계를 넘다 • 24

잘못된 플로어타임 인식 바로잡기 • 48

2장 플로어타임의 기본 이론

3장 플로어타임의 실제

시작하는 글

『자폐 아동을 위한 플로어타임 프로그램』은 플로어타임의 이론과 실제를 다루는 책이다. 아동의 사회성 부족을 동반한 모든 질환을 개선할 때 본질적인 치료라고 할 수 있는 것은 플로어타임이 유일하다. 플로어타임을 제외한 접근법들의 대부분은 치료보다는 훈련이라는 용어가 어울릴 것이다.

대부분의 아동발달 치료에서는 특정 동작과 특정 기능을 반복하도록 강요한다. 이 과정은 신경학적으로 안정적인 변화를 동반하여 사회성이 좋아지는 것이 아니라 반복된 훈련을 통하여 정상행동을 흉내 내는 방식으로 증세가 호전되는 것이다. 그러므로 아동의 사회적인 욕구는 개선되지 않기에 아동의 무표정과 사람에게 관심을 두지 않는 태도는 변하지 않는다.

플로어타임은 전혀 다르다. 사회성을 발달하는 과정을 압축적으로 경험하도록 유도하는 과정에서 아동의 뇌 신경발달에 근본적인 변화가 나타난다. 아동은 자연스럽게 사람들을 애정 어린 표정으로 바라볼 수 있게 된다. 혼자 놀기보다는 사람들과 어울려 놀기를 좋아하게 되며, 그들과의 상호작용을 즐기게 된다. 때문에 플로어타임으로 변화된 아동들은 정상 아동들과 별 차이가 없이 성장한다.

우리는 긴 시간 플로어타임의 이론과 실제를 소개할 것이다. 먼저 현실에 대한 비판적인 검토를 위하여 ABA를 중심으로 한 치료법과 플로어타임을 비교하는 일에서 출발할 것이다. 만일 여러분이 플로어타임 치료법의 장점을 충분히 이해하고 있다면 1장의 내용은 다소 진부할 것이다. 플로어타임의 이론과 실제를 바로 접하고 싶다면 2장부터 읽기를 권한다.

1장

플로어타임,
자폐 치료의
새장을 열다

플로어타임, ABA의 한계를 넘다

사회성 치료는 자폐 치료의 시작이자 끝

자폐스펙트럼장애 치료에서 현재 인정되는 치료법은 언어치료, 감각통합치료 그리고 사회성 치료 3가지로 압축된다. 그중에서 사회성 치료는 자폐증 치료의 본질적인 치료라 할 수 있다. 자폐스펙트럼장애라는 질환의 정의 자체가 사회성 장애를 의미하기 때문이다. 즉 사회적인 관심을 가지지 못하며 사회적인 의사 표현을 하지 못해 사회적인 의사소통의 결함이 나타나는 질환을 정의하여 자폐스펙트럼장애라고 하는 것이다.

국내에서는 자폐라고 진단되면 병원에서 주로 감각통합치료와 언어치료를 권장한다. 그러나 이는 매우 한계가 있는 처방이다. 사회성을 직접 개선하기 위한 치료가 결합되지 않는다면 속된 말로 앙꼬 없는 찐

빵이나 마찬가지다. 사회성 장애가 본질인데 그것을 직접 치료하지 않은 채 주변적인 치료 프로그램으로 변죽만 울리는 격이다.

미국의 경우 자폐스펙트럼장애 진단이 내려지면 ABA를 비롯한 사회성 치료 프로그램 처방이 내려진다. ABA 치료 프로그램의 경우 적게는 하루 3시간, 많게는 하루 8시간까지 주 5일 진행하는 것을 원칙으로 한다. 그리고 주 1~2회가량 언어치료나 감각통합치료를 한두 시간 진행한다. 요리로 친다면 사회성 치료가 주식이고 언어치료나 감각통합치료는 반찬인 셈이다.

감각통합치료와 언어치료만 권유하고 있는 우리나라의 자폐스펙트럼장애 치료는 밥은 안 주고 반찬만 주는 꼴이다. 핵심 치료를 진행하지 않으니 자폐스펙트럼장애가 제대로 치료되지 않는 것은 당연하다. 이런 어처구니없는 상황이 왜 벌어지는가? 답은 간단하다. 사회성 치료 프로그램을 제공할 기관이 존재하지 않기 때문이다. 또한 장시간의 사회성 치료를 진행하는 데 드는 수백만 원의 경비를 개인이 감당할 수 없는 까닭이다.

이런 현실을 극복하기 위해서는 부모가 아동의 사회성을 개선하는 치료사가 되는 수밖에 없다. ABA가 되었든 플로어타임이 되었든 자폐스펙트럼장애 아동에게 사회성을 함양하는 근본적인 치료 프로그램을 제공해야 한다는 사실은 피할 수 없다. 결국 부모가 치료사 수준의 교육과 훈련을 제대로 받는 것이 절실하다.

ABA의 등장과 사회성 치료의 시작

ABA 치료법이 등장하기 전 자폐에 대한 이해는 매우 저급한 수준이었다. 자폐는 그저 어린이에게 나타나는 조현병(정신분열증)의 일종이라 여겨졌다. 그러다 보니 그 치료법이란 정신이상에 대한 대책과 동일했다. 증세가 심할 경우 자폐 아동을 정신병동에 격리할 것이 권유되었다.

사회적 인식이 그렇다 보니 자폐 아동의 보호자도 대부분 아이를 정신병동에 격리하는 것이 최선이라고 생각했다. 병동에서는 정신질환자에게 가하던 전기충격요법을 자폐 아동에게도 사용했다. 당시는 자폐 아동을 정신병동에 보내지 않고 가족 내에서 돌보던 부모들이 오히려 무책임하다고 손가락질 당하던 시대였다.

레오 캐너(Leo Kanner)는 최초로 자폐증 진단을 받은 아동들을 15년여가 지난 뒤 조사한 보고서를 발표했다. 그 보고에 따르면 정신병동에 격리된 자폐 아동들은 증상이 호전되지 않았고, 오히려 자폐증이 고착되어 종일 단순 행동만을 반복하는 중증장애인이 되었다고 한다. 반면 사람들의 비난을 감수하고 자폐 아동을 가정 내에서 보호하며 같이 생활한 경우 상당수가 정상 아동으로 대학에 진학했다고 한다. 결국 자폐에 대한 무지가 수많은 아동을 격리 수용으로 완전히 망가트린 것이다.

이런 무지에 경종을 울리며 자폐 치료의 새로운 대안으로 등장한 것이 ABA다. ABA는 자폐스펙트럼장애가 호전이 가능한 질환임을 입증한 최초의 사회성 치료다. ABA란 'Applied Behavior Analysis'의 약자로 우리말로는 '응용행동분석'이라 번역한다. 필자는 이해를 쉽게 하기 위하여 이를 '행동수정치료'라는 좀 더 직관적인 용어로 대체하여 사용하고 있다. 행동수정치료는 동물 훈련법을 사람에게 적용해 문제가 있는 행동을 수정하는 훈련적 치료법이다. 조련사가 하듯이 말을 잘 들으면 먹이를 주어서 칭찬하고, 잘못하면 혼을 내는 단순한 방식을 반복적으로 인간에게 적용하는 것이다.

ABA를 이용하여 자폐스펙트럼장애를 호전시킬 수 있음을 입증한 사람은 UCLA의 이바 로바스(Ole Ivar Lovaas) 교수다. 로바스 교수는 1987년 '어린이 자폐 프로젝트'의 일환으로 진행한 실험의 결과를 미국 임상심리학 저널에 발표했다. 그는 19명의 자폐 아동에게 2년간 ABA 치료 프로그램을 진행했다. 치료는 하루 8시간, 주 40시간 기준으로 강도 높게 시행되었다.

로바스 교수는 그 결과 무려 47%인 9명의 자폐 아동이 정상 가능에 도달했고, 나머지 인원도 상당한 호전을 이루었다고 보고했다. 반면 치료에 참여하지 않거나 주 10시간 미만만 참여한 비교 대상군에서는 오직 한 명만이 정상적인 교육을 받을 수 있는 상태에 도달했다고 말했다. 자연 호전율이 5%인데 ABA를 통하여 정상 아동 수준으로 회복되는 비율이 47%라니 획기적인 치료법이었다.

로바스 교수의 발표에 미국의 자폐 환우회는 열광했다. 특히 당시 자폐 환우의 부모들에게 영향력이 크던 버나드 림랜드(Bernard Rimland)가 로바스 교수에게 적극적인 지지를 표하자 ABA는 급속도로 확산되었다. 그 결과 미국을 중심으로 세계 각국에서 주 30~40시간에 이르는 ABA가 자폐 치료의 가장 기본적인 치료법으로 인정받게 되었다.

ABA 등장 이전 아동학대 수준의 자폐 치료에 비한다면 ABA의 성과는 놀라운 것이었다. 자폐 아동을 둔 부모들은 아이를 잘만 이끈다면 아이를 정상 수준으로 회복시킬 수 있다는 희망을 품게 되었다. 그야말로 자폐 치료의 신기원을 연 것이다. 그러나 시간이 지나면서 ABA 치료법에 점차 수많은 의문이 생겨나기 시작했다. 자폐에 대한 이해가 깊어질수록 ABA 치료의 효과에 대한 근본적인 의문은 커져만 갔다.

ABA 치료의 확산과 로봇처럼 흉내만 내는 아이들

시간이 가면서 로바스 교수의 ABA에 대한 근본적인 의문이 제기되었다. 가장 먼저 문제가 된 것은 치료율에 대한 의문이었다. 로바스 교수 이후 같은 방식으로 실험을 진행하였더니 47%보다 훨씬 못한 결과가 나온다는 보고가 연이어 나왔다. 로바스 교수의 동료였던 트리스티람 스미스(Tristram Smith)는 대조군과 비교할 시 ABA를 실시한 아동이 기능적인 면에서 약간의 발전이 있었지만, 감정적인 면과 사회성발달 면에는 효과가 거의 없었다고 밝혔다. 구조적, 기능적인 학습 측면에서 평가를 해봐도 13% 정도만이 높은 수준의 교육 결과가 반영되는 성과를 내었다고 했다.

또한 2004년에는 빅토리아 쉬어(Victoris Shea)가 ABA에 대한 연구를 전체적으로 조사했는데, ABA가 내는 효과가 기존에 주장하던 수준에 미치지 못하는 것을 확인했다고 하였다.

이후 로바스 교수가 보고한 47%의 치료 효과라는 논문 보고는 과장된 것이라는 인식이 대중화되었다. 실제로는 대략 20%에 못 미치는 자폐 아동만이 정상적인 교육을 받을 수 있는 상태에 도달했다는 주장이 대체로 타당한 것으로 보인다. 논란의 여지가 있지만 자폐스펙트럼 장애 중에는 5~10%에 달하는 자연 호전 아동이 존재한다고 알려져 있다. 이런 수치를 감안한다면 17~18%가량의 치료율을 보이는 ABA는 사실 그다지 치료 효과가 높다고 볼 수가 없다. 자연 호전율을 제외한다면 많아 봐야 10%가량 이내의 자폐 아동만이 ABA에 의존한 치료 성과를 받은 것이다.

과장된 치료율도 문제지만 진짜 문제는 아이들이 사회성이나 감정적인 면에서는 나아지는 것 없이 기능적인 변화만이 나타난다는 것이다. 트리스타람 스미스는 이 문제를 명확히 지적했다. 세간에서 부모들은 보다 직관적인 표현으로 이를 비판했다. 아이가 '영혼 없는 로봇' 같은 모습으로 변해간다는 것이다. 즉 반복하여 배운 것을 흉내 내기는 하지만 단지 기계적인 흉내일 뿐 적절한 감정과 정서적인 변화는 전혀 동반하지 못한다는 것이다.

ABA를 통하여 인사를 배운 아이들은 시키면 기계적으로 인사를 하지만, 아주 무표정한 얼굴로 사람이 아닌 허공을 보고 고개를 숙인다. 수업 시간에 착석을 하라고 하면, 돌 같은 표정을 한 채 멍하니 로봇같이 앉아 있다. 이 아이들에게서 상대에 대한 관심과 애정은 느낄 수가 없다. 그저 의자에 앉아 있을 뿐 수업에 공감하면서 선생과 라포(rapport)가 형성된다는 느낌은 없다.

모든 문제가 이런 식이다. 사회생활, 학교생활, 가정생활에서 정해진 규칙에 따라 기계적인 행동을 유지할 수는 있다. 때로 규칙에 벗어나는 행동을 하지만 엄격한 목소리로 아이에게 지시를 반복하면 아이는 긴장한 표정을 한 채 기계적인 행동으로 돌아간다. 매사가 이런 식이다. 아이들은 사회성이 발달하고 감정선이 풍부해지는 것이 아니라 훈련을 통하여 단지 흉내 내기를 반복하는 것이다.

필자는 ABA 치료를 선호하지는 않았지만 논문적인 근거가 명확한 치료법이기에 반대하지는 않았다. 그러나 ABA를 통하여 효과를 보았다는 아이들을 보게 되면서 생각이 바뀌었다. 멍한 눈빛과 무표정한 얼굴로 인사를 하고 자리에 앉아 허공을 보는 아이들을 보면 섬뜩하기까지 했다. ABA는 치료가 아니라 흉내 내기에 불과하다는 생각이 분명해져 최근에는 반대 의견을 명확히 하고 있다.

ABA에 대한 환호가 의심과 우려로 바뀌는 데 긴 시간이 걸린 것은 아니다. 최근 들어 그 효과의 타당성에 의문을 품는 사람들이 부쩍 많아지고 있다. 그러나 우려가 확산되는 것보다 미국의 보험회사가 ABA를 보험 체계로 흡수하는 것이 더 빨랐다. ABA는 순식간에 미국 전역에서 공식적인 치료법으로 자리 잡았다. 또한 세계 각국에서도 유사한 프로그램이 공식적으로 보급되었다. 문제를 인식하고 되돌리기엔 너무 대중화되어 버린 것이다.

바보 취급을 당하는 아이들

ABA의 심각한 문제 중 하나는 자폐 아동이 바보 취급을 당한다는 것이다. ABA가 동물 훈련법을 인간에게 적용했다는 것 자체가 인간을 동물 취급한다는 점에서 윤리적인 문제를 가지고 있다.

자폐 아동을 위한 플로어타임 프로그램

같은 행동을 동물과 인간에게 시킨다고 가정해보자. 우리는 대상에 따라 접근을 달리할 것이다. 인간을 상대로라면 공감과 설득이 기본이다. 훈련을 통하여 획득해야 할 기능의 중요성을 이해시키고 훈련을 반복하기를 설득해야 한다. 즉 지능이 있는 인간을 상대로는 공감과 설득을 통한 훈련이 기본이다.

하지만 동물을 상대로 훈련을 시키자면 문제가 달라진다. 공감과 설득이 불가능하기에 강제적인 시행을 유도하는 훈련법을 써야 한다. 훈련을 제대로 수행하면 먹을 것을 주고, 잘못 수행하면 체벌을 가하는 것이다. 동물들은 고통을 피하고자 원하지 않는 행동을 반복하게 되고 그 결과가 훈련의 성과로 나타나는 것이다.

결국 동물 훈련법을 자폐 아동에게 적용한다는 것은 자폐 아동을 공감과 설득이 불가능한 존재로 취급하는 것이다. 자폐 아동을 인간에 못 미치는 바보로 여기는 것이다. 심각한 수준의 지적장애 아동이라도 인간으로서 공감 능력을 가지고 있으며, 인간적인 행동을 수행할 수 있는 인지능력을 가지고 있다. 그러므로 공감과 설득을 통한 행동 유도라는 원칙은 자폐 아동에게도 일관되게 관철할 수 있다.

필자는 '자폐 아동은 바보가 아니다.'를 주제로 칼럼 쓰기와 강연을 많이 하고 있다. 필자가 본 자폐 아동들은 의사소통의 장애만 있을 뿐 지능은 매우 정상적이거나 오히려 매우 높은 수준이었다. 예를 들어보자. 자폐성 장애 3급 진단으로 지능이 70도 채 안 된다는 아이가 6개월 정도의 치료로 의사소통 능력이 좋아지자 지능평가가 100 가까이 나온 사례가 있다. 말을 한마디도 못하는 무발화 자폐 아동이 치료를 통해 발화를 시작하자마자 바로 낱말카드를 읽는 경우도 있었다. 그뿐 아니라 무발화지만 책을 보고 이해하며 감정 표현까지 하는 아이도 있었다.

　이런 사례의 아이들이 지능이 낮다고 할 수 있을까? 이런 아이들이 말을 못한다는 이유만으로 바보 취급을 받는 것이다. 사람들의 이야기에 귀를 기울이고 있다는 표시를 주지 못하기에 말도 이해하지 못하는 바보 취급을 당하는 것이다. 무발화였지만 나중에 글을 쓰면서 작가로 유명해진 캐나다의 칼리(Carly Fleischmann)는 자신이 말을 못해서 바보 취급을 당하며 자랐다고 고백하기도 했다. 물론 칼리 역시 장시간 ABA 치료를 받아왔다.

　필자가 임상을 통하여 관찰한 바로는 ABA를 통하여 기능 개선에 뚜렷한 효과를 내는 아이들은 대부분 매우 높은 수준의 지능을 지니고 있었다. 오히려 지능이 낮은 아이들은 치료 효과가 떨어지는 것으로 보인다. 이는 매우 당연한 결과다. 복합적인 훈련 내용을 빠르게 수행하려면 당연히 지능이 높을수록 유리한 것이다. 그러므로 ABA에 큰 효과를 보인 아동들은 대부분 높은 지능 수준을 보여준다. 물론 이런 아이들은 구태여 ABA가 아니더라도 다른 치료로도 충분한 효과를 낼 수 있다.

　오히려 높은 지능을 가진 아이들에게서 더 큰 효과가 나타난다는 것은 ABA 치료의 아이러니이기도 하다. 지능이 낮은 아동임을 전제하여 동물 훈련법을 강요하는 것인데, 그나마도 성과는 지능이 높은 아동에게서 발현된다면 ABA가 내는 효과는 무슨 의미가 있는 것일까?

　인간은 어떤 경우에도 동물 취급을 받아서는 안 된다. 인간 자체로의 존엄이 유지되어야 한다. 장애 치료라고 하여 달라질 수 없다. 자폐 아동을 동물 수준의 바보로 취급하는 것은 그 자체로 심각한 인권유린이다. ABA는 과거에 환자를 정신병동에 격리하던 치료법에서 진보한 것이기는 하지만 환자를 대하는 철학 자체는 예전과 달라지지 않았다.

ABA, 치료인가? 아동학대인가?

ABA 치료법은 아동의 요구와 주도성이 철저히 무시된다는 점에서 본질적으로는 아동학대에 가깝다. 치료자가 말을 부드럽게 한다고 문제가 해결되는 것이 아니다. 인간은 무엇이든 스스로의 요구에서 시작하길 원하며, 본능적으로 자신의 주도성이 보장되길 원한다. 요구와 주도성을 보장받지 못하는 관계가 지속되면 누구나 그것을 폭력으로 여기게 된다.

ABA 치료법은 이런 폭력성을 아주 강하게 내포하고 있다. 이를 가장 극명하게 보여주는 일화가 있다. 이른바 전기충격 학대 고소전이다. 2012년 유엔에서는 미국의 특수학교에서 자폐 아동에게 고문에 가까운 '혐오요법(aversion therapy)'을 사용한 것에 대해 특별 조사를 시행한 적이 있었다.

혐오요법이란 자폐 아동이 잘못된 행동을 하면 전기나 화학약품을 이용하여 불쾌한 자극을 줘 행동을 고치는 행동수정치료법이다. 당시 문제가 된 것은 GED라는 특수 전기충격 기계를 자폐 아동의 몸에 달고 자폐 아동이 지시를 수행하지 않으면 1000분의 1암페어의 전류충격을 가한 사건이다.

놀랍게도 GED는 하버드에서 정신분석학을 전공한 매튜 이스라엘(Matthew Israel)이 치료용으로 발명했다고 한다. 매튜는 보스턴 인근에서 자폐 아동 전문학교를 세워 운영했다. 이 학교의 자폐 학생들은 GED를 몸에 부착해야 했고 교사들은 평균 20~30회 전기충격을 가했다고 한다. ABA식 치료에서 자폐 아동의 잘못된 행동을 교정하는 방법으로 전기충격까지 사용한 것이다. 학생과 부모들은 가해자들을 보스턴 법정에 고소했고, 그 뒤 법정 공방이 벌어졌다고 한다.

GED의 출현은 단지 매튜 개인의 잘못이 아니다. 강한 자극을 체벌과 제재법으로 이용할수록 ABA식 치료는 효과가 커진다. 그래서 ABA 치료자는 항상 강한 자극과 제재에 대한 유혹에 시달린다. 또한 자녀의 빠른 행동교정을 원하는 부모들은 무리해서라도 성과를 내기 바란다. 결국 전기충격기의 사용은 ABA를 하는 치료자와 부모의 공동 요구에 따른 것이다.

전기충격기는 이제 사라졌다. 그러나 ABA가 지닌 본연적인 폭력성이 사라진 것은 아니다. 한국에서 전기충격기의 사용은 없었지만, 최근 성인 남성의 완력을 이용한 ABA 치료에 대한 고소와 고발이 있었다. 외견상의 폭력이 사라진다고 아동학대가 사라진 것 역시 아니다.

최근의 ABA 기법은 육체적인 위해를 가하는 폭력적인 접근은 하지 않는다. 대신 무관심과 무시를 통해 제재를 가하는 방법을 주로 사용한다. 아동이 잘못된 행동을 하면 그때부터 치료자는 아이에게 아무런 반응을 보이지 않는다. 즉 전기충격이나 완력이 개입될 시점에 무관심이라는 제재를 가하는 것이다. 대체로 치료자는 무반응 이후에 바로 아이에게 수정된 행동 요구를 반복한다. 이러기를 되풀이하는 것은 아동에게 정신적인 학대를 지속하는 것이다. 육체적인 학대를 대신해서 무반응이라는 정신적인 제재법을 사용하는 것이다. 또한 원하지 않는 행동을 끊

자폐 아동을 위한 플로어타임 프로그램

임없이 요구하는 것 역시 아동에게는 학대에 가깝다.

ABA 치료법만이 학대의 성격을 갖는 것은 아니다. 자폐 아동이 접하게 되는 대부분의 치료법에는 ABA적인 요소가 결합되어 있다. 아동이 공감하지 못하고 즐거워하지 않는데 반복적으로 언어모방이 강요되는 언어치료법이라면 이 역시 아동학대적인 요소를 가지고 있다. 아이가 기피하는 감각을 치료라는 이름 아래 강제로 경험시키는 감각통합치료법 역시 마찬가지다.

정도의 차이는 있지만 자폐 아동 치료 프로그램의 대부분이 아이에게 일정한 규율을 강요한다. 이렇게 규율을 강조하는 치료 프로그램들역시 ABA와 다를 바 없다.

플로어타임, ABA의 한계를 넘다

ABA의 한계를 지적하면서 '플로어타임 접근법'이라는 새로운 치료법을 주창한 사람은 스탠리 그린스판(Stanley Greenspan)이다. 그린스판 박사는 행동주의적인 치료법이 자폐 아동의 내면에서 정서 변화와 사회성의 변화를 만들지 못한 채 형식적인 변화, 외견상의 변화만을 만들어낸다고 비판했다.

그린스판은 소아정신과 의사이면서 소아들의 사회성발달, 정서발달에 대한 전문가다. 그린스판의 전문성은 자폐 치료에만 투영된 것이아니다. 1~42개월의 영유아를 대상으로 한 발달 평가에 주로 사용하는베일리검사에서 사회성발달 부분은 그린스판의 정리가 반영된 것이다.

그린스판은 자폐 치료에도 아동의 사회성발달의 일반적인 원리가 동일하게 투영된다고 보았다. 즉 일반 아동의 사회성발달은 부모와의 안정적인 관계 형성에 기반하여 이루어지며 발달단계의 사다리를 거치는데, 자폐 아동도 사회성 발달단계를 체계적으로 거치면 자폐를 벗어날 수 있다고 주장했다.

이는 ABA와 비교한다면 전혀 다른 접근을 한 것이다. 매우 흥미로운 접근이며 매우 합리적인 접근법이다. 예를 들어 보행장애를 주 증상으로 하는 소아마비를 치료할 때 재활치료사들은 곧바로 걷기 운동을 시도하지 않는다. 고개 가누기부터 허리 가누기 그리고 뒤집기 후 네발로 기기라는 과정을 거치면서 근력이 강화되면 비로소 서기를 시도한다. 두 발도 서기가 가능해진 이후에야 한 발씩 걷기를 시작한다. 능숙한 재활치료사는 아동의 운동발달 수준에 맞추어서 운동발달 자극을 준다. 뒤집기 발달단계라면 뒤집기 운동을, 네발걸음 단계라면 네발로 기기 운동을 강화하는 과정을 거친다.

각각의 운동발달단계를 충분히 거치게 되면 사다리를 타고 올라가듯이 아동은 자연스럽게 다음 단계의 운동을 시도하게 된다. 이렇게 한 단계 한 단계 계단을 거쳐 올라가며 결국 보행에 이르게 되는 것이다. 즉 아동의 운동발달단계에 맞추어서 운동 능력을 발달시키는 것이 운동 재활의 기본 법칙이다.

그린스판이 주장한 사회성발달단계에 맞는 접근법도 다르지 않다. 아동의 사회성이 발달하는 단계도 사다리 올라가기처럼 한 계단씩 형성되어 있다. 가장 먼저는 부모와 안정적인 애정 관계를 맺는 교감 교류의 단계를 거친다. 그리고 비언어적인 의사소통 단계를 거친 이후 언어를 이용하는 단계로 발달해간다. 교류의 범위도 점차 넓어져 가족과의 관계가 충분히 안정된 이후에 가족 외의 사람과 상호작용을 할 수 있게 발달해간다.

이렇게 사회성발달단계에 맞게 아동의 사회성을 발달시키는 데 가장 중요한 출발점은 부모와의 완전한 결합과 교감 나누기다. 그리고 부모와 이루어지는 왕성한 상호작용은 사회성발달의 원동력이 된다.

그린스판이 이해한 자폐는 사회성발달에 지연 현상이 나타나는 것이다. 그러므로 아동의 사회성발달단계에 따라 상호작용을 강화할 때 자폐도 벗어날 수 있다고 주장한 것이다. 이것이 '관계중심의 플로어타임 접근법'의 요체다.

그린스판은 플로어타임 치료법을 적용하여 진행한 임상 결과를 정리하여 논문으로 발표했다. 이 논문에 의하면 2~3년간 치료를 진행한 200명의 자료를 분석한 결과 58%의 아동이 아주 우수한 치료 경과를 보였다. 우수한 치료 효과라고 분류한 기준은 자폐 평정척도인 CARS 검사다. 즉 플로어타임 치료법을 적용한 아이들의 과반 이상이 자폐 평정척도상 정상 범주로 회복된 것이다. 또한 ABA 치료 효과와는 달리 자폐 아동들이 사회적인 관계를 형성하는 데 숙달된 상태를 보였으며 자기 몰입과 자기자극 현상이 소실되었다고 보고하였다.

이 논문은 후향적인 논문으로서 학문적인 가치에서는 한계가 있지만, 아동이 기계적 발달이 아니라 사회적 기능이 능숙해지며 자기자극 현상이 소실되는 방향으로 증세 호전이 이루어졌다는 측면에서 보자면 ABA 치료법에 비하여 보다 근본적인 치료에 가깝다. 그린스판의 논문 이후 발표된 전향적인 논문을 통해서도 성과는 입증되고 있다. 최근 캐나다 요크대에서 이루어진 연구논문에 의하면 플로어타임을 시행한 아동은 사회적인 상호작용 능력에서 현격한 호전이 이루어졌다고 한다.

논문의 보고도 가치 있지만 플로어타임을 장기간 시행하며 아동들을 관찰한 필자가 느끼는 현장감은 더욱 극적이다. 플로어타임 치료에 반응하는 아이들은 ABA로 변화되는 아이들과는 전혀 다른 모습을 보였다. 로봇 같은 표정을 짓는 ABA 치료 아동과 달리 일반 아동과 별 차이가 없는 풍부한 표정으로 애정 넘치는 행동을 보였다. 표정이 없던 아이가 표정이 생기고 사람에게 관심을 보이지 않던 아이가 애정 넘치는 관심을 보이는 것이 바로 아이가 자폐를 벗어나고 있다는 증거다.

'관계 중심의 플로어타임 접근법'은 ABA와 비교되는 자폐 치료법의 하나가 아니다. 정확히 말하자면 플로어타임만이 자폐를 치료하는 유일한 행동치료법인 것이다. 플로어타임 치료를 진행하고 있느냐 아니냐에 따라 자폐 아동의 호전 방향은 완전히 달라진다.

ABA와 플로어타임의 비교
　ー자폐의 본질에 대한 이해의 차이

ABA 치료법과 플로어타임 치료법은 자폐에 대한 이해뿐 아니라 치료 방식에서도 근본적인 차이가 있다. 최근 미국에서는 ABA 치료법과 DIR(Developmental Individual differences Relationship) 플로어타임 치료법의 결합을 주장하는 흐름이 등장하고 있다. 그러나 두 가지 치료법의 본질을 이해한다면 도저히 양립하기 힘든 것임을 알 수 있다. 좋은 것을 적당히 연결하며 더 좋은 것이 만들어질 것이란 막연한 환상이 만든 헛된 노력이 아닌가 싶다.

두 치료법은 자폐스펙트럼장애 본질에 대한 이해의 관점에서 큰 차이를 가지고 있다. ABA 치료법은 자폐증을 기능장애로 이해한다. 즉 아동이 사회적인 기능을 수행하지 못한다는 것이다. 기능장애라는 인식의 저변에는 자폐증이 지적장애나 학습 인지력 장애와 강하게 연계되어 있다는 생각이 깔려 있다. 즉 자력으로 기능 습득을 못하는 장애라는 것이다. 그러므로 기능을 집중적으로 가르치는 데 주된 목적이 있다.

반면 DIR 플로어타임의의 경우 자폐스펙트럼장애를 감정-정서의 교류 장애로 이해한다. 자폐증이 지적장애나 기능 습득의 한계로 만들어지는 것이 아니라 근본적으로 사람과 사람 사이의 감정-정서 교류 능력의 장애로 발생한다고 본다. 즉 타인의 감정과 정서를 이해하지 못하며 타인에게 자신의 감정과 정서를 제대로 전달하지 못하여 사회성 장애가 발생한다는 것이다. 그러므로 치료에서도 기능 습득에 중점을 두기보다는 감정-정서의 교류 능력을 향상시키는 데 중점을 둔다.

플로어타임에서 감정-정서의 교류 장애는 감정-정서장애가 아니라 교류 장애라는 데 강조점이 있다. 일반인들은 자폐 아동을 감정-정서 자체가 없는 무감정한 사람으로 오해하기도 한다. 실제로 외견상 무표정하기도 하지만 때로 타인의 감정에 공감 능력을 보이질 못하니 감정 없는 인간으로 오해를 받는 것이다. ABA에서 자폐 아동을 이해하는 방식 역시 같은 관점을 가지고 있다. 자폐 아동은 감정이 없다는 식으로 인식하는 경우가 많다. 이런 관점이 있기에 동물 훈련법을 적용한다는 발상이 가능한 것이다.

플로어타임의 이해는 전혀 다르다. 자폐 아동도 일반인과 다르지 않은 감정-정서를 가지고 있다고 본다. 일반인과 마찬가지로 똑같이 희로애락을 느낀다는 것이다. 다만 문제가 되는 것은 교류 능력의 장애다. 타인의 감정을 이해하는 능력이 부족하며 자신의 감정-정서를 타인이 이해할 수 있도록 전달하는 의사소통 능력에 장애가 있다는 것이다. 그러므로 자폐 아동의 내면을 철저히 존중하는 접근법을 치료에서 채택하는 것이다.

최근 들어 MRI 검사를 통하여 자폐스펙트럼장애를 갖고 있는 사람이 일반인보다 공포감을 느끼는 편도체가 크다는 것이 확인되었다. 자폐스펙트럼장애가 있는 사람이 일반인보다 공포에 민감하다는 것은 이미 과학적으로 입증되었다. 또한 자폐증을 벗어나 워드프로세서로 의사소통이 가능해진 자폐인이 그동안 자신이 말은 못했지만 감정을 풍부하게 느끼고 있었다는 것을 밝히기도 했다.

지능에 대한 이해도 현격한 차이를 가지고 있다. ABA는 자폐인들이 사회적 기능 습득에서 자연 습득이 안 될 정도로 지능이 떨어지는 경향이 있다고 이해하는 듯하다. 그래서 상벌체계를 반복하는 동물훈련법을 사용하는 것이다. 자폐증과 지적장애를 연계하여 이해하는 것도 잘못이다. 최근의 연구에 의하면 자폐인들이 일반인에 비하여 지능이 높다는 것이 중론이다. 다만 언어를 통하여 지능검사를 하기에 상대적으로 소통 능력이 떨어지는 자폐인의 경우 검사의 정확도에 문제가 있는 것이다.

자폐스펙트럼장애인의 지능과 감정 상태는 매우 정상이라는 플로어타임의 이해는 정확하다. 이들은 단지 교류 능력의 장애를 겪고 있는 것

뿐이다. 이런 시각에서 나는 부모들에게 항상 다음과 같은 조언을 한다.

"아이들이 말을 못 알아들으니 답답하지요? 실은 아이들이 엄마, 아빠보다 더 답답해한답니다. 자기가 원하는 게 있고 자신의 감정이 있는데 그것을 전달하지 못하니 얼마나 답답하겠어요. 아이가 뭘 원하는지 아이가 어떤 감정 상태인지를 이해하기 위하여 귀도 열고 눈도 열고 가슴도 열어야 합니다. 그래야만 아이들과 교류를 할 수 있게 됩니다."

ABA와 플로어타임의 비교
─치료 목표와 치료법의 차이

ABA와 플로어타임은 치료 목표에도 차이가 있다. 또한 목표 달성을 위한 치료 과정에도 현격한 차이를 보인다. ABA는 사람이 정상적으로 생활을 하는 데 필요한 기술을 습득시키는 데 목표가 있다. 예를 들어 유치원에서 선생님이 말을 할 때는 착석하고 집중하는 기술을 실행해야 한다. 그러므로 아이에게 '착석과 집중'이라는 두 가지 기술을 하나씩 가르쳐서 수업 시간에 선생님을 보고 앉아 있는 행동을 만들어낸다. 교육에 성공하면 자폐 아동은 싫든 좋든 유치원에서 앉아 있으며 집중 행동을 유지한다. 외견상 기능이 좋아지는 것이다.

이런 식의 접근을 하기에 ABA 치료 그룹은 사람이 실생활에 필요한 기술 목록을 체계화하고 이를 하나씩 습득시키는 데 중점을 둔다. ABA 그룹마다 차이가 있지만, 미국의 유능한 ABA 치료 그룹이라면

3,000~4,000개로 세분화시킨 생활 기술 목록을 가지고 있고 이를 습득시키는 것을 치료 목표로 한다.

자폐 아동은 지능상의 문제가 없고 학습 능력 자체가 떨어지지 않기에 ABA식 치료법은 효과를 낼 수 있다. 상벌체계를 강화하여 외압이 강해질수록 훈련의 성과는 커진다. 그러나 문제는 기능은 가르칠 수 있지만 표정은 가르칠 수 없다는 것이다. 다정한 눈빛과 목소리는 가르칠 수가 없다.

'엄마'라는 한마디에도 우리는 수십 가지 느낌을 담을 수 있다. 애정 넘치는 '엄마~!'라는 표현이 있고, 화가 나서 외마디로 부르는 '엄마!'도 있다. 무언가 부탁을 하고 싶을 때 부르는 '엄~! 마~!'도 있다. 호칭마다 어울리는 목소리와 말맛과 표정이 있다. 이런 종합적인 감정 표현을 어떻게 가르칠 수 있단 말인가? ABA를 통하여 좋아지는 아이들은 표정 없이 로봇 같은 모습으로 '엄마'라는 호칭을 재현하는 데 성공할 뿐이다. 그리고 심한 경우 반향어로 서너 번씩 엄마라는 호칭을 반복할 뿐이다.

반면 플로어타임은 연령별로 아동의 사회성발달단계를 세부적으로 분류하고 각 아동의 발달단계에 맞게 감정-정서를 교류하는 능력을 유도하는 것을 목표로 한다. 그러므로 항상 자폐 아동의 요구를 이해하고, 아이가 즐거움을 찾는 방법을 이해하여 그에 동참하는 방식의 치료법을 택한다. 아동과 함께하며 즐거운 놀이의 경험을 발달시켜가는 것이다.

플로어타임에서 아동이 사회성 기술을 습득시키는 데도 몇 가지 원칙이 있다. 기술을 무조건 가르치지 않는다. 아동의 생물학적인 나이에 맞는 기술을 가르치는 것이 아니다. 아동의 사회성발달 수준을 평가하고 그 수준에 맞는 사회적 기술을 가르쳐야 한다. 물론 그 과정도 놀이를 통하여 즐거운 경험을 통하여 습득하도록 하는 것이다.

'착석과 집중'이라는 기술 습득을 놓고 이야기해보자. ABA 치료법에서 '착석과 집중'은 최초로 이루어야 할 기술이다. 그래야만 교육이 가능하기 때문이다. 그러기에 ABA를 통해서라면 비교적 초기에 '착석과 집중'이 이루어진다. 그러나 플로어타임을 이용한 치료법으로 안정적인 '착석과 집중'을 만드는 것은 단시간에 어려운 일이다. 착석과 집중은 적어도 만 3세가 넘은 수준의 사회성발달이 이루어져야 가능하다. 그러므로 중증 자폐증 아동이 플로어타임을 통하여 착석과 집중이 이루어지는 것은 시간이 필요하다. 만일 플로어타임을 이용하여 아동의 자발적인 '착석과 집중'이 이루어진다면 사실 자폐증을 거의 벗어날 준비가 된 것이라 봐도 무방하다.

플로어타임을 통하여 좋아지는 아이는 외견상 차이가 명백하다. 얼굴에 표정이 풍부해지고 눈빛으로 감정을 전달할 수 있게 된다. 감정을 매우 풍부하게 표현하는 다정한 아이로 치료가 되는 것이 플로어타임 치료법의 특징이다.

자폐 아동의 부모들은 아동의 호전을 평가할 때면 대부분 기능적인 호전을 이야기한다. "애가 유치원에서 착석이 된대요.", "이제 대소변을 가려요.", "말을 흉내 내서 한 단어까지는 해요." 등등. 그러나 정작 중요한 것은 이런 평가가 아니다. 아이가 얼마나 양질의 의사소통을 장시간 할 수 있는가가 중요한 것이다. 비록 말을 못해서 표정과 제스처 등의 비언어적인 의사소통을 이용하더라도 적극적이고 즐거운 의사소통이 가능하다면 그것이 더욱 가치 있는 것이다.

ABA와 플로어타임의 비교
―주 치료자의 차이

ABA와 플로어타임의 큰 차이 중 또 다른 하나는 주 치료자다. ABA의 주 치료자가 ABA 교육을 이수한 전문 치료자라면, 플로어타임은 부모가 주 치료자 역할을 하도록 교육을 받고 가정에서 치료를 실행한다.

ABA는 3,000여 가지 기술을 습득시키는 것을 목표로 하니 전문적인 테라피스트에게 치료를 의뢰할 수밖에 없다. 또한 아이들도 긴장된 관계에서 상벌의 효과가 극대화되기에 치료사를 통한 교육의 효과가 높아지기 마련이다.

이처럼 ABA에는 여러 문제점이 있는데 한국에서는 특히 경제적인 문제가 심각하다. 일주일에 20시간에서 40시간가량의 전문적인 치료를 받는 것은 정말 많은 비용이 든다. 미국은 주 정부의 지원으로 비용 부담이 해결된다고 하니 문제가 없다. 그러나 ABA는 정부 지원이 없는 곳에서는 사실상 실행이 불가능한 치료법이다.

현실이 이렇다 보니 한국에서 진행되는 ABA 치료는 제대로 된 ABA가 아닌 경우가 많다. 일주일에 한두 번 한두 시간가량 ABA 치료를 진행하는 발달센터가 대부분이다. 비용 절감을 위해서 어쩔 수 없는 선택인 것이다. 이런 식으로 ABA를 진행한다면 제대로 된 ABA를 한다고 말할 수 없다.

극히 일부에서 하루 3~4시간 주 5일을 진행하는 곳이 있기는 하지만 이 역시 의문이 있기는 마찬가지다. ABA라고 하여 진행하고 있지만 미국에서 논문으로 보고된 로바스식 ABA 치료법으로 훈련된 ABA 치료사가 진행되는 경우는 거의 없는 듯하다. 교과서적으로 보급된 행동 분석 치료법을 재현하여 수행하는 수준이니 미국의 ABA와 동일한 효과를 낸다고 단정할 수는 없다. 이런 이유로 한국에서는 사실상 ABA 치료를 제대로 진행하기는 거의 어렵다고 봐야 한다.

반면 플로어타임 치료는 감정-정서의 교류 능력을 향상시키는 것을 목표로 주 치료자는 부모가 될 것을 권유한다. 자폐 아동이 사회적 관계를 가장 쉽게 형성하는 대상은 부모다. 또한 부모와의 놀이 과정을 통하여 아동의 사회성은 발달하는데, 이때 아동이 즐거워하는 방식을 가장 잘 이해하고 있는 사람 역시 부모다. 누구보다도 아이와 정서적 교감이 잘 이루어지는 부모가 주 치료사가 될 때 아동의 사회성 발달도 가장 용이하게 되는 것이다.

플로어타임 치료법은 매우 다양한 장점이 있지만 그중에서도 가장 대표적인 것은 경제성이다. 부모가 스스로 자신의 아동을 치료하는 것이기에 비용이 거의 들지 않는다. 초기 교육 비용이 일정 기간 들고 나중에 부모가 능숙해지면 2주나 4주에 한 번 부모 코칭을 진행하는 것으로 충분하다.

자폐스펙트럼장애에서 ABA 치료가 되었든 플로어타임 치료가 되었든 사회성 치료는 필수적이다. 언어치료가 감각통합을 하더라도 하루 3~4시간 이상 제공되는 사회성 치료가 기본으로 진행되어야 한다. 그리고 사회성 치료는 오랜 시간 지속적으로 이루어져야 효과적이다. 정부의 지원이 없는 곳에서 자폐 아동을 치료한다면 플로어타임만이 현실적인 치료법이 될 것이다. 경제성이 높다는 점은 한국에서 플로어타임이 빠르게 보급되어야 하는 이유 중 하나다.

ABA와 플로어타임의 비교
―표정이 전혀 다른 아이들

앞서도 지적했지만 ABA를 통하여 좋아진 아동의 대부분은 로봇 같은 표정과 말투를 보인다. 반면 플로어타임을 통하여 좋아지는 아이는 로봇 같은 말투와 표정이 점점 사라진다. ABA와 플로어타임이 치료를 통하여 만들고자 하는 아이의 모습은 외형부터 차이가 있는 것이다.

이를 이해시키기 위하여 나는 부모들에게 다음과 같은 방식으로 설명을 한다.

"말을 잘하고 공부도 잘하는 자폐는 있습니다. 그러나 표정이 없습니다. 감정이 풍부하게 표현되지 못합니다. 아스퍼거증후군이죠. 거꾸로 표정이 풍부하고 감정 표현이 넘치는 자폐는 없습니다. 설혹 그 아동이 말을 못 한다고 해도 말입니다. 설혹 지금 공부를 못한다고 해도요. 그런 아동들은 결국에는 말도 하고 공부도 하게 됩니다."

아이가 자폐인지 아닌지는 진료실 문을 열고 들어올 때면 대부분 구별이 된다. 굳은 표정으로 사방을 두리번거리는 경우라면 대부분 자폐 상태에 머문 아이다. 반면 문이 열리자마자 나의 눈치를 살피며 공포나 호기심 따위의 감정을 표출한다면 자폐를 벗어나고 있는 아이다. 만일 아이가 애교 넘치는 표정으로 천진스럽게 미소 지으며 장난을 건다면 이는 십중팔구 자폐를 벗어난 아이일 것이다.

이런 시각에서 보자면 ABA가 만들고자 하는 아이는 기능만을 습득한 아이일뿐 자폐를 벗어난 아이라는 생각이 들지 않는다. ABA는 기능 좋은 자폐 아동을 만드는 데 머물고 있을 뿐이다.

잘못된 플로어타임 인식 바로잡기

플로어타임 제대로 하기

플로어타임은 부모교육에서 시작하고 부모교육으로 끝이 난다. 부모가 아동과 제대로 플로어타임을 진행해야 자폐 치료 효과가 나기 때문이다. 결국 부모교육과 코칭이 플로어타임 보급의 관건이다. 플로어타임을 제대로 시행하도록 교육하는 데는 여러 가지 난관이 있다. 먼저 환아의 부모에게 플로어타임의 유효성을 이해시키는 데 많은 공을 들여야 한다. 애들하고 놀아주는 것이 무슨 치료가 되겠느냐는 식의 반응이 대부분이기 때문이다.

이 문제를 해결하기 위해서는 긴 시간 동안 부모의 의식 변화를 위한 부모교육을 수십 차례 지속해야 한다. 교육을 통하여 부모가 플로어타임의 기본 원리를 이해해도 문제는 또 발생한다. 가장 먼저 나타는 것이 나태함이다. 그냥 애들 비위나 맞추며 놀아주면 되는데 무슨 전문가의 조언이 필요하냐는 식의 태도가 금방 생긴다.

이런 경우 실사를 해보면 아동과의 단순 놀이를 플로어타임이라 착각하는 경우가 대부분이다. 최근 들어 플로어타임이 확산되다 보니 이런 이상 현상도 덩달아 증가하고 있다. 플로어타임이라 할 수 없는 방식의 아동 놀이법이 플로어타임 행세를 하는 경우도 많다.

이제 한국에서 플로어타임을 단순 소개하는 것이 의미를 지니는 시기는 지난 것 같다. 더 중요한 것은 제대로 된 플로어타임이 실행될 수 있는 여건을 만드는 것이다. 플로어타임은 정말 제대로 실행되어야 한다. 그래야 자폐스펙트럼장애를 치료할 수 있다. 단순 놀이의 반복으로는 아동발달이 이루어지지 않는다.

플로어타임의 원리는 간단하지만 그것을 제대로 치료에 적용하기는 매우 어렵다. 특히나 한국과 같이 자폐 치료의 토양이 척박한 곳에서는 더욱 그렇다. 플로어타임을 제대로 정착하는 데 방해 요인은 무엇이 있을까?

한국에 플로어타임이 소개된 것은 플로어타임 치료를 제대로 시행할 수 있는 사람이 아니라 단지 학문적 관심이 있는 사람들을 통해서였다. 그래서 제대로 운영되는 클리닉을 통하여 실행 과정이 보급된 것이 아니라 문서 위주로 알려지기 시작했다. 이는 필연적으로 플로어타임에 대한 관념적인 이해라는 한계를 가져왔다.

또 다른 방해 요인은 토착화의 어려움이다. 플로어타임의 정신은 서구사회의 전통적인 육아법과 맥이 닿아 있다. 이는 아동을 주체가 아니라 훈육의 대상이라 여기는 동양적인 육아관과 큰 차이가 있다. 결국 한국에서 플로어타임을 한다는 것은 한국적인 교육관을 넘어 발달적인 아동교육관을 정착하고 실현하는 과정이다. 이는 몹시 힘들고 어려운 일이다.

본격적으로 플로어타임을 이야기하기 전에 우리는 플로어타임에 대한 잘못된 인식을 바로잡는 시간부터 가져야 한다. 이미 쉽고 간단하게 접한 정보를 통하여 왜곡된 플로어타임에 대한 인식이 너무 많기 때문이다.

ABA와 플로어타임을 같이하면 좋다고요?

―플로어타임은 선택 가능한 여러 치료법 중 하나가 아니다

병원에서 자폐스펙트럼장애라는 진단을 받은 이후에 플로어타임과 ABA를 같이하라고 처방받았다는 분을 가끔 보게 된다. 자폐스펙트럼장애 치료로 꽤 유명한 병원인데도 불구하고 플로어타임과 ABA를 동시에 처방하여 같이 진행시키는 듯했다. 이는 플로어타임을 제대로 이해하고 있지 못하기 때문이다.

이런 시각은 플로어타임을 선택 가능한 여러 치료법 중 하나로 여기는 것이다. 플로어타임은 여러 치료법 중의 하나가 아니라 자폐스펙트럼장애를 호전시키는 근본적인 접근법이다. 그러므로 다른 치료법들도 플로어타임과 결합이 되면 플로어타임적으로 변형이 가능하고 결합도 가능하다. 그러나 플로어타임의 정신과 위배되는 프로그램 접근법은 양립하기 어려운 것이다.

그 대표적인 치료가 플로어타임 접근법과 반대되는 치료인 ABA 치료법이다. 그러므로 두 가지 치료를 같이한다는 것은 어불성설이다. 이런 내용을 이해하지 못하다 보니 부모들이 의사가 시킨 대로 월, 수, 금에는 ABA를 하고 화, 목, 토에는 플로어타임을 하겠다는 것이다.

이는 비유하자면 어린이 육아법을 오전에 다르게 하고 오후에 또 다른 방식으로 한다는 이야기와 같다. ABA적으로 한다는 것은 오전에는 강력하게 훈육하는 방식으로 아이를 대하다가 오후에는 갑자기 태도를 바꾸어 따뜻한 부모가 돼서 칭찬하고 놀아주는 것과 같은 것이다. 이렇게 일관성이 없이 오전 다르고 오후 다른 부모의 태도는 어린이 육아에서 가장 경계해야 한다. 아동은 일관성이 상실되면 근본적인 혼란을 겪게 되기 때문이다.

일부에서는 ABA도 장점이 있고 플로어타임도 장점이 있다고 생각하여 두 가지를 기계적으로 결합시켜 치료하는 것이 좋다는 주장도 있다. 그렇게 생각하는 심정은 이해가 된다. 그러나 플로어타임과 ABA를 기계적으로 결합하는 방법이 있는 것도 아니다.

이는 마치 아이를 혼내고 강압하면서 아이의 요구를 존중하겠다고 이야기하는 것과 같다. 모순된 이야기일 뿐이다. 아이를 존중한다면 존중의 방법밖에 존재하지 않는다. 어떻게 존중할 것인가, 어떻게 아이의 의지를 북돋아 줄 것인가에 따라 그 방법이 달라질 뿐이다. 다시 한번 강조하지만 플로어타임과 ABA를 기계적으로 결합하는 것은 불가능할 뿐더러 두 개를 다 같이하는 것은 장려되어선 안 된다.

플로어타임은 놀이치료가 아닌 '발달유도 행동치료'

플로어타임을 놀이치료로 이해해서 그것으로 대체하는 분들이 많다. 정확히 말하면 플로어타임은 놀이치료가 아니다. 놀이치료도 다양한 흐름이 있지만 어떤 놀이치료도 플로어타임을 대체할 수는 없다.

가장 큰 이유는 놀이치료는 발달장애를 대상으로 하지 않기 때문이다. 'DSM-5'에 기초하여 출판한 『소아정신의학』(학지사)에는 놀이치료의 적응증에 대해 다음과 같이 기술하고 있다.

"고도의 지적장애, 뇌 기능에 심각한 장애를 가진 아동, 정신증이나
심한 전반적 발달장애 … 진단된 아동의 경우 일반적인 심층 놀이 정신
치료에 적합하지 않다."

즉 자폐성 장애는 전반적 발달장애에 해당하며 뇌기능장애로 분류되기에 놀이치료의 대상이 아님을 적시하고 있다. 더불어 놀이치료의 대상도 명시하고 있다.

"놀이 정신치료는 내재화된 갈등을 가진 아동뿐 아니라 경도 중등도
의 외현화 문제를 가진 아동, 발달과정에서 일어난 성격 문제, 환경적
인 문제로 정서적 고통을 경험한 아동에게 적용할 수 있다."

즉 신경학적 발달 이상이 치료 대상이 아니라 아이가 성장 과정 중 환경적인 갈등으로 발생한 성격 이상, 정서적 이상을 해결하는 것이 놀이

치료의 목적이다.

결론적으로 말하자면 놀이치료란 신경학적 이상에 기초한 발달장애를 치료하는 것이 아니다. 선천적인, 신경학적인 이상은 없는데 성장 과정에서 가정 내 갈등 등으로 아이가 성격상, 정서상 결함이 큰 경우 그것의 회복을 목적으로 진행하는 정신치료인 것이다. 반면 '플로어타임'의 치료 대상과 목표는 분명하다. 자폐성 장애, 신경학적 발달 이상이 있는 아동에게 정상적인 신경발달을 만들어내는 것이 치료 목적이다. 치료 대상과 목표가 명확히 다른 전혀 다른 치료임에도 불구하고 사람들이 혼동하는 데는 몇 가지 이유가 있다.

첫째는 용어의 혼동이다. '플로어타임'을 국내에 소개했던 번역이 "발달적 놀이치료"였다. 이는 잘못된 이해이고 오역이라고 생각한다. 플로어타임은 놀이치료가 아니다. 플로어타임을 주창한 그린스판 박사의 계승자들은 최근에는 플로어타임이란 용어를 사용하기보다는 "그린스판 어프로치" 즉 그린스판식 접근법이라는 용어를 더 즐겨 사용한다. 다른 치료법과 비교 불가능한 독특한 접근법이 있기 때문이다. 나는 플로어타임을 "관계 강화에 기초한 사회성발달치료법"이라고 번역하는 것이 타당하다고 생각한다. 놀이치료와는 맥이 다른 번역이다.

두 번째 오해는 진행 방식이 아동과 놀이를 하는 모습이기 때문에 발생한다. '플로어타임이나 놀이치료나 애들 취향대로 놀아주는 것이 아닌가?'라는 질문이 많다. 하지만 아이 취향을 중시해서 놀아주더라도 목적하는 바가 다르기에 진행 방식은 크게 다르다. 더구나 플로어타임이란 아동의 발달단계를 추적하며 지속하는 것이라 성장 과정이나 발달단계마다 개입법과 목표가 달라진다. 필요한 경우는 아이의 놀이를 적극적으로 방해하여 아동의 갈등 경험을 만들어주기도 한다. 플로어타임을 세련되게 잘하는 치료사일수록 의도적인 개입과 의도적인 갈등 조장을 잘한다.

즉 놀이는 출발일 뿐 갈등과 지연 방해까지 포함하여 아동 주도의 사회적 경험을 유도하는 데 필요한 도구들이 모두 동원된다. 아주 세련되게 진행된다면 플로어타임을 이용한 언어치료, 플로어타임을 이용한 감각통합치료, 플로어타임을 이용한 인지치료까지 진행하게 되니 놀이치료와는 그 맥이 다르다.

이렇게 보자면 플로어타임이란 아동이 사회성발달에서 거쳐야 할 과정을 치료사와 부모가 능동적으로 제공하여 아동의 장애 극복을 돕는 '발달유도 행동치료법'이라 이해해도 무방하다. 앞으로는 플로어타임을 무분별하게 놀이치료로 대체하는 부모들이 없기를 바란다.

플로어타임은 사회성 치료가 아니다

자폐 아동은 사회성이 부족하다고 생각하니 흔히 말하는 사회성 치료를 자폐 치료법으로 선택하는 분들이 많다. 이런 분들은 사회성 치료를 진행하고 있으니 플로어타임은 할 필요가 없다고 생각한다. 이른바 아동심리센터에서 진행하는 사회성 치료 프로그램으로 플로어타임을 대체 가능하다고 잘못 생각하는 것이다.

아동심리센터에서 말하는 사회성 치료라는 것은 자폐 아동을 대상으로 하는 사회성발달 프로그램이 절대 아니다. 사회성 치료라는 것은 신경학적 이상이 있는 아이들을 대상으로 하는 것이 아니다. 신경학적으로는 정상범주인 아동을 대상으로 진행하는 프로그램이다. 주로 양육 환경의 이상, 심리적 불안정, 정서장애, 집중력장애, 반항장애 등으로 교우관계가 원활하지 못한 아동이 적용 대상이 된다.

즉 사회성발달의 욕구가 충분히 존재하는 아동이지만 적절한 사회적 행동을 하지 못하여 사회적으로 고립된 아동을 위한 치료 프로그램이다. 이는 갈등이 반복되는 원인을 제거하여 교우관계를 원활하게 형성하도록 아동의 태도를 수정하는 아동 심리치료의 일종이다.

치료 내용을 보면 주로 친구한테 어떤 식의 행동을 하는 게 옳은지, 친구와 갈등이 있을 때 어떤 태도를 할 것인지 행동을 수정해주고 조언을 해주는 방식이다. 결국 아동의 사회활동에서 발생하는 갈등을 해결하는 방법을 일깨워주는 프로그램이다. 이런 취지를 명확히 한다면 사회성 치료라는 용어는 다소 과한 것으로 보인다. '사회적 갈등 해소 치료'라고 표현하는 것이 오해를 줄이는 용어일 것이다.

반면 자폐스펙트럼장애 아동은 사회성발달에 대한 욕구 자체가 없거나 약하다는 것이 근본적인 차이다. 설혹 욕구 자체가 있는 경우라도 그에 맞는 행동을 발달할 만한 감각적인 처리 능력이 없는 경우가 대부분이다. 이렇게 신경학적인 이상으로 사회성발달이 안 되는 자폐 아동은 사회성발달에 대한 욕구부터 만들어야 하기에 통상적인 사회성 치료로는 효과를 낼 수가 없다.

경증의 아스퍼거증후군 아동들이 사회성 부족으로 곤란을 받을 때 아동심리센터의 사회성 치료를 찾는 것을 자주 보게 된다. 그러나 사회성 치료를 통하여 학교에서 행동수정이 되는 아스퍼거증후군 아동은 극히 드물다. 경증이라지만 아스퍼거증후군 역시 자폐스펙트럼장애의 범주이기에 사회적인 기술을 조언해주는 것만으로는 문제가 해결될 수 없는 것이다. 자폐 아동에게 필요한 신경학적인 접근법이 동일하게 적용되어야 효과를 낼 수 있다.

그러므로 아동 심리치료의 일환인 사회성 치료라는 것이 플로어타임 접근법을 대신할 수 없다는 것을 명확히 해야 한다. 아동이 사회성이 부족하다면 그 원인이 심리적인 원인인지 아니면 신경학적인 이상인지 정확한 진단 과정이 선행되어야 한다. 그리고 아스퍼거증후군이라는 진단이 내려지고 나면 플로어타임 접근법에 충실한 것이 유익한 해결책이 될 것이다.

하루 2시간 이상 해야 플로어타임이다

플로어타임이 감정-정서의 순화를 목적으로는 하는 놀이치료와 구별되는 '발달유도 행동치료법'이라고 지적한 바 있다. 이번에는 그 연장으로 '발달유도'라는 목적을 실현시키기 위해 필수적으로 지켜져야 할 첫 번째 원칙인 치료 시간에 대해서 살펴보겠다.

자폐증, 아스퍼거증후군 등의 발달장애는 뇌신경 손상, 뇌신경 이상에서 유발된 신경장애다. 치료를 통해 질병이 호전된다는 것은 손상된 뇌 신경조직의 회복 또는 대체조직의 형성이 이루어진다는 것을 의미한다. 즉 사회성발달을 저해하는 손상된 뇌 기능의 회복, 복구 과정이 자폐증 호전 과정인 것이다.

손상된 뇌 신경조직의 회복을 위하여 얼마나 많은 시간을 들여야 할 것인지에 대해 정확한 답을 하기는 어렵다. 다만 분명한 것은 다다익선이라는 점이다. 긴 시간이 투자되면 투자될수록 좋다는 점은 분명하다.

또 하나 분명한 점은 단일 자극이 안정적인 시냅스를 형성하려면 2주 이상의 반복된 자극이 있어야만 한다는 것이다. 일정한 수준의 자극이 2주 이상 반복 실행돼야 하며 하루 중 상당한 시간 반복적으로 실행돼야 효과를 낼 수 있다.

보행장애를 만드는 뇌신경장애 중 대표적인 질환이 뇌성마비다. 보행 재활을 위한 물리치료는 낮 병동이라는 제도를 통하여 하루 6시간 이상 발달적인 자극을 주는 치료를 진행한다. 최초로 자폐증의 호전을 보고한 ABA 치료는 하루 평균 6~8시간을 시행할 때 효과가 있다고 말한다. 뇌신경의 가소성을 유도하는 '발달유도' 치료라면 이 정도의 고강도 자극을 6시간 이상 투입해야 효과가 있다는 것은 상식이다.

플로어타임도 뇌신경 손상을 회복시키는 '발달유도' 치료다. 절대적인 시간을 들여야 효과를 볼 수 있음은 당연하다. 플로어타임 치료법을 만든 그린스판 박사는 하루에 4시간 이상의 플로어타임 치료를 진행할 것을 권장했다. 만 7세 이하 아동들에게 하루 4시간씩 2~3년 실행한다면 대체로 58%의 아이들이 정상 아동으로 생활했다고 보고했다. 다른 치료보다 투입 시간이 적은 것은 플로어타임이 아동의 자발성에 기초한 진행이어서 더 효과적이기 때문일 것이다.

간혹 일주일에 두 번 1시간 정도씩 플로어타임을 한다고 말하는 부모를 만나게 된다. 치료에 필요한 절대적인 시간을 투여하지 않는다면 이는 플로어타임을 한다고 볼 수 없다. 플로어타임의 흉내 내기일 뿐이다. 치료사가 직접 하든지 아니면 부모가 실행을 제대로 하든지 하루 4시간의 플로어타임을 진행하는 것이 진짜 플로어타임이다.

4시간이 안 되면 최소한 하루 2시간은 확보해야 한다. 매우 유용한 감각발달치료법이 결합된다면 2시간의 플로어타임만으로도 치료 효과는 충분하다. 그러나 증세가 중증이라면 4시간 치료가 필수적이다. 2시간은 최소일 뿐이다. 어떤 경우는 지속적이고 고강도로 결합되는 플로어타임이 있을 때 아이들이 발달하기 시작한다. 자폐증이나 발달장애 아동의 치료를 목적으로 한다면 하루 2시간 이상의 플로어타임은 필수다.

감각처리장애 치료와 결합되어야
진짜 플로어타임이다

플로어타임 치료를 관통하는 아주 중요한 원칙이 있다. 자폐 아동의 행동에 문제행동은 없다는 것이다. 아이의 모든 행동에는 합리적인 이유가 있고, 모든 행동은 자신만의 요구를 실현하기 위한 최선의 행동이다. 따라서 그 이유를 이해하지 못한 채 통념의 잣대로 문제행동이라 예단하는 것은 잘못이라는 것이다. 즉 자폐 아동들이 하는 모든 행동은 옳은 행동이므로 잘잘못을 따지기 전에 그 행동의 동기를 이해해야만 하는 것이다.

문제행동을 만드는 가장 큰 원인은 감각처리장애다. 즉 감각된 정보에 대한 반응 방식에 차이가 있다는 것이다. 소리나 빛, 촉감 등의 외부 자극에 지나치게 민감하게 반응하게 되는 경우 감각 기피 현상이 강하게 나타난다. 가장 흔하게는 작은 모터 소리나 청소기 소리에도 공포감을 표현하며 거부하는 자폐 아동들이 많다. 촉감에 지나치게 민감해지면 사람과 포옹하는 것도 힘들어하고 스킨십을 극단적으로 거부하는 경우도 있다. 일부 아동은 옷을 걸치는 것 자체를 고통스러워하는 경우도 있다.

반대로 감각된 정보에 대한 반응력이 매우 둔하고 떨어지는 경우도 있다. 매우 시끄러운 소리를 즐기며 자기 목소리도 크게 내야 직성이 풀리는 아이들이 있다. 일부는 피부감각이 둔화되어 통증을 잘 못 느끼며 구강감각도 떨어져서 매운 것을 즐기거나 입으로 물건을 자꾸 삼키는 아이들도 있다. 일부의 아이들은 전정감각을 추구하기 위하여 방방 뛰기도 하고 무거운 압력을 즐기는 아이들도 있다.

플로어타임 치료사는 필수적으로 아동이 이상행동을 보이는 원인을 이해해야 한다. 이상행동을 만드는 감각처리장애에 대해서도 이해해야만 한다. 그리고 감각처리장애를 해결할 방안도 가지고 있어야 한다. 자폐 아동이 요구하는 감각을 능동적으로 제공할 때 진정한 아동 중심의 플로어타임이 시작되기 때문이다.

아동이 방방 뛴다면 치료사도 같이 뛰어야 한다. 아동이 큰 소리를 괴로워한다면 낮고 부드러운 목소리나 음악을 이용하여 놀이를 즐기기 시작해야 한다. 어두운 곳을 좋아한다면 빛을 최소화한 공간에서 플로어타임을 해야 한다. 아동이 원하는 곳에서 시작하여 아동이 원하는 감각자극을 놀이로 승화시키는 과정을 반복하면 점차 아이는 감각처리능력이 향상된다. 민감성은 줄어들고 과둔형은 점차 예민성을 회복한다.

이 과정에서 이상행동이 점차 조절되기 시작하는 것이다.

결국 플로어타임은 감각처리장애에 대하여 이해하고 이를 치료 과정에 결합하여 사회성 치료만이 아니라 감각발달 치료 역시 동시에 진행한다. 감각발달 치료는 작업치료사가 하고 사회성은 플로어타임이 맡는 분업적인 방식이 아니다. 플로어타임은 감각과 사회성발달 치료를 동시에 해결하는 종합적인 치료 과정이다. 그러므로 치료의 출발은 자폐 아동의 감각상의 특징을 프로파일링하는 과정을 먼저 거쳐야 한다. 이 과정이 없다면 이는 플로어타임이라는 이름만 사용하는 것일 뿐 실제로는 일반 놀이치료와 다를 바가 없다.

그린스판은 플로어타임 치료법을 정립하는 과정과 동시에 감각처리장애라는 병명을 정식화하는 과정에도 참여하였다. 만 3세 이전의 자폐 아동을 상대로는 자폐증이라는 병명을 사용하기보다는 감각처리장애라는 질환명을 사용하고자 하였다. 그리고 감각처리장애만 처리된다면 자폐증도 해결이 가능하다고 생각했다. 감각처리장애에 대한 이해와 치료가 결합되어야만 제대로 된 플로어타임 치료법인 것이다.

부모교육과 티칭 토론 과정이 없다면 플로어타임이 아니다

플로어타임은 치료사가 진행하는 것이 아니라 부모가 진행하는 것이다. 그러므로 플로어타임은 치료사가 아이를 직접 치료하는 것보다 부모가 플로어타임을 잘하도록 유도하는 것이 중요하다. 이를 위해 부모들을 상대로 플로어타임 교육을 진행하는 것은 필수적인 과정이 된다.

이렇게 보자면 플로어타임의 시작은 부모교육에서부터 진행된다고 봐야 한다. 최근 플로어타임을 실행한다는 곳이 여럿 있는데 이런 원칙을 준수하는 데는 적은 듯하다. 흔히 한국에서 진행되는 치료 프로그램들은 대부분 치료사가 서비스를 제공하는 방식이다. 부모들은 쇼핑하듯이 여러 가지 치료법 중 하나를 구입하는 태도를 가진다.

플로어타임도 마찬가지다. 치료사가 하는 플로어타임을 일주일에 한두 번 구매하는 방식으로 접근하는 사람들이 많다. 사정이 이렇다 보니 일주일에 한두 시간 하는 방식으로 서비스를 제공하는 곳들도 있는 듯하다. 이런 방식은 플로어타임이라고 할 수 없다. 부모가 하루에 적어도 2시간 이상 진행할 수 있도록 철저한 교육이 이루어져야 한다. 아이에게 플로어타임을 실시하는 것과 같은 비중으로 부모에게 플로어타임 교육이 이루어져야 한다.

부모교육은 간단한 기술을 전달하는 방식을 넘어서야 한다. 플로어타임 전반을 이해하기 위한 이론적 교육이 꼭 필수적으로 이루어져야 한다. 아이가 발달이 늦은 초반에야 간단한 신체 놀이 정도만으로도 플로어타임을 할 수 있다. 그러나 한두 달 경과하고 아동이 발달하게 되면 플로어타임은 성장 과정에 맞추어 업그레이드된 접근법으로 실행해야 한다. 그러므로 부모는 아동발달 전반에 대해 이해를 하고 있어야 한다.

두 번째 중요한 점은 이론교육뿐 아니라 실제 플로어타임 실행 교육도 이루어져야 한다는 것이다. 실제로 아이와 어떻게 플로어타임을 할지 알려주는 테크닉 교육도 이루어져야 한다. 이를 위해서는 플로어타임을 실행하는 놀이 현장에서 부모의 문제점을 수정해주는 현장 코칭을 위주로 한 티칭 과정이 필수적인 것이다.

이렇게 이론교육 후에 현장 코칭이 이루어지면 어느 정도 부모가 플로어타임을 실행할 수 있게 된다. 그러나 그 유효성은 한두 달 정도면 끝날 것이다. 아이는 끊임없이 변화되기 때문에 매일 일주일 내내 똑같은 방식으로 플로어타임을 할 수는 없다. 아이의 성장과 발달에 따라서 플로어타임 방식과 전략이 변화되어야 된다.

아이의 발달에 따라 변화된 접근법을 만드는 것을 개인의 판단과 개인의 생각만으로 하게 되면 쉽게 한계에 부딪히게 된다. 매번 유사한 형태를 반복하면 창의성이 뒤떨어지게 되어 지루한 플로어타임으로 끝날 가능성이 높다. 그래서 이 과정이 올바른지 아니면 더 좋은 방식이 있는지에 대한 토론이 필수적으로 뒤따라야 한다. 여러 사람이 지혜를 모으는 토론 과정을 통해서 플로어타임은 더 나은 플로어타임으로 업그레이드될 수 있을 것이다.

이렇게 이론적인 교육과 현장에서의 티칭, 그다음 치료사와 이루어지는 정기적인 토론 과정이 부모와 함께 지속적으로 이루어져야 한다. 이런 과정이 존재하지 않은 채 플로어타임을 일주일에 한두 번 한다면 이런 것은 플로어타임이라 할 수가 없다. 단지 플로어타임을 구매해서 잠깐잠깐 흉내 내기를 하고 있는 것이다.

자폐 아동을 위한 플로어타임 프로그램

2장

플로어타임의
기본 이론

이제 플로어타임 이론에 대한 설명을 시작할 것이다. 플로어타임은 외견상 아동과 이루어지는 매우 단순한 놀이 과정으로 보이지만 매우 탄탄한 이론 체계를 갖추고 있다. 이론 체계를 깊이 이해해야 플로어타임을 다양하고 변화무쌍하게 지속적으로 실행할 수 있다. 또한 장시간의 과정에서 방향감각을 잃지 않을 수 있다.

플로어타임 이론은 아동발달학과 전통심리학에 기초하고 있다. 전문적인 내용을 숙지하는 과정은 조금 지겹고 따분한 과정이 될 것이다. 여기서 소개하는 플로어타임 이론은 그린스판의 저술과 플로어타임협회인 ICDL(Interdisciplinary Council on Development and Learning)의 내용에 기반하고 있다. 기본 이론 외의 사례들은 이해를 돕기 위하여 한국에서 진행되는 사례를 결합했음을 미리 밝혀둔다.

자폐 아동을 위한 플로어타임 프로그램

플로어타임의 핵심 개념

플로어타임을 한국에서 실행하고 교육할 때 가장 어려운 것 중의 하나가 용어와 개념을 한국적으로 번역하는 것이다. 실제로 그린스판이 정리한 플로어타임의 개념들은 통상적인 언어적 개념을 넘어서 사용된다. 그러므로 용어를 학문적 개념만으로 이해하면 플로어타임의 본질에 접근하기 어렵다.

플로어타임의 용어와 개념을 기계적으로 한국말로 바꾸면 원래의 의미가 전달되지 않는 경우가 너무 많다. 그래서 핵심 개념은 가급적 원어를 그대로 사용하고 번역된 개념 또한 적절히 사용할 것이다. 먼저 플로어타임의 기본 이론에 대한 이해를 돕기 위하여 플로어타임을 관통하는 핵심 개념을 소개하고 설명하고자 한다. 핵심 개념을 이해하는 것만으로도 플로어타임에 대한 이해는 절반은 이루어진 것이다.

어펙션(Affection)

어펙션(Affection)은 플로어타임을 처음부터 끝까지 관통하는 용어다. 아동과 얼마나 어펙션 있는 관계로 상호작용이 진행되었는지가 잘된 플로어타임과 잘못된 플로어타임을 평가하는 첫 번째 기준이다.

어펙션은 훈육적인 육아를 주로 하는 한국 사람들에게는 매우 낯선 개념이다. 직역하면 애정 또는 애착이라는 용어로 번역되는데 제대로 의미 전달이 되는 번역은 아니다. 의미를 중심으로 용어를 간단히 표현하자면 '감정이 풍부하게 전달되는 애정 넘치는 관계'라고 하는 것이 더 이해가 쉬울 듯하다.

이는 상호작용을 위하여 관계 형성을 할 때 어떤 질의 관계를 맺으며 관계 형성을 하는가에 대한 개념이다. 관계를 맺는 아동이 치료사나 부모로부터 어펙션이 풍부한 관계를 실제로 느끼도록 관계 맺기를 해야 한다는 것이다.

플로어타임의 목표는 아동과 완전한 상호작용을 통해 아동이 스스로 발달을 이룰 수 있도록 돕는 것이다. 완벽한 상호작용을 이루기 위해서 반드시 이해해야 하는 것 중 가장 중요한 것이 있다면 어펙션이다. 어펙션은 감정이 포함된 모든 메시지다. 당위적인 훈육이나 기계적인 메시지를 반대한다. 도구는 무엇이라도 좋다. 말, 표정, 몸짓, 목소리, 생각 등 모든 것을 포함한다. 아동이 어펙션을 느낄 수 있도록 해야 한다.

아동과 관계를 맺을 때, 상호작용을 유지하고 발달시키고자 할 때, 아동에게 과제를 줄 때, 모든 시간에 풍부한 어펙션을 이용하여 아동과 소통해야 한다. 어펙션에 대한 자세한 내용은 3장의 '모든 시간을 플로어타임으로'에서 추가로 상세히 설명할 것이다.

아이가 나를 쳐다봐 주기를 간절히 희망한다면 어펙션을 이용하여 메시지를 전달해야 한다. 엄마가 "기연아, 엄마도 딸기 줘!", "설희야, 이거 봐. 이거 뭐지? 기차야?"를 아무리 반복해도 아이가 쳐다보지 않는다면 어펙션 형성에 실패하고 있는 것이다.

엄마가 감탄사만으로 "와~! 기연아~!" 한다거나 부드럽고 나지막한 어조의 감탄사와 함께 "설희야~! 엄마야~!"라고 하면 아이가 고개를 돌리고 엄마를 응시하는 것을 경험할 것이다. 아이가 엄마의 감정 넘치는 애정표현에 어펙션을 형성하는 데 성공한 것이다. 아이와 소통하고 싶다면 말을 많이 하는 것보다는 감정 전달의 다양한 도구를 사용해야 한다. 말을 줄이고 어펙션을 풍부하게 이용하는 것이 플로어타임에서는 매우 중요하다.

자기조절과 규제(Self Regulation)

인간은 생물학적인 메커니즘을 이용하여 자동적으로 환경에 적응하고 항상성을 유지한다. 이는 사회생활에서도 마찬가지다. 인간은 사회의 구성원으로 안전하게 살기 위해 사회환경에 적합하게 적응하도록 자신의 생각과 행동을 조절하는 기능이 있다. 사회환경에 맞게 적절하게 적응하도록 반응 상태를 유지하는 능력을 자기조절과 규제(Self Regulation)라고 한다.

엄마가 부르면 쳐다본다거나 하는 눈맞춤과 호명 반응을 유지하는 것은 대표적인 자기조절과 규제 중 하나다. 그뿐 아니다. 싫어하는 사람을 상대로 찡그린 표정으로 얼굴을 피한다거나, 복잡한 상황에서도 필요한 사람에게 집중을 유지하는 능력까지 다양한 수준의 자기조절이 있다. 이는 인간이 인간으로서 세상에서 살기 위해 필요한 가장 기본적인 능력이다.

외부 환경에서 오는 자극에 지나치게 자극받거나 너무 다운되지 않고 평정한 상태에 머물 수 있는 능력이 바로 자기조절력이다. 그린스판이 정리한 플로어타임의 사회성발달단계에서 자기조절과 규제는 가장 기본적인 역량이다. 자기조절력이 잘 만들어져야 비로소 사회성발달을 원활하게 유도할 수 있는 것이다.

신경정신학에서는 스트레스로 코르티솔(cortisol) 호르몬이 증가하면 뇌의 면역 이상으로 자기조절이 잘 형성되지 않고, 이로 인하여 아동의 조기발달에 악영향이 미친다는 연구 보고가 있다. 또한 아동의 기질이나 아동이 처한 환경에 따라 자기조절력에 차이가 생기는 것으로 알려져 있다.

자기조절력이 아동의 조기발달에 얼마나 큰 영향을 미치는가는 아동발달심리학에서도 오래전부터 연구되어 온 주제다. 특히 아동이 만 5세까지 자기조절이 되지 않는 상태라면 언어, 인지, 감각, 사회성발달이 원만하게 이루어지기 어렵다고 알려져 있다. 그러므로 플로어타임에서는 초기에 자기조절과 규제를 형성하는 것을 매우 중요한 과제로 삼는다.

자기조절을 만들기 위해서는 반드시 아동의 환경과 감각처리 현상을 이해해야 한다. 아동이 외부에서 오는 자극에 자기조절과 규제를 형성할 수 있도록 도와주어야 한다. 그를 위해서는 아동이 수용 가능한 감각 방식의 자극과 접근이 필수적이다.

자기조절과 규제의 형성을 돕는 플로어타임을 하기 위해서는 아이마다 고유한 감각처리패턴의 차이를 세심하게 관찰해야 한다. 감각처리패턴의 차이는 결국 자기조절과 규제의 차이를 만든다. 그러므로 아이마다 감각을 처리하는 현상을 세심하게 관찰하고 접근해야 한다.

아래의 자료는 저소득 아동과 가정을 돕기 위해 여러가지 프로젝트를 진행하는 미국 보건복지부 산하 단체인 OPRE(Office of Planning, Research and Evaluation)에서 아이들이 자기조절을 하는 방법을 연령별로 예를 들어 설명한 것이다. 이를 통하여 자기조절과 규제에 대한 이해를 좀 더 구체화할 수 있을 것이다.

영아기	● 너무 강한 빛이나 무서운 것을 보았을 때 시선을 돌리거나 피한다. ● 스트레스를 받으면 손가락이나 젖꼭지를 심하게 빨면서 스스로 진정한다.
유아기	● 짧은 시간 동안 주의 집중한다. ● 얻고 싶은 것을 얻기 위해 자신의 행동을 조정한다. ● 약간은 참을 수 있다. ● 어른에게 도움을 받기 위해 매달릴 수 있다.

감각처리(Sensory Processing)

감각처리(Sensory Processing)란 감각 정보의 입력부터 출력까지를 통칭하는 뇌의 기능이다. 인간마다 보이고 들리는 상태가 각자 다르다는 것을 이해하는 것이 중요하다. 즉 인간은 같은 사물과 현상이라도 똑같이 듣고 보고 느끼는 것이 아니다. 개인마다 색깔도 달리 보이고 소리에 대한 민감성도 차이가 있으며 촉감을 느끼는 정도도 다르다.

청각, 시각, 고유수용감각, 전정 및 촉각 시스템 등 인간이 가진 모든 감각은 모두 개개인마다 독특하게 차별화된 신경계 구성을 가지고 있다. 이런 감각처리의 차이가 아동들의 행동 양식의 차이를 만든다. 그러므로 감각처리에서 개인의 차이와 특성을 이해하는 것은 플로어타임의 필수 요소다.

각 아동의 감각처리의 특성을 이해해야 행동의 차이도 이해할 수 있다. 아동의 감각처리체계가 쉽게 수용할 수 있는 방식으로 접근을 해야 한다. 그래야만 아동이 자기조절력을 형성하는 것을 도와주는 방식으로 플로어타임을 할 수 있다. 주변 환경으로부터 받는 정보의 입력부터 출력까지 어떻게 뇌에서 처리되는가에 대한 특성에 맞추어야만 아동의 발달에 최적의 도움을 줄 수 있는 것이다.

감각과민반응과 감각과둔반응의 이해
(Understanding Hyper and Hypo Sensitivity)

감각처리의 개인차를 이해할 때 가장 큰 틀은 과민성과 과둔성을 이해하는 것이다. 예를 들어서 10이라는 자극이 외부로부터 주어졌을 때 자극 자체를 더 강하게 20~30으로 느끼는 것을 과민성 감각 상태라고 한다. 역으로 10이라는 자극을 3~4 정도의 작은 자극으로 느끼는 것을 과둔한 감각 상태라고 한다.

사람에 따라 어떤 특정 감각 정보에는 과민반응을 보일 수도 있고 과둔한 반응을 보일 수도 있다. 모든 사람은 개인에 따라 과민성과 과둔성에 차이가 있는 개인화된 감각처리반응을 가지고 있다. 선천적으로 감각처리 이상을 가지고 태어난 경우도 있고 면역 이상으로 뇌 기능이 저하되어 후천적으로 부분적인 이상 반응이 나타날 수도 있다.

발달장애 아동들은 감각처리에서 정상범위를 넘는 감각과둔, 감각과민 양상을 보인다. 그로 인해 정상범위를 넘는 이상행동이 나타나는 것이다. 과민성을 보이는 아동의 경우 두려워하고 과도하게 걱정하거나 과신중하고 부정적인 태도를 취하기가 쉽다. 과둔한 아동의 경우는 강렬한 감각을 찾아 헤매거나 또는 반대로 스스로 포기하여 아무것도 하려 하지 않을 수도 있다.

발달장애 아동들은 플로어타임 과정에서 감각기능별로 어떤 특징이 있는지 세심하게 관찰되어야 한다. 그래야만 아동의 이상행동에 적절한 감각적인 배려를 하며 접근할 수 있다. 과민한 아동에게는 매우 부드러운 접근 전략을 취하고 과둔한 아동에게는 매우 자극적인 방법을 플로어타임 접근법으로 사용해야 한다.

실행계획과 통합수행능력(Motor Planning & Praxis)

프락시스(Praxis)를 '통합수행능력'이라고 번역하였는데 본 의미를 담기에는 부족한 표현이다. 일부에서는 '통합운동능력'이라 번역하기도 한다. 즉 인간이 가지고 있는 감각 능력을 종합적으로 통합하여 어떤 일을 수행하는 능력을 말하는 것이다.

예를 들어 새로운 모양의 음료수 병이 주어져 음료수를 마시려고 시도할 때, 병을 흔들어보고, 뚜껑을 두드려보고 돌려보려고 시도하며 다양한 방법으로 음료수를 마시려고 노력해보는 능력을 말한다. 이 과정에 시각, 청각, 촉각, 고유수용성감각 등의 모든 감각을 통합시켜 새로운 시도를 해보는 과정이 '통합수행능력'을 연속적으로 발휘하는 프락시스인 것이다.

프락시스는 이렇게 자신의 신체감각을 통합하여 과제를 수행하는 능력에만 머물지 않는다. 자신의 힘만으로 잘 되지 않는다면 주위 사람을 불러 도움을 청하는 능력, 도움을 줄 사람이 없다면 기다릴 수도 있고 또는 다른 방법을 찾으려고도 할 수 있는 등 이렇게 자신이 이용할 수 있는 다양한 모든 수행력을 계획하는 능력까지 포함한다. 즉 실행계획(Motor Planning)을 포함하는 광범위한 용어가 프락시스인 것이다.

결국 프락시스란 어떤 물리적 환경에서도 침착하게 새로운 행동을 계획하고 순서를 조직하여 수행할 수 있는 능력을 말한다. 프락시스가 좋아야만 자신이 의도하는 대로 또는 필요한 대로 어떤 일들을 수행하고 실행할 수 있는 것이다.

발달장애 아동의 대부분은 통합수행능력에 문제가 있다. 가장 흔하게 관찰되는 현상은 신체 동작이 수반되는 새로운 동작, 새로운 작업을 가르치기 어렵다는 것이다. 새로운 수행을 하려면 매우 어설픈 몸동작을 보이게 되어 쉽게 좌절하게 된다. 예를 들면 가장 흔한 것이 줄넘기, 자전거 타기 등 새로운 것을 배우기를 매우 어려워한다. 무용이든 운동이든 복잡한 신체 동작을 재현하기 어려워하는 것도 같은 이유다. 이런 현상을 두고 실행 능력상에 문제가 있는 질환이라고 하여 통합수행장애(dyspraxia)라고 한다.

통합수행능력은 기억 속에 있는 과거의 경험이나 지식을 생각해내는 능력, 생각한 것을 신체와 환경을 이용해서 실행으로 옮기는 능력, 그리고 힘의 강약을 적당히 조정하고 조절하는 능력을 포함한다. 이렇게 통합수행력을 만드는 과정은 과거의 경험에 기반을 둘 수도 있고, 시각과 청각으로 얻은 정보도 이용해야 하며, 또한 물리적 신체적 기능에 의한 조절도 같이 통합되어야 하는 기능이다.

플로어타임은 아동의 '수행능력'에 대한 철저한 이해를 기반으로 하며 프락시스 과정에 정교하게 개입한다. ABA에서 훈련이나 강화물을 이용하여 과정을 단순하게 흉내 내는 방식으로는 통합수행능력이 발달할 수 없다. 이 과정을 아동의 주도에 의해 스스로 이루어지게 해야 통합수행능력이 발달할 수 있다.

그러므로 플로어타임 과정에서는 아동의 통합수행장애를 정확하게 이해하고 평가해야 한다. 간혹 통합수행장애 현상을 보고 아이가 하기 싫어서 거부하는 행동으로 오인하는 사람들이 많다. 그래서 강제적으로 실행시키려는 시도가 동원되기도 한다. 그러나 통합수행장애가 있는 아동은 자신이 희망하는 동작을 스스로 실행하고 재현하는 능력이 부족하다는 것을 이해해야 한다. 그래서 아동이 스스로 문제를 수행할 수 있도록 조력자로서 결합하는 과정이 플로어타임으로 반영되어야 한다. 같이 시도하고 같이 실패하고 다시 같이 수정을 시도하며 조금씩 문제해결에 근접해가야 한다. 이렇게 자주적이고 주도적인 행동의 시도와 수정 과정이 이후 과제를 자연스럽게 해결하고 극복할 수 있는 통합수행 역량의 기본이 된다.

의사소통의 원(Circle of Communication)

두 사람 사이에서 주고받는 의사소통의 과정이 한 주기로 완성되는 것을 의사소통의 원(Circle of Communication)이라고 한다. 치료사나 부모가 어떤 의사 표현을 해주면 아동이 그에 반응하여 나에게 재차 의사 표현을 해주는 하나의 주기를 의미한다. 이 과정이 순환적으로 이루어지기 때문에 그린스판은 이를 원(Circle)이라는 표현했다.

플로어타임에서는 의사소통 과정에서 만들어지는 원의 숫자가 늘어날수록 아동의 사회성발달 수준이 높아지는 것으로 본다. 그러므로 상호작용의 원을 유도하기 위하여 치료자나 부모는 아이가 능동적으로 반응할 수 있는 다양한 방법을 모색해야 한다. 이 과정이 잘 이루어질수록 효과적인 플로어타임 과정이라 평가된다.

의사소통 과정에서 아동이 응답을 받은 후 다시 응답을 하며 상호작용을 주고받는 원을 통하여 아동은 다양한 소통 능력을 발달시킨다. 이를 통해 아동은 의사소통에 대한 주도성, 의사소통을 유지하는 조절력, 동기, 집중력 등을 키워간다. 그 과정에서 자신과 타인에 대한 인식을 발달시키며 사회적 인식을 형성한다.

의사소통의 원은 언어를 이용한 상호작용만을 의미하지 않는다. 오히려 발달장애 아동들에게는 언어를 이용한 상호작용보다 비언어적인 상호작용이 더 중요하다. 몸짓, 시선, 눈빛, 표정 그리고 정형화된 언어보다는 감탄사나 의성어 등 모든 것을 동원하여 아이와 의사소통의 원이 수회 유지되고 만들어지도록 해야 한다.

즐겁고 편안한 감정의 소통과 놀이로 여러 개의 원을 만들고 유지하는 능력은 후에 다른 주제의 학습과 발달을 위한 기반이 된다. 앞서 말한 어펙션은 아이와 의사소통의 원을 만들어가는 원동력이다. 아이와 탁구를 하듯이 의사소통을 주고받고 싶다면 언어만이 아닌 몸짓, 표정, 목소리 등 가지고 있는 최대한의 어펙션을 이용하는 것은 필수다.

리듬과 타이밍(Rhythm and Timing)

리듬과 타이밍이라는 개념은 플로어타임에서만 구별되는 차별성 있는 개념은 아니다. 통상적으로 사용되는 개념으로의 리듬과 타이밍이다. 즉 아동에게 상호작용을 시도할 때 어떤 리듬으로 할 것이고 어느 타이밍에 행동을 할 것인가 하는 문제다. 리듬과 타이밍은 플로어타임의 이론에서 강조되는 내용은 아니지만, 실제 플로어타임을 실행하는 과정에서 아이의 반응을 유도하기 위해서 필수적으로 요구되는 현장성을 강조한 개념이다.

리듬과 타이밍은 아동마다 달라야 하고 동일한 아동에게도 상황에 따라 다르게 해야 한다. 이는 아이마다 감각처리(Sensory Process)의 특성이 다르기 때문이다. 그러므로 아동의 감각기관이 반응할 수 있는 리듬과 타이밍의 변화를 만들어야 한다.

예를 들어보자. 철수라는 아이에게 통상적인 호명 방식으로 "철수야~"하고 부르니 아이가 전혀 반응하지 않는다고 가정해보자. 이때 아이는 청각적인 처리가 불안정한 경우가 많다. 이때 '철'이라는 앞 글자에 강조점을 두고 박자를 길게 끌면서 음정을 높이며 "처~ㄹㄹ! 쑤야!" 하고 리듬의 변화를 주면서 부르면 아이는 돌아보게 될 것이다. 이런 리듬의 변화는 다양한 방식으로 변조를 주면서 아이의 호응을 유도하며 시행할 수 있다.

타이밍 역시 아동의 상황에 따라 달라져야 한다. 상호작용에 개입하는 타이밍은 아동이 수용 가능한 순간이어야 한다. 대부분 아동에게 상호작용을 위해 개입하는 타이밍은 부모가 원할 때다. 아동의 준비 정도에 적절한 타이밍을 잡지 못한다면 대부분의 개입은 실패하게 된다. 때로는 가장 좋은 타이밍을 위하여 아무런 개입 없이 지켜보는 일이 가장 좋은 방법이 되기도 한다.

아동과 의사소통의 원을 만들기 위해서는 아동이 수용할 수 있는 적절한 리듬과 타이밍으로 개입이 이루어져야 한다. 아동이 빠르면 같이 빠르게, 느리면 같이 느리게, 마치 노래 끝에 추임새를 넣듯 리듬을 맞추어야 한다. 타이밍 역시 마찬가지다. 말로 대화를 하는 경우도 즉시 맞장구를 치는 경우가 더 효과적인 경우가 있지만 한 박자 쉬고 맞장구를 쳐줄 때 더 의사전달이 잘되는 경우도 있다.

플로어타임에서 의사소통의 원을 만드는 과정 역시 마찬가지다. 언어를 이용하지 않는다고 해도 몸짓, 표정, 감탄사 등으로 아동에게 반응하는 타이밍이 중요하다. 리듬과 타이밍은 아이와 호흡을 맞추고 아이의 시선을 얻기 위해 개입하는 방식이라 항시 동일해서는 안 된다. 같은 반응이라도 상황에 따라 리듬과 타이밍은 지속적으로 변형과 변주가 필요하다. 어떤 경우든 의도적인 상황을 만드려는 말로써 반응하는 것보다 제스처와 목소리의 리듬과 타이밍에 중점을 두어야 한다.

아이의 주도를 따르기(Following Child Lead)

팔로잉(Following)은 플로어타임을 진행할 때 일관되게 관철되어야 할 첫 번째 행동 지침이다. 다르게 말하자면 플로어타임을 시작하는 출발점을 팔로잉이라 표현해도 좋다. 팔로잉이란 아동의 요구와 주도를 따라간다는 의미다. 플로어타임을 할 때 어디서 시작할지 모르겠으면 아이의 행동을 따라 해보는 것도 좋은 방법이다.

심리학에서는 아동의 행동을 그대로 따라 하는 것을 거울을 보는 행동에 빗대어 미러링(Mirroring)이라고 한다. 심리학자 칼 로저스(Carl Rogers)는 '말 따라 하기(verbal mirroring)'가 유대감을 쉽게 형성하는 아주 강력한 방법이라고 했다. 말뿐 아니라 신체 동작을 모방하는 기법 역시 유대감 형성에 큰 도움이 된다고 했다. 심리학에서 말하는 미러링과 팔로잉이 동일한 개념은 아니다. 이것은 아주 쉽게 팔로잉을 시작하는 팁일 뿐이다.

흔히 아이의 주도를 따르라 하면 아이가 하는 것을 수동적으로 따라 하는 것이라 이해하기 쉽다. 아이의 주도를 따르는 것은 겉으로 하는 행동을 따라 하는 것이 아니라 아이의 놀이 의도를 따르는 것이다. 아이가 놀이할 때 아이가 재미를 느끼는 지점이 있다. 아동이 흥미를 유지하는 그 부분이 바로 아이의 놀이 의도이다. 그 지점에 내가 참여해서 아동의 놀이의 일부가 되어서 녹아드는 과정이 팔로잉인 것이다.

즉 이 과정은 아이의 감동-정동(Affect)을 따라가는 것이다. 내가 아이와 한편이 돼서 아이가 있는 세계로 이동하는 것이고, 아동이 의도하는 세계에서 아이의 놀이 의도를 지지하고 존중하는 과정을 즐겁게 겪는 과정이 바로 팔로잉인 것이다. 팔로잉이 성공적으로 이루어지면 아이는 부모나 치료자를 자신의 놀이의 일부로 받아들인다. 그리고 함께하며 공동의 상호작용을 할 감정-정서적인 준비를 마치게 된다. 팔로잉이 성공적으로 형성돼야 플로어타임을 더 높은 수준으로 진행할 수 있다.

도전과 확장(Challenging & Expansion)

도전과 확장(Challenging & Expansion)이라는 부분에 도달하면 플로어타임이 단순 놀이가 아니라 아동의 발달을 유도하는 행동치료법이라는 것이 명확해진다. 그리고 도전과 확장을 만드는 능력의 차이가 바

자폐 아동을 위한 플로어타임 프로그램

로 플로어타임의 능숙함의 차이로 나타난다.

도전과 확장이라는 개념을 이해하기 위하여 앞서 정리한 개념들 몇 가지를 다시 복습해보자. 우리는 발달장애 아동의 자기조절(Self Regulation) 상태를 만들기 위하여 어펙션(Affection) 있는 자극을 아이에게 부여한다. 이때 아동의 감각처리(Sensory Processing) 특성에 맞게끔 관계 맺기를 해야 한다. 여기에서 아동의 주도를 따르기(Following Child Lead)를 통하여 상호작용의 원(circle) 만들기가 시작된다.

이제 상호작용을 주고받으면서 원(circle)이 형성되기 시작하면 거기에 머물러 있으면 안 된다. 더 나은 발달단계로의 도전이 필요하다. 더욱 어려운 상호작용능력 수행으로 확장이 필요하다. 이 과정이 바로 도전과 확장(Challenging & Expansion)이다.

새로운 기능과 새로운 상호작용으로의 도전은 발달장애 아동을 발달시키기 위해서는 필수적인 과정이다. ABA에서나 플로어타임에서나 이 과정은 동일하게 존재한다. 다만 ABA는 아동의 주도성과 자발성에 기초하지 않은 채 내려 먹이기 식으로 주입식 훈련을 반복한다. 반면 플로어타임은 아동이 자발적으로 새로운 영역에 관심을 가지도록 유도하고 스스로 문제해결에 도전하도록 한다. 이때 아이의 주도성과 자발성에 기초한다는 면에서 ABA와 근본적인 차이가 있다.

도전과 확장은 플로어타임 초기에는 시도할 수 없다. 아동의 자기조절과 팔로잉이 충분히 이루어진 상태에서 시도가 가능하다. 그러므로 그린스판이 정리한 사회성발달단계(뒤의 3장 참조) 3단계 이상에서 시도되는 것이다. 도전과 확장이 활발히 이루어져야 3단계 발달이 4단계 5단계로 상승이 가능한 것이다.

발달에 어려움을 겪고 있는 아동에게 도전이란 거의 불가능한 영역이다. 해보지 않은 새로운 것을 해보려는 시도, 어려울지 알고 힘들지 알지만 시작해보는 것을 우리는 도전이라고 한다. 성인에게도 도전은 쉬운 일이 아니다. 더욱이 일반 아동에게도 도전이란 끊임없는 성인의 격려와 도움이 필요한 영역인데 발달장애 아동에게 그것이 쉬울 리가 없다.

플로어타임에서는 발달을 이루기 위해 우리는 아동에게 도전을 만들어주고 도전할 수 있도록 지렛대의 역할을 하도록 한다. 뇌는 할 수 있다는 지지를 받을 때와 할 수 없다는 인식에 갇혀 있을 때 각기 다르게 반응한다. 뇌 신경망이 활발한 도전적인 운동을 만들기 위해서는 적절한 시기에 도전적 과제를 주고 해결할 수 있도록 도움을 주는 활동이 끊임없이 필요하다. 즉 스스로 문제를 발견하고 해결하게 하며 궁극적으로는 새로운 영역에 관심을 갖게 돕는 것이다. 도전과 확장은 플로어타임의 과정이기도 하며 목표이고 ABA와 같은 행동치료 방법과는 확연히 다른 점이기도 하다.

고의적이고 재미있는 방해(Playful Obstruction)

고의적이고 재미있는 방해(Playful Obstruction)는 플로어타임의 필수적인 기법 중 하나다. 부모나 치료자가 일부러 바보스러운 모습으로 의도된 실수를 하기도 하고 가벼운 충돌을 만들기도 하는 것이다. 그 과정을 통하여 아동이 더욱 능동적인 상호작용을 하도록 유도하는 것이다.

예를 들어보자. 가장 쉽게 할 수 있는 방식은 아이의 요구 앞에 바보

같은 실수를 반복하는 것이다. 말을 잘 못하는 아동이 엄마 손을 이끌고 물 근처에 가서 물을 달라는 의사 표현을 한다고 생각해보자. 이때 보통의 경우 "물 달라고?" 하고 묻고 컵에다 물을 주면 상호작용을 주고받는 한 번으로 끝이 난다.

그런데 이때 의도되고 재미난 방해를 시도한다. 물 대신에 엄마는 "주스 달라고?" 하고 되묻는다. 그러면 아이는 거부하는 표정이나 음성을 내며 재차 물을 달라는 표시를 할 것이다. "아! 물을 달라고 하는 것이구나. 미안." 하고 물을 주면 상호작용의 원은 두 번으로 늘어나는 것이다. 재미난 방해 과정이 아동과의 상호작용의 횟수를 늘리고 질을 높이는 것이다. 이 과정은 아이가 허용한다면 몇 번이나 다양하게 늘릴 수 있다.

재미난 방해는 아이와 경쟁적으로도 가능하다. 아동이 자동차를 가지고 "붕붕!" 하고 놀 때 부모가 다른 자동차를 가지고 옆에서 더 크고 즐거운 소리를 내면서 "붕붕붕!" 하며 아이와 경쟁적인 관계를 형성한다. 아이는 자신의 놀이 의도가 방해된다고 여기면서 짜증을 내며 더 경쟁적으로 붕붕거릴 수도 있다. 어떤 경우든 아이는 한 번 능동적인 반응을 더한 것이다. 이때 아동의 반응에 긍정적으로 호응해주면서 상호놀이를 이끌어갈 수 있다.

'고의적이며 재미난 방해'를 위해서라면 아이와 놀이하며 무조건 아이의 말을 다 들어줄 필요는 없다. 적당한 순간에 무언가 풀어야 할 과제를 주는 것은 동기를 주고 놀이를 더욱 스펙터클하고 재미있게 만들수 있는 요소가 된다. 이 방법은 아이와의 의사소통의 원을 늘리는 방법으로도 매우 유용하다.

하지만 이 방해 과정이 수위를 넘어 아이를 너무 화나게 하거나 포기하게 해서는 안 된다. 아이의 정서적, 감각적 수용 능력을 고려하여 매우 계산적으로 세심하게 하는 것이 포인트이다. 시간과 횟수, 그 내용에 따라 아이와의 놀이가 더욱 재미있게 될 수도 있고 아이를 좌절시킬 수도 있다.

장난감을 밀고 당기고 할 때 몇 센티미터 정도까지 아이가 허용하는가? 장난감이 눈앞에서 사라지는 것을 어느 정도까지 아이가 시각적으로 추적이 가능한가? 아이는 장난감이 스스로 움직이는 것이 아니라 부모의 손에 따라 움직인다는 것을 보고 있는가? 아이는 이것을 위해 어느 정도 자신의 몸을 사용할 수 있는가? 어느 정도까지를 아이가 수용이 가능한가? 이것이 아이에게 성취감을 줄 수 있는 정도인가? 이런 것들을 모두 생각하며 수위를 조절해야 한다.

물론 이런 것들 모두 한 번에 성공될 수는 없다. 실험과 경험이 필요하다. 성공적으로 아이와 플로어타임이 이루어지기 위해 부모도 도전과 실험이 필요하다. 플로어타임은 목표에 도달하면 끝나는 것이 아니다. 몇 년을 두고 지속해야 할 여정(Journey)이기 때문에 때로는 실패도 필요한 것이다.

끊임없는 자기반성(Reflection)

끊임없는 자기반성(Reflection)은 플로어타임에 필수적인 과정이다. 플로어타임은 정답이 없는 접근법이다. 아이가 동일해도 상대하는 치료자나 부모에 따라 상호작용의 내용과 질이 달라진다. 즉 완성된 답이 있는 것이 아니기에 항시 더 발전된 플로어타임 시행을 위한 노력과 반성이 있어야 하며 그를 통한 놀이 방식의 개선이 있어야 한다. 그러므로 끊임없는 자기반성은 플로어타임의 마무리 과정이기도 하다.

플로어타임에서 개인의 추상적이고 윤리적인 자기반성은 큰 의미가 없다. 이후 더 나은 플로어타임을 위하여 반성 과정은 객관화된 자료를 통해야 한다. 이를 위해서 가급적이면 아이와 플로어타임을 하는 과정을 동영상으로 촬영하기를 권유한다. 정기적으로 촬영을 돌려보면서 지나간 부분을 점검해봐야 한다.

동영상에서 집중해서 봐야 할 것은 아동의 놀이 의도이다. 플로어타임 과정에서 아이는 놀이의 의도를 알 수 있는 단서를 끝없이 보여준다. 그러나 우리는 아이와의 놀이나 생활 중에 많은 것을 놓치고 지나간다. 이러한 단서를 더 깊게 이해하자면 반드시 동영상으로 재검토하는 과정이 있어야 한다.

내가 얼마나 아이와 함께 자기조절을 이루었는지, 얼마나 아이의 어펙트(Affect, 감동-정동)에 맞추어 공동주의(Joint Attention)를 이루었는지를 살펴야 한다. 그리고 어떤 단서를 놓쳤었는지 아이와 함께했던 시간을 직접 돌려보면서 단서를 찾고 궁금해하고 다음번의 과제로 활용하도록 해야 한다.

끊임없는 자기반성에서 '객관화하는 것'과 더불어 중요한 것은 '집단적 토론' 과정을 거치는 것이다. 이 역시 주관성을 벗어나기 위해서 필수적이다. 개인의 시각은 항시 한정적이다. 개인의 경험과 판단에만 의존하는 플로어타임은 동일한 실수를 반복하게 된다. 이를 벗어나기 위해서는 다양한 경험을 가지고 있는 사람들과 동영상을 같이 평가하며 토론을 지속해야 한다. 그래야만 매너리즘에 빠지는 일이 없이 발전적인 플로어타임을 지속할 수 있다. 가급적이면 전문적인 플로어타임 치료사와 함께 토론하는 것을 추천한다.

시공간 지각(Visual Spatial)

시공간 지각(Visual Spatial)도 감각처리(Sensory Processing)의 일종이다. 다만 촉각, 청각, 후각 등의 일차적 감각 반응을 의미하는 것이 아니라 '시각-공간(視空間) 감각'을 통합적으로 연계하여 처리하는 능력을 말한다.

감각처리영역에서 시공간 지각은 인지발달 영역과 가장 밀접한 관련이 있다. 시공간 지각은 눈으로 본 시각 정보를 공간적 형상으로 파악하고 이를 정보화해서 정신적인 표상(이미지)으로 형성하고 저장하는 것이다. 이후에 유사한 상황에서 유사한 이미지를 회상하는 능력도 여기에 속한다.

24개월 미만에서 형성되는 대상 영속성도 낮은 수준의 시공간 지각 능력으로 형성된다. 즉 엄마가 옆방으로 이동하여 눈앞에 보이질 않아도 엄마가 이동한 공간에 영속성으로 존재한다는 인식을 하는 것이다. 이런 능력이 있기 때문에 엄마가 보이질 않아도 불안해하지 않는 것이다.

더 높은 수준으로는 실제로 존재하는 사물들의 패턴의 차이를 인지하고 판단할 수 있는 능력이 여기에 포함된다. 이 과정은 일차적으로는 실제로 존재하는 사물의 특성을 시공간적으로 논리적 이미지화하는 과정을 동반한다. 그러므로 그 자체가 추상적인 개념이나 이미지를 공간 속에서 구체적인 표상으로 만들고 연관성을 찾는 것이기에 스토리가 있는 상징 놀이를 이해하고 만드는 능력을 제공한다. 결국 상징 놀이를 논리적인 스토리로 연결할 수 있는 수준에서 사용하는 감각이기에 사회성 발달 5~6단계(3장의 사회성발달단계 참조)에서 주로 사용되는 감각 영역이다.

발달장애 아동들은 감각처리장애가 존재하며 상당수는 시공간 지각능력에도 약점을 보이는 경우가 많다. 복잡한 드라마나 동화 이야기에서 스토리를 쫓아가지 못한다든지, 산수는 잘하지만 스토리가 있는 응용문제를 못 푼다든지 하는 것이 시공간 지각능력의 결함 때문에 생긴다.

플로어타임으로 고기능 아동을 발달시키고자 할 때 이는 매우 중요한 영역이다. 공간적인 특성을 이용하여 스토리가 있는 상징 놀이를 복잡하게 발전시키며 추론적인 능력의 발달을 유도해야 한다. 그래야만 아동은 사회현상을 기계적으로 처리하는 흑백논리를 넘어서 회색적인 논리, 중도적인 논리까지 이해하는 논리성을 발달시킬 수 있다.

미국에는 플로어타임을 통한 시공간 지각 발달 효과를 극대화한다면 발달장애 아동들의 인지발달과 지능발달을 유도할 수 있다는 것을 강조하며 지능발달에 초점을 둔 플로어타임법을 특화하고 강조하는 흐름도 존재한다.

플로어타임은 여정이다(Floortime is Journey)

플로어타임은 하나의 긴 여정이다. 어느 순간 목표에 도달하면 끝이 나는 고지가 있는 것이 아니다. 아동의 발달은 전 생애에 걸쳐 이루어진다. 그러므로 아동이 성인이 돼서 자기 힘으로 독립하여 살아갈 수 있을 때까지 플로어타임은 지속되는 것이다. 결국 '언제 어디서나 플로어타임!'이라는 구호가 적당하다. 한 번 더 나가면 인생 자체가 플로어타임(Life is Floortime)이다.

이렇게 언제 어디서나 플로어타임을 진행하자면 부모는 플로어타임을 완전히 체화하고 있어야 한다. 이렇게 보자면 플로어타임은 아이를 바꾸기 전에 부모를 바꾸는 과정이다. 부모 자체가 플로어타임적으로 살아가는 모습으로 삶의 모습이 바뀌어야 플로어타임을 완성시킬 수 있다. 플로어타임은 일생을 통해 어떤 사람과의 만남과 관계에서도 적용될 수 있고 가치 있게 응용될 수 있는 기법임을 기억하자.

자폐 아동을 위한 플로어타임 프로그램

감각처리장애와
개인의 차이에 대한 이해

발달장애 아동들은 일반적인 아동들과 비교할 때 감각처리상에 큰 차이가 있다. 대체로 장애 수준이 심각하면 심각할수록 감각처리상의 이상 상태도 심한 것으로 관찰된다. 보다 정확히 말하자면 발달장애의 이상행동 패턴은 대부분 감각처리장애로부터 만들어지는 것으로 보인다.

그러므로 발달장애 아동과 플로어타임을 하려면 아동의 감각처리장애의 특성을 이해하고 그에 맞는 플로어타임 접근법을 사용해야 한다. 결국 아동의 감각처리장애의 특성과 패턴을 분석하고 그에 맞는 플로어타임 전략을 수립하는 과정이 초기에 필수적이다. 우리는 이를 초기에 아동 면담 과정에서 프로파일링하여 통계자료화한다.

플로어타임을 위한 감각처리장애의 프로파일링 과정은 경험이 많을수록 정확한 평가가 가능하다. 그러므로 초기에는 전문가의 도움을 받는 것이 필요하지만, 이 장에서는 치료사나 부모들이 자력으로 프로파일링을 시도할 수 있도록 상세히 안내하도록 하겠다.

감각처리장애(Regulatory Sonsory Process Disorder)의 이해

감각(감각 조절) 처리는 신경계를 통하여 들어오는 감각 정보를 관리하고 규정하는 방식을 나타내는 포괄적인 용어다. 감각처리장애에는 외부환경에서 오는 외부 자극 또는 신체의 내부 장기나 조직으로부터 발생하는 인체 내부 자극에 이르는 내부, 외부 감각처리상의 장애가 모두 존재한다.

감각 발생은 인간 모두에게 공통적인 과정이지만, 이것이 감지되고 전달되어 뇌에 입력되는 과정에서 감각 정보가 변질되는 과정이 생기게 된다. 신경계에서 정보를 변질시켜 처리하게 되기 때문에 자극에 대응하는 행동 반응도 변질된 이상행동으로 나타나는 것이다.

이런 이상행동을 과거에는 아동이 심리, 정서적인 거부 행동이나 일탈 행동으로 이해하여 아동의 행동을 훈육으로 교정하려는 행동심리주의적 접근이 주류를 이루었다. 즉 잘못된 행동이니 정상행동으로 수정하려고 훈육하는 것을 해결책으로 생각한 것이다. 그러나 최근에는 신경생리학적 관점에서 아동의 행동을 이해하려는 의견이 점차 우세해지고 있다. 즉 거부 행동이나 일탈 행동이 아니라 아동의 감각처리장애에서 오는 불가피한 행동으로 이해하는 것이다.

발달장애 아동의 이상행동을 감각처리장애에서 오는 것으로 이해하면 이를 훈육을 통해 교정하려 시도하기보다는 감각처리 과정의 어려움을 도와주는 방식으로 접근하게 된다. 그러나 신경학적인 이해가 부족한 부모들이나 치료사들은 감각처리장애에서 유발되는 이상행동을 여전히 훈육적으로 접근하려는 태도가 대부분이다. 이를 교정하지 않는다면 아동 주도적인 플로어타임을 시행하는 것은 불가능할 것이다.

감각처리장애는 신체 내부 및 외부환경에서 오는 다양한 감각을 입력하고 조직하고 통합하여 수행하는 데 어려움이 있어 자신이 감각한 것들을 결국 적절히 처리하지 못하는 상태로서 신경학적 이상 문제라는 것을 명백히 이해해야 한다. 아직 의학적인 질병으로 분류되지는 않았지만, 그 중요도에 대해서는 의학적으로 인정받고 있다. 특히 발달장애(자폐스펙트럼장애) 아동의 90% 이상에서 이 징후가 관찰되고 있고 뇌 신경발달장애(DSM5 기준)로 분류되는 ADHD, 학습장애, 운동장애, 의사소통 장애 등에서 발견된다.

우리가 흔히 감통으로 알고 있는 감각통합장애보다 훨씬 더 넓고 다양한 범주의 감각처리기능의 장애를 포함하고 있으며 시각, 청각, 촉각, 후각, 미각, 고유수용감각, 전정감각, 상호작용 등 다양한 감각 체계에 관여한다.

감각처리장애와 플로어타임

플로어타임은 감각처리 현상의 이해에서 시작한다. 그린스판의 DIR 플로어타임 이론이 다른 발달 이론과 확연히 구별되고 특히 발달장애 아동들을 치료하는 데 유용한 이유는 바로 이 감각처리장애를 이해하고 이를 조절하는 방식으로 접근한다는 것이다. 일반적으로 아동심리학에서는 아동발달을 분석할 때 주변 환경, 부모, 사회적, 문화적 위치, 아동의 신체적 특성 등을 일반적인 지표로 삼는다. 그런데 그린스판은 아동발달을 이해하고 고려하는 일반적인 지표 외에 아동의 감각처리 조절에 대한 개념을 더 깊이 적용하여 사용하였다. 감각처리발달에 대한 개념은 1972년 아일레스(Anna Jean Ayres)에 의해 처음으로 소개되었고, 1987년과 1992년 자폐 아동을 다룬 그린스판의 저서에서 전면적으로 적용되었다.

플로어타임은 감각처리장애의 철저한 이해와 교정에 기반을 두고 있다. 우선 그린스판은 아이들의 발달 지연의 핵심 원인으로 감각-정서-운동(Sensory-Affect-Motor) 세 분야의 통합 문제를 꼽았다. 이는 아동의 행동이 만들어지는 메커니즘을 설명해준다. 즉 아동은 자신이 '감동, 정동(Affect)' 반응을 할 수 있는 '감각처리(Sensory Process)' 과정이 있을 때 그 결과로서 '행동(Motor)'을 만든다는 것이다. 결국 아동의 행동 이면에는 감각-정서(Sensory-Affect)의 측면이 존재한다는 것이다.

그러므로 그린스판은 풍부하고 애정 넘치는 사회적 상호작용만이 아동의 행동장애 문제를 개선할 수 있다고 하였다. 아이가 세상에 태어나 자신과 세상(사회)과의 관계를 맺기 위해서는 세상과 자기 자신과의 조율이 필요하다. 처음 만나는 세상에서 쏟아지는 많은 감각 정보와 자극으로부터 자신을 맞추어가고 보호하는 과정에서 아이는 관계를 만들고 소통을 시작한다. 그런데 만일 이 과정에서 여러 가지 정보의 처리가 비정상적으로 진행된다면 아이들은 혼란 속에서 다음 단계의 발달로 나갈 수 없다.

즉 내가 아닌 다른 사람이나 다른 개체와의 관계를 정상적으로 설립하지 못하게 되며 결국 정서적, 행동적 문제를 발생시켜 아동의 정상 발달을 저해하는 주요 원인이 된다. 따라서 아동만의 고유한 감각 체계를 이해하고 이를 기반으로 아동의 발달을 유도하는 것은 발달치료에서 필수적이다. 플로어타임의 궁극적 목표는 훈련과 훈육으로 자녀의 행동을 교정하고 변화시키는 것이 아니라 아동으로 하여금 세상을 스스로 인지하고 학습하여 스스로 교정하고 변화할 수 있도록 돕는 것이다. 아이들이 가장 편안하고 즐거울 수 있는 분위기를 조성하는 곳에서 플로어타임은 시작한다.

감각처리장애의 3가지 유형

플로어타임에서는 아동의 감각처리 이상 증상에 따라 감각처리장애를 크게 세 가지 유형으로 나누고 각각의 유형에 따라 처방을 제공한다. 다음 분류는 미국 플로어타임 학회인 ICDL(Interdisciplinary Council on Development and Learning)에서 교육하는 내용이다.

내용을 요약하면 다음과 같다. 감각처리장애를 '감각 정보의 입력 → 감각 정보의 분류 → 감각 출력'의 세 가지 단계에서 각각 발생하는 오류의 양상으로 분류한다. 감각 입력 장애는 감각의 내용을 있는 그대로가 아니라 변화시켜서 입력한다는 의미로 감각변조장애, 그리고 입력된 감각을 정보로 분류하는 데 잘못된 분류를 한다는 의미로 감각의 인식과 분류장애, 마지막으로는 뇌신경에서 전달하는 명령체계를 감각하여 출력하는 그 과정에서 만들어지는 감각장애를 감각운동장애로 분류하였다.

감각 변조(Sensory Modulation Disorder)에 의한 감각장애

외부에서 오는 감각자극의 강도, 빈도, 지속 시간, 내용에 대한 정보가 신경계 안에서 변조된 정보로 처리된다는 것이다. 즉 있는 그대로가 아니라 정보를 변조시켜 전달하기에 근본적으로 오류 정보가 전달되는 것이다. 변조는 새로운 자극 경험을 과거와 동일한 자극으로 변조시키기도 하고 동일 경험을 새로운 경험인 듯 생소하게 변조시켜 올바른 정보 처리가 되지 않게 되기도 한다.

이런 아동들은 상황에 맞지 않게 두렵거나 불안을 느끼고 그 때문에 부정적이고 비사회적인 행동을 보인다. 때로는 자기몰입이 강하거나 적극적으로 특정 감각을 추구하기도 한다. 감각변조장애는 '감각과민형', '감각과둔형', '감각추구형'으로 나뉜다.

감각과민형	감각과둔형	감각추구형
높은 소리 또는 낮은 소리, 밝은 빛 또는 어두운 빛에 대한 과도한 반응을 보이고 구강 내의 과민, 접촉이나 통증에 대한 과민반응을 보인다.	감각과민형과 반대로 감각들에 대해 반응이 적거나 보이지 않는 경우인데 색상이나 모양을 규정하지 못하고 균형감각의 불안정으로 움직임이 매우 적거나 수동적이다.	감각추구형은 감각과민형과 감각과둔형 모두에게 선택적으로 나타나는 현상이다. 자신의 불안함을 해소하기 위하여 특정 감각을 과도하게 사용하는 경우와 자신에게 편안한 감각을 무의식적으로 사용하는 형태로 나타난다.

자폐 아동을 위한 플로어타임 프로그램

감각의 인식과 분류장애(Sensory Discrimination Disorder)

감각의 인식과 분류장애는 감각 정보의 잘못된 처리로 인해 시각적으로나 청각적으로 입력된 정보의 분류에 어려움을 겪는 것이다. 예를 들어 시각적으로는 사람의 얼굴의 생김을 인식하고 분류하는 데 어려움이 있거나 청각적으로는 관련된 소리와 의미 있는 소리를 분류하기 어려워한다. 시각-공간 처리(Visual Spatial)에서는 다양한 모양을 인식하고 분류하기 어렵고 촉감을 구별하기 어려운 경우도 있다. 이런 경우 아동은 신변 처리가 어렵거나 자기 물건 정리를 잘 못한다. 또한 학습장애가 나타나 학령기로 가면 학교 성적의 부진을 보이기도 하고, 분류가 어렵다 보니 번잡한 분류로 인한 산만한 행동을 보이는 등의 문제를 보인다.

[감각기관별 감각차별장애 지표의 예]

시각	● 물체와 글자가 뒤집혀 있거나 다른 방향으로 있을 때 구별하여 이해하는가? (예: 'ㄱ'과 'ㄴ') ● 한 공간 안에서 몸의 움직임이 자유로운가? 문, 벽, 가구 등을 인식하여 적절한 몸놀림을 하는가? ● 공 던지기, 잡기, 물건 찾기, 퍼즐 맞추기, 레고 조립하기를 적절하게 수행하는가?
청각	● 유사한 소리를 구별하는가? (엄마의 소리와 다른 사람의 소리) ● 시끄러운 외부 소음 안에서 안정된 소리를 구별하여 대화를 유지하는가? (예: 엄마 목소리) ● 잘 듣고 있지 않은 것처럼 보이는가? 지시사항의 수행이 가능한가?
촉각	● 손으로 만지는 것이 무엇인지 어떤 감촉인지 눈으로 보면서 또는 보지 않으면서 식별할 수 있는가?

전정감각	● 눈을 감고 방향 잡기, 걸을 때의 균형 잡기 어렵고, 다른 물체의 움직임의 감지나 속도 인식이 어렵지 않은가? ● 두 발 뛰기가 가능한가?
고유수용감각	● 근육 조절이 안 되어 물건을 너무 세게 잡거나 또는 느슨하게 잡는다. ● 신체 동작을 할 때 힘을 가하는 시간의 유지에 어려움이 있다. 또한 신체 동작의 힘의 크기를 조절하기 어렵고, 거리의 판단이 어렵다.

감각운동장애(Sensory-Motor Disorder)

운동장애의 원인이 근육이나 신체의 운동기관에 있지 않은 상태이다. 즉 팔, 다리 등의 운동기관 등은 정상인데 신체 기관에 운동 명령을 감각하는 감각기관에 장애가 있어 운동장애가 일어나는 것이다. 즉 신체 기관은 정상적이지만 신체 기관의 조절에 영향을 주는 감각 정보의 잘못된 처리로 인해 운동 장애가 있거나 발달장애를 일으키는 경우다.

자폐성 발달장애의 아동, 발달적 언어장애의 아동들에게서 흔히 관찰된다. 언어 욕구가 있어도 구강감각, 인후부감각장애로 인하여 언어 모방이 불가능한 경우가 많다. 이런 경우는 단순 언어 지연만 나타나는 것이 아니라 조음, 구강운동장애(씹기, 빨기, 불기, 심호흡) 등이 같이 관찰된다. 이런 경우의 언어장애도 실행장애로 나타나는 것이다.

신체 동작 장애에서도 다양하게 관찰된다. 근육을 안정되게 조절하는 감각기능이 불안정하면 신체 근육의 긴장을 일정하게 유지하기 힘들다. 이런 경우 자세를 바로 하기 어렵고 특정 자세를 지속적으로 유지하기는 더더욱 어렵다. 신체 동작의 실행장애가 나타나는 경우 아동은 자주 누워 있거나 타인에게 기대기를 좋아한다.

또한 복잡한 복합운동 활동에서도 장애가 잘 관찰된다. 정밀한 손동작이나 복잡한 연속적 동작이 어렵고 회전이나 제자리뛰기 등 몸의 균형을 잡는 동작이 어려운 경우가 이에 해당된다. 대표적인 감각운동장애로는 자세조절장애(Postural Challenge), 실행장애(Dyspraxia) 두 가지가 있다.

자세조절장애(Postural Challenge)

감각기반운동장애 중 자세조절장애(postural challenge)는 몸의 중심을 잡지 못하는 장애다. 기저면에 자신의 몸을 안정적으로 위치시키고 유지하는 능력은 두 발로 선 상태에서 몸의 무게중심을 안정적으로 유지시킬 때 가능하다. 이는 두 발로 직립 생활을 하는 인간이 수행하는 동작 중 가장 어려운 종류의 하나다.

자세의 문제는 전정감각 및 고유수용감각, 시운동지각이 부족할 때 자주 발생한다. 자세 제어에 장애가 있는 아동은 밀기, 당기기 등 기능 수행이 어려운 것은 물론 각성 수준을 유지하는 것이 어렵다. 또한 다른 감각 정보와 신체감각을 통합 조절하는 데 어려움을 느껴서 결과적으로 신체감각 외에 다른 감각의 입력이나 통합, 조절이 어렵다.

자세 장애는 주로 실행장애(자전거 타기, 그네 타기)로 나타나는 경우가 대부분이다. 그러나 때로는 운동계획장애로 나타나기도 한다.

[자세 장애의 지표]

- 쉬거나 움직일 때나 자주 몸을 기대거나 누우려 한다.
- 쿠션이나 소파에 몸을 축 늘어지게 기대는 경우가 많다.
- 몸의 중심을 잘 잡지 못한다.
- (어깨와 엉덩이 사이) 윗몸이 약간 더 크거나 무거워 보인다.
- 무거운 것을 들지 못한다.
- 자주 걸려 넘어진다.
- 바닥이 고르지 않은 곳을 불편해한다.
- 근거리와 원거리 파악이 어렵다.
- 옆을 보기 위해서는 머리 전체를 돌려야 한다.
- 눈을 집중하지 못하고 시각적으로 산만하게 보인다.

자세조절장애는 일상생활에서 아동의 행동 패턴의 문제를 이차적으로 발생시킨다. 아동은 속칭 지독한 몸치 상태를 보이는 경우가 많다. 그러다 보니 모든 활동에 소극적이다. 신체 조절이 어려우니 예상치 않은 움직임이나 이동을 싫어하고, 매우 적극적이고 능동적으로 움직이지만 몸을 제어하거나 민첩함을 요구하는 상황에서는 장애를 보인다.

자세 장애가 있는 아동들에게 감각 능력을 개선시키기 위해서 신체 활동은 매우 중요하다. 아이가 어린 시절 바깥 놀이나 놀이터를 싫어하고 책만 즐긴다면 밖에서 할 수 있는 자그마한 놀이를 지속적으로 기획해서 서서히 즐거움을 알도록 해야 한다. 지속적으로 신체 놀이를 즐기게 되면 아동의 자세 유지능력은 향상된다.

또한 자세 유지 장애 아동은 새로운 동작이나 이동을 두려워한다. 그러므로 앞으로 있을 이동 상황(외출이나 걷기, 타기, 다른 곳으로 가기)이

자폐 아동을 위한 플로어타임 프로그램

있다면 미리 알려주고 설명해주는 것으로 아동의 심리적 준비를 시켜줘야 한다. 아이로 하여금 당황하거나 거부하지 않으면서도 긍정적 상호작용을 유지하는 방법이다.

실행장애 (Dyspraxia)

감각운동장애 중 실행장애는 새롭고 익숙하지 않은 행동을 계획, 순서 지정 및 실행하는 뇌 기능의 장애이다. 개별감각처리에서도 나타나지만, 다중감각처리 영역에서 감각 정보를 처리할 때도 나타난다.

일반적으로 소근육발달 및 언어발달에서 특히나 미숙하게 나타난다. 단일한 행동의 실행이 가능하더라도 하나 이상의 운동기능이나 행동의 순서가 결합되어 실행 과정이 복잡한 경우에는 작업 수행이 어렵다. 이런 경우 복잡한 놀이를 기피하여 한 가지 놀이만을 고집하는 경우가 많다. 또한 사람들과 물체의 관계, 소유의 개념, 나와 가족의 관계 등을 이해하기 어렵고 일상생활에 필요한 자조 기능의 습득도 느리게 나타난다.

실행장애를 가진 아이 중 언변은 매우 뛰어나지만 실제로 실행력이 없는 아이들도 흔히 관찰된다. 이들은 과장된 허풍이나 우스운 행동으로 보기에는 인기 있는 아이들로 보이지만 새로운 아이디어를 만들고 기획하는 능력이 없으므로 막상 나중에 수행능력이 떨어지는 결과를 보인다.

또한 복잡한 사회관계가 필요 없는 TV나 비디오, 책, 게임 등에 빠지기 쉽다. 반복적인 실패로 인해 성취감이나 자존감이 떨어질 수 있고 자신의 능력에 대한 불만으로 자신감이 저하된 경우도 많다.

- 어떤 행동을 해야 할지, 어떤 말을 해야 할지를 정하거나 실행하기 어렵다.
- 사람이나 물건과 자주 부딪히고 구기 운동(축구 등)이 어려우며 팀 운동 참여가 어렵다.
- 새로운 것을 배우는 데 보통 사람보다 훨씬 더 많은 시간과 노력이 필요하다.
- 가방 열기, 뚜껑 따기 등의 조작에 있어 이전에 수행했던 기능을 일반화하여 유사하거나 새로운 것을 수행하기 어렵다.
- 쉽게 피로를 느끼고 주변인에게 지나치게 의존할 수 있다.
- 새로운 그룹 활동 참여를 꺼리고 TV 시청, 비디오게임, 독서 등을 즐기며 학교나 교우관계에서 일부러 우습게 행동한다.
- 정밀한 모터 조작이나 필기가 어렵고 새로운 기구의 사용을 선호하지 않는다.
- 단순한 놀이 활동을 선호한다.
- 조음 및 빨기, 씹기 및 삼키기가 어렵고 침을 과도하게 흘리기도 한다.

감각처리장애의 유형 및 증상에 따른 플로어타임 접근법

감각 변조 이상에 의한 패턴에 따른 플로어타임 접근법

과민하게 반응하고, 두렵고 불안한 패턴을 보이는 아동

감각자극에 과민한 아동은 자신의 민감한 반응을 더 오래 지속한다. 울음을 멈추지 않고 끊임없이 보채거나 화를 내도 오랫동안 지속되고 짜증을 내도 즉시 멈추지 않는다. 청각이나 촉각 같은 특정 감각 시스템에서만 보일 수도 있고 여러 감각 시스템에서 복합적으로 나타날 수도 있다. 낮과 밤에 따라 다를 수도 있고 일관성이 없을 수도 있지만, 전반적으로 어떠한 감각도 받아들이려고 하지 않는 회피와 자기 스스로 차단 현상을 보이며 갑작스러운 행동장애(화를 내거나 울거나)를 일으킬 수도 있다.

이 아이들은 혼자 있는 것을 즐기며 매우 신중하고 새로운 것을 시도하지 않는다. 변화를 싫어하고 새로운 상황이나 새로운 사람과의 만남에서 어려움을 겪는다. 때로 외부 자극을 회피하기 위해 스스로 감각을 차단하는(shut down) 현상을 보이기도 한다.

이러한 아동에게는 여러 가지 자극을 많이 주는 것은 조심해야 한다. 과도한 자극을 고통으로 느낄 가능성이 높다. 아동의 민감성을 존중하고 보다 단조롭고 편안한 환경을 제공하는 것이 중요하다. 이러한 아동들은 오랜 시간 누적된 불편한 감각으로 인해 더 다가가기 어렵다. 이 아동들의 행동이 대부분 두려움과 불안감 때문임을 알아야 한다. 무조건 천천히 조금씩 아이에게 접근하며 예상치 못하는 상황을 절대 만들지 않아야 한다.

아이의 잘못을 계속 이야기하고 지적하는 것은 좋지 않다. 아동에게 최대한 필요한 것은 공감과 감각적인 정서적 경험이다. 징벌이나 지시적 태도도 좋지 않지만 예민함을 방지하기 위한 과잉보호는 아동을 더욱 어렵게 만든다. 부모는 아이를 최대한 유해 환경으로부터 보호하여 불편을 최소화해주고 매우 점진적이고 지지적인 격려, 그리고 일관성 있는 단호한 규칙으로 아이와 정서적 상호작용을 유지해야 한다.

과민하게 반응하지만, 부정적이고 고집이 센 완고한 패턴을
가진 아동

이 패턴을 가진 아동은 과민하고 새로운 자극에 대한 불안과 두려움을 가지고 있기에 예민한 반응을 보이지만 방어적으로 피하기보다는 공격적인 행동을 보인다. 스스로 자기를 둘러싼 감각 환경을 제어하려고 능동적인 행동을 한다. 그래서 자극이 심해지면 공격적인 행동을 하고 충동적으로 보이거나 예상치 못한 거친 행동을 하는 것을 볼 수 있다.

어린아이의 경우 자주 고집을 부리고 화를 내며 강박적으로 보이기도 한다. 하지만 감각적으로 안정된 특정 상황에서는 즐겁고 유연하게 행동하기도 한다. 까다롭게 보이기도 하며 변덕이 심하고 사교적일 수도 있다. 자극에 대한 두려움을 보이는 아동과 달리 이 아동들은 본인이 원하는 패턴으로 통합된 감각을 스스로 조직하여 새로운 것을 시도하며 다음 3번 패턴의 아이들보다는 좀 더 조절력이 있는 편이다. 이 아이들은 상대방이 도발하지 않는 한 절대 타인을 공격하지 않는다.

이러한 아동에게도 매우 점진적이고 부드러운 접근이 필요하다. 그리고 강력한 공감과 지지는 필수적이다. 아동에게 최대한의 선택권을 주고 협상하도록 한다. 아동이 심하게 화를 내거나 충동적일 때도 언제나 온화함을 잃어서는 안 된다. 온화함 속의 격려와 협의된 지시와 규칙이 도움이 된다. 무조건적인 요구와 지시, 처벌은 이러한 아동의 부정적 패턴을 더욱 강화시켜 아이를 공격적으로 만들 것이다.

스스로 몰입하는 과둔한 자기 흡수 패턴의 아동

감각자극에 대한 반응이 미약하고 조용하고 쉽게 포기하며 수동적

　자폐 아동을 위한 플로어타임 프로그램

이다. 감정이 없어 보이거나 적극성이 없어 보이고 사회적 상호작용을 싫어하는 것처럼 보인다. 그러나 실제로는 자신의 세계에 너무나 빠져 있어 현실을 인지하지 못하고 주변에서 무슨 일이 일어나는지 잘 감지하지 못한다.

촉각과 고유수용감각 수용력이 둔하기 때문에 신체의 움직임이 어색하고 민첩하지 못하다. 위험을 잘 감지하지 못하여 자주 넘어지기도 하고 추위나 더위도 잘 못 느끼는 경우도 많다. 말이 없고 한 가지 활동 즉 바퀴를 굴리거나 빙빙 도는 행동 등 특정한 행동을 반복하는 경향이 있다.

이러한 아동은 자신의 요구를 한다거나 특별한 표현이 없기 때문에 흔히 주변에서 '순한 아이', '착한 아이'로 간과한다. 그러나 실제로는 더 많은 관심이 필요하다. 때로 이러한 아동이 작은 자극에 과부하가 걸리면 과민하게 반응할 때가 있어 혹시 과민한 패턴인가를 의심하게 되기도 한다. 이는 본인이 수용 가능한 감각 한계를 넘어선 갑작스런 감각 자극에 방어기제가 작동한 것으로 해석된다. 과민한 아동과 마찬가지로 감각 과둔에도 두 가지 다른 패턴이 존재한다. 스스로에 몰입하여 주변을 전혀 인식하지 못하는 타입과 스스로 몰입은 하지만 창의적으로 자신의 세계를 만드는 형이다.

자기 스스로 몰입하며 상호작용을 즐기지 않는 형의 과둔 아동들에게 에너지 넘치는 표현과 끊임없는 대화는 필수적이다. 생기 있는 표정과 리드미컬한 감탄사를 사용하여 아이의 어떤 작은 표현이라도 받아내어 강력한 반응을 해주어야 한다. 말소리가 조용하고 침착하며 차분한 부모라면 자신의 상호작용 패턴을 바꾸어야 한다.

스스로 몰입하지만 창의적인 패턴의 아동

스스로 몰입하는 아동 중에 매우 창의적인 아동들이 있다. 다른 사람들과의 소통보다는 자신의 감각, 사고 및 감정에 충실하다. 상호작용을 통해서 관심을 충족시키는 것이 아니라 스스로의 탐구로 다른 사람이나 다른 대상에 관심을 갖게 되는 타입이다. 자신이 좋아하지 않는 분야에서는 부주의하고 산만하게 보인다.

유치원이나 학교에서의 그룹 활동보다는 혼자 놀이를 더 즐기지만 관심이 협소하지 않다. 다른 사람의 방해만 없으면 이 아동들은 자신만의 세계에서 엄청난 상상력과 창의력을 발휘할 수 있는 재능을 가지고 있다. 고도의 지능을 가지고 있는 경우가 많고 주변의 일에 관심을 갖기보다 컴퓨터나 독서 세계에서 자신의 환상 세계에서 시간을 보낸다.

이런 아동과는 끊임없는 의사소통이 필요하다. 아동이 가지고 있는 자기의 세계를 최대한 존중하지만 현실과의 적절한 균형을 갖도록 의도적으로 대화를 끌어나가야 한다. 아이의 관심과 감정에 최대한 민감하고 민첩하게 반응함과 동시에 일상적인 사건이나 감정, 실제 상황에 대한 참여와 활발한 토론이 좋다. 반대로 부모가 독단적이거나 지나치게 선입관을 가지고 있는 경우 또는 가족 간의 대화가 일관되지 않고 혼란스러울 경우 아동에게 부정적인 영향을 끼칠 것이다.

감각추구형의 아동

이 패턴을 가진 아동들은 끊임없이 움직이고, 부딪히고 뛰고, 뛰어내리는 경향이 있으며, 모든 것을 만져야 하고 강렬한 자극과 감각을 즐긴다. 일부 감각은 정상으로 느끼기도 하지만 전반적으로 강렬한 자극이

자폐 아동을 위한 플로어타임 프로그램

입력되어야 적절한 각성 수준을 유지할 수 있기 때문에 끝없이 자극을 추구한다. 이로 인해 학교, 영화, 도서관과 같이 조용히 앉아 있어야 하는 환경에서 특히 문제가 될 수 있다. 만일 이런 욕구가 충족되지 않으면 불안해하며 충동적으로 폭발하여 공격성을 보이기도 한다. 지나친 요구와 행동들을 보이기 때문에 학습장애와 공격적이고 과격한 행동 같은 이차적인 문제를 발생시키기도 한다.

감각추구형 아동들은 과다한 행동 추구로 사람들에게 문제아동으로 취급되기 쉽다. 이로 인해 부모들도 아이의 행동을 규제하기 위해 과도한 훈육과 압력이 행사되는 경우가 많다. 이런 과정을 통하여 아동은 쉽게 상처받고 좌절하게 된다. 이를 방지하기 위하여 집 이외의 장소에서는 아동의 행동에 대해 최대한 변호하고 설명하여 주위로부터 '이상한 아이', '문제 아이'로 찍히지 않도록 보호해야 한다.

그리고 아동의 행동을 훈육하고 제어하기보다는 최대한 관용적으로 대하여 따뜻한 이해와 공감으로 대하는 것이 선행되어야 한다. 행동에 대한 규제는 최소화하여 알려주되 명확한 한계점을 제공하는 것이 필수적이다. 또한 행동의 규제와 한계에 대하여 일관성을 유지하여 알려주어야 한다. 훈육 위주의 양육이나 일관성 없는 부모의 태도는 아이의 어려움을 더욱 악화시킨다.

감각추구형 아동에게는 언제나 더 많은 자극이 필요하다는 것을 철저히 이해하고 강렬한 '감정'적 표현을 지속적으로 해주어야 한다. 그리고 아동이 하는 활동에 중점을 두고 에너지 넘치는 강도 높은 활동을 위주로 상호작용을 이어가야 한다. 즉 감각이 풍부하고 강렬하게 제공되는 방식으로 플로어타임을 접근해야 한다. 대화도 상상이 넘치는 활발한 대화로 응대를 해주어야 아동이 사회환경에 대한 인식이나 느낌을 유연하고 세심하게 가질 수 있다.

감각분류장애 및 감각기반 운동장애가 있는 아동의 패턴과 플로어타임

감각분류장애와 감각기반 운동장애 아동의 이해와 플로어타임 접근법

감각분류장애 및 감각기반 운동장애를 가진 아동의 대표적인 문제는 조절되지 않는 이상행동, 비조직적인 행동과 언어, 학업 문제이다. 이 두 장애는 개별적이기보다 다른 감각처리 이상과 조합되어 각각의 장애 요인을 악화시키기도 하고 다른 패턴으로 보이기도 한다. 특히 감각차별 이상과 감각기반 운동장애는 자세 조정능력과 운동 실행능력과 밀접하게 관련되어 이상행동 패턴을 만든다.

감각분류장애는 말 그대로 각각의 감각이 그대로 인지되지 않고 의미대로 식별되지 못하는 것이다. 예를 들어 애정 어린 말소리와 화난 소리의 구별이 안 되고, 따뜻하게 안아주는 것과 자신의 몸을 귀찮게 하는 것이 구별되지 않는다.

특정 자극의 특성을 해석하거나 의미를 부여하고, 자극 간의 유사점과 차이점을 감지하는 것, 자극의 시간적 및 또는 공간적 특성을 구별하는 기능이 떨어진다. 자극의 유무와 반응은 조절할 수 있지만 그것이 무엇인지 또는 어디에서 오는지 정확히 알지 못한다.

예를 들어 소리가 나도 어디에서 소리가 나는지 모른다든지, 아니면 이 소리가 자신에게 어떤 의미인지 모호할 수 있다. 감각변조장애에서 과민성을 보이는 아동에게 종종 나타나며 과민성 때문에 정보의 처리가 적고 행동이 매우 느리고 사람들과의 접촉을 싫어하는 경우가 많다.

아이의 행동이 부주의하고 산만한 패턴

감각분류장애와 결합된 경우, 자세조절장애와 결합된 경우, 실행장애와 결합된 경우가 각각 부주의하고 산만한 행동 패턴을 만들 수 있다. 또한 이 세 가지 요인 모두와 결합된 경우가 있다. 아동이 부주의하고 번잡하며 이해할 수 없는 행동을 반복하여 목표한 활동이나 과제 수행이 어렵다면 어떤 패턴인지 부모의 세심한 관찰과 평가가 필수적이다.

이런 경우 대부분 아이의 행동을 교정하려고 점점 더 심하게 아이를 훈육하려고 하는 것이 일반적이다. 하지만 아이에게 압력을 가하면 가할수록 아이는 더 혼란스럽게 될 수 있다. 많은 경우 아이는 더욱더 충동적으로 되거나 반대로 행동이 일부 교정되더라도 상호작용을 회피하고 우울하게 된다. 또한 수동적이 되어 복잡한 행동 계획을 세우고 조직화하는 단계로의 발달로 이어지기 어렵다. 아이가 좋아하는 비디오게임을 하거나 아이스크림을 먹을 때는 멀쩡하다가도 복잡한 학습이나 싫어하는 과제가 주어지면 문제행동이 나온다.

이 패턴을 가지고 있는 아동의 부모는 아동의 행동수정에 초점을 맞추기보다 아동의 근본적인 문제를 인식하고 이해하는 것이 가장 중요하다. 행동을 수정하기 위한 훈련이나 징벌은 가장 안 좋은 방법이다. 아이의 수행 능력을 높이기 위해서는 최대한 과제를 쉬운 단계로 나누어 할 수 있는 환경을 제공해야 한다. 감각 정보를 간단하면서 다중으로 제공해주는 훈련이 도움이 된다. 즉 아이에게 말로만 접근하는 것이 아니라 그림이나 실물을 보여주고 부모가 직접 하는 모습을 보여주거나(미러링), 또는 함께하는 등의 활동으로 아이가 주어진 과제를 실행할 수 있도록 도와주는 역할이 되어야 한다.

학습장애나 인지장애 패턴을 보이는 아동

이 패턴의 아동들도 감각분류장애와 결합된 경우, 자세조절장애와 결합된 경우, 실행장애와 결합된 경우 또 이 세 가지 요인 모두와 결합된 경우가 있다. 일상생활이나 대화는 문제가 크게 없지만 학습장애가 있거나 읽기나 쓰기에 장애가 있는 경우, 간단한 산수는 가능하지만 문장으로 수학적 개념의 이해가 안 되는 아이들이 이에 속한다. 이러한 유형의 아동이 기대한 만큼 성과가 나오지 않을 때 자아 상실감이나 우울증, 학교 기피, 또는 왕따 등 이차적 문제로 이어질 수 있다.

이 유형의 아동들에게도 부모의 이해는 필수적이다. 가장 문제가 되는 것은 자아 상실감이다. 부모는 아이를 있는 그대로 인정해주고 서서히 목표를 높여 학습이 진행되도록 도와야 한다. 아주 작은 도전으로라도 얻어진 것이 있다면 칭찬으로 격려하고 절대 주변의 다른 아동이나 형제간의 비교는 하지 않아야 한다. 결과물보다 과정에서 즐거움을 찾도록 격려하고 자연스럽게 좋아하는 활동을 하면서 어려움을 극복하도록 도와야 한다. 이 패턴의 아동들에게 적절한 보상으로 행동을 장려하는 것은 매우 효과적이다.

자폐 아동을 위한 플로어타임 프로그램

혼합된 감각 변조 패턴(Mixed Sensory Modulation Patterns)

혼합된 감각처리 패턴을 보이는 아동
(Mixed Regulatory-Sensory Processing Patterns)

아동들이 혼합된 감각처리 패턴을 보이는 것은 매우 일반적이다. 예를 들어 어떤 아동은 촉각 시스템에서는 과민한 감각처리 패턴을 보이면서 전정감각과 고유수용감각에서는 감각추구 패턴을 나타내기도 한다. 이외에도 다양한 양상으로 감각처리 패턴이 결합되어 나타난다.

또한 동일한 감각에 대한 반응도 정형화되어 있기보다는 변화된 반응을 보이는 경우가 많다. 예컨대 촉각이 과둔하였던 아동이 특정한 환경과 정서 상태에서는 과민성 반응을 보이기도 한다. 이렇게 반응 패턴은 비정형적으로 시간이나 환경, 주변 상황, 스트레스, 각성 수준 및 기타 여러 요인에 따라 달라질 수 있다. 이런 변화 패턴이나 혼합 패턴은 보호자가 세밀히 관찰해야 알 수 있다.

이러한 복합적인 감각처리장애로 나타나는 행동장애 중에는 행동이나 정서적 문제를 동반한 경우도 있다. 그린스판은 대표적으로 주의집중장애, 과잉행동장애, 수면장애, 섭식장애, 반항장애와 같은 행동장애, 배설 장애, 양극성장애 같은 기분 조절 장애, 선택적 함묵증 등을 혼합 패턴의 감각조절장애로 분류하였다. 그러나 이곳에서는 발달장애 아동에 초점을 맞추어 대표적인 혼합 패턴의 장애만 네 종류를 소개한다.

감각을 추구하는 과민반응형

(Sensory Over-Responsivity with Sensory Seeking)

하나의 감각 영역(예: 촉각)에서는 과민반응을 보이지만 다른 영역 (예: 운동 및 고유 수용)에서는 감각을 추구하는 것은 매우 일반적인 패턴이다. 이는 강렬한 움직임과 동작으로 다른 유형의 본인이 싫어하는 감각 입력을 스스로 피하는 것이며 또한 아동이 자신을 즐겁게 느끼기 위한 도구로 감각을 추구하는 형이다.

감각과민과 과둔 반응을 동시에 보이는 형

처음에는 자극에 대해 과둔한 반응을 보이나 자극이 주어지면 어느 순간 과민한 반응을 보이는 경우가 있다. 이는 감각 입력 저장 용량의 문제로 해석된다. 즉 감각자극이 특정 용량까지 올라갈 때까지는 과둔한 상태였다가 감각 가능한 용량을 다 채우면 과민성 반응을 보이게 된다. 또한 각기 다른 감각기관에서 상반되는 반응을 보이는 경우도 자주 관찰된다. 예를 들어 후각에는 과둔한 아동이 촉감에는 과민한 반응을 보이는 경우다. 역으로 촉감에는 과둔한데 후각만 민감한 반응을 보이는 경우도 있다.

갑작스러운 과둔 반응을 보이는 과민형

어떤 아동은 극도의 과민함을 보이다가 갑자기 과둔형으로 바뀌기도 한다. 이는 사실은 매우 과민한 아동이 입력되는 자극을 견디지 못해 스스로 감각 방어 체계를 작동하여 감각을 차단해버리는 현상으로 해석한다. 이 경우 매우 과둔형으로 보이지만 실제로는 아주 작은 자극에도 반응하는 과민형 아동이므로 주의 깊게 접근해야 한다.

기타 운동기반 감각 및 감각 차별, 변조의 혼합 패턴

감각과둔이나 과민을 제외하고도 감각차별장애를 동반한 감각과민형, 실행장애를 동반한 감각과민형 또는 감각과둔형, 감각과민반응을 동반한 자세조절장애, 감각과둔반응을 동반한 자세 조절장애, 실행장애를 동반한 자세조절장애 등 다양한 혼합 패턴이 있다.

플로어타임으로 개선할 수 있는 감각처리장애

아이들의 비정상적인 감각처리장애 현상은 플로어타임으로 극복할 수 있다. 앞서 다양한 감각처리 이상의 경우에 대해 언급한 것은 플로어타임이 철저히 아이들의 발달 상황과 개개인의 특성에 맞추어 적용되는 기법이기 때문이다. 아이들의 특성을 이해하는 것은 플로어타임의 기본이지만 이러한 아이들의 감각적 처리의 혼란과 어려움을 극복하게 도와주는 것도 플로어타임이라 할 수 있다.

플로어타임의 가장 중요한 콘텐츠는 정서적 결합이다. 안정된 정서는 감각적 경험을 긍정적이고 의미 있는 감각 경험으로 변조하여 입력시킨다. 이렇게 입력된 긍정적인 정서적 감각은 다른 감각들을 안정적으로 조절하게 도와주기 때문이다. 결국 이상 감각 상태에 반응하는 긍정적인 어펙션의 경험을 반복하며 아동은 스스로의 감각을 상황에 맞게 처리하는 능력을 키워간다.

감정적 정서와 감각조절

감각처리능력은 선천적으로 형성되는 영역과 후천적으로 형성되는 영역이 있다. 후천적으로 형성되는 과정은 감각적인 경험의 확장과 모방 과정을 통하여 형성된다. 사회성이 부족한 아동의 감각조절능력은 아동이 수용 가능한 감각적인 경험을 이루고 즐거운 감정이 쌓여서 능동적으로 모방이 시도되며 발달해간다.

후천적으로 지속적인 즐거운 상호작용으로 타인과의 관계를 오랫동안 유지하는 속에서 아이들은 본인의 행동과 표현을 조절한다. 목소리 톤을 조절하거나 다른 사람의 말이나 행동을 보거나 자신의 행동 강약을 조절하거나 표정이나 몸짓 등 많은 것을 모방하기도 하고 만들기도 한다. 즉 어펙션이 있는 정서적 관계를 오래 유지하는 것을 통하여 타인과의 의사소통과 사고를 할 수 있는 감각 능력을 스스로 조절할 수 있게 되는 것이다.

감정적 정서와 감각 입력

그린스판에 의하면 감정은 태어날 때부터 감각 과정을 조율한다고 한다. 아기는 자기가 직접 감각하고 경험하는 것들을 통해 세상을 배우는 일을 시작하는데 처음에는 터치와 소리, 냄새 같은 간단한 감각으로 시작하여 점점 세분화되고 구조화된 감각을 경험하며 발달한다고 하였다. 감정적으로 경험한 감각은 또 다른 의미 있는 감각으로 인식되고 그렇게 인식된 감정적 감각은 정서에 영향을 준다. 즉 감각 정보가 정서와 함께 아이에게 입력될 때 비로소 정보는 아이에게 의미 있는 정보로 인식되고 사용할 수 있는 정보가 되는 것이다.

즉 엄마는 아이에게 사과를 맛보게 하거나 만져보게 할 때 "아이, 맛있어.", "새콤해.", "이거 엄청 맛있어." 따위의 말을 함께 건네거나 그에 걸맞은 표정을 지을 수 있다. 이때 아이는 사과의 동그란 모양과 빨간색 그리고 맛, 엄마의 표정 들을 한번에 감각을 연합시켜 받아들인다. 이후 아이는 유사한 상황에서 입력된 감각 정보를 재현하여 적용한다. 다음에 유사한 빨간 공을 보면 손을 뻗쳐 먹으려 할 수도 있고 엄마에게 "사가 사가.", "마싯어." 하면서 먹고 싶다는 표현을 할 수도 있다.

반대로 같은 과정에서 어떤 감정적 표현이나 언어표현 없이 아이가 사과를 경험했다면 아이는 동그란 빨간 것을 보고 먹고 싶다거나 맛있어 보인다는 느낌의 정보를 함께 경험하지 못했기 때문에 관련된 행동이나 표현으로 이어지기가 어렵다. 이 과정이 바로 감정이 보다 세분화된 지식과 지적 능력을 조직하는 과정에 관여하는 것을 설명한다.

빨간 사과를 보았을 때 이건 동그랗고 단단하고 껍질 밑에서 즙이 나오는 과일이라고 하는 것은 눈으로 보고 만지고 느껴 보았던 감각 정보다. 여기에 "아이 맛있는 사과다. 달콤하고 새콤하고 아삭아삭해."라는 정서적 감정이 들어가면 사과에 대한 정보가 더욱 풍부해지며 나에게 보다 의미 있는 정보가 된다. 그리고 '또 먹고 싶어! 먹으려면 어떻게 해야 하지? 더 먹고 싶으면 큰 사과를 골라야 돼. 더 빨갛고 단단한 사과를 먹어야지.' 등등으로 정보가 확장될 수 있다. 만일 여기 의미가 부여되지 않는다면 '동그랗고 단단한 과일은 사과다.'라는 사실에서 정보는 멈출 수밖에 없다.

감정 정서가 부여되지 않은 사실 정보만으로는 유연성 있는 정보 습득이 어려워진다. 대표적인 사례가 고기능 아스퍼거증후군 아동들이다.

고기능 자폐 아동의 경우 종종 지름이 1cm 더 큰 사과, 더 작은 사과, 한쪽이 좀 더 빨갛고 한쪽은 좀 덜 빨간 사과… 이런 식으로 사과를 분류하고 정보를 나눈다. 이 아이들은 사과의 빨간색이나 크기가 분류되지 못할 정도로 다양하고 또 과일이 시간이 가면서 이러한 속성이 변화한다는 사실에 힘들어한다. 이런 정보의 분류는 일반인과 공유하기 힘들고 더 나아가 고도의 사고력을 요구하는 인문 사회 영역에서 인지적 오류를 만들기도 한다.

또한 즐거움은 아이들의 감각 입력 과정에서 긍정적으로 작용하여 감각의 입력과 조절을 도와 정보를 풍부하게 입력되도록 도와준다. 싫어하는 것이라도 즐겁고 기분 좋은 사람과 함께라면 기꺼이 참고 경험할 수 있는 것이 그 예이다. 만일 감각적 경험들이 즐겁지 않다면 아이들은 스스로 감각을 차단하거나 더 이상 외부로부터의 감각을 경험하지 않으려고 하기 때문에 그만큼 아이들이 발달과정에서 필요한 감각 정보의 양은 줄어들 것이다.

감정적 정서와 인지, 정보 처리 능력의 발달

정서적인 결합은 어려운 학습 영역에서 이를 배우려는 욕구를 만들어낸다. 정서적 상호작용은 과제에 집중할 수 있는 동기와 의지를 불러일으키며 또한 서로 다른 발달 영역 간의 연계, 즉 기억력, 운동능력, 인지능력, 시공간 지각력 등의 다른 발달 영역들 사이에 연결성을 만들 수 있게 한다.

아이가 성장하면서 발달단계가 높아질수록 새롭고 복잡한 과제에 부딪힌다. 이때 이러한 과제를 해결하기 위해 아이는 끊임없는 상호작용을 시도해야 한다. 본인이 원하는 것을 보여주고 표현하며 타협하고 또 다른 사람의 의도를 읽어내야 한다. 이 과정에서 정서적 상호작용이 부족하면 아이는 복잡한 문제를 해결하지 못하고 혼란에 빠지게 된다.

정서와 뇌의 연속 작용과의 연관(실행계획 및 수행능력)

정서적 관계에서 나온 아이디어들은 수행 과제의 계획의 설립과 실행을 위한 동기를 부여하여 과제 수행력을 높인다. 어떤 수행 과제라도 정서적 상호작용이 유지된다면 끝까지 집중할 수 있도록 도울 수 있다. 즉 정서성을 발달시키는 것은 어떤 어려운 상황에서도 기능적으로 아이가 적응하고 시도할 수 있는 대응력을 발달시키는 것과 같다. 끊임없는 격려와 칭찬, 사랑과 이해는 아이를 발달시키고 학습 능력을 높이기 위한 연료와도 같다.

감각처리 이상 아동을 배려하는 플로어타임 전략

감각처리장애가 있는 아동은 감각 이상의 특성을 고려해야 어펙션의 형성이 원활해진다. 아동이 감각적인 거부가 생긴다면 상호작용은 진척이 어렵기 때문이다. 다음은 아동의 감각처리에 맞게 플로어타임을 실행할 때 준수해야 할 내용들이다.

아이의 감각적 특성을 철저히 분석한다

아이들의 모든 행동에는 이유가 있다. 특히나 이상행동에는 이상 감각이 있게 마련이다. 아이의 이상행동이 있다면 무조건 막으려 하지 않고 같이 해보고 언제 어떻게 하는지 꼼꼼하게 관찰하고 분석한다. 그렇게 해서 아이들이 이상행동을 하는 감각적인 이유가 무엇인지 이해를 해야 한다.

아이들의 행동을 세심하게 관찰할 때는 행동에 대한 패턴을 분석하는 것이 매우 중요하다. 왜냐하면 앞으로 아이에게 어떻게 플로어타임을 진행해야 할지 알려주는 중요한 지표가 되기 때문이다. 좋아하는 것과 싫어하는 것, 잘하는 것과 못하는 것을 분류하고 좋아하는 것, 잘하는 것에서 시작한다.

못하는 것과 부정적인 행동을 무조건 수정하려고 하고 부모가 원하는 대로 가르치려 하지 말자. 아이들에게는 어떠한 경험도 모두 학습이 될 수 있다. 잘하는 것, 좋아하는 것을 최대한 이용하여 아이를 격하게 격려하고 도와주어 아이 자신이 위치한 곳에서 최대한 즐겁고 만족스러운 경험을 유지하게 한다. 주의할 것은 아동이 혼자서 즐기게 하지 않는 것이다. 어떠한 이상행동이라도 따라 하거나 함께하면서 즐거운 감정을 공유하는 것이 원칙이다.

문제가 될 수 있는 행동은 사전에 차단한다

아이의 행동 중에 저지해야 할 행동은 단 두 가지다. 아이의 안전에 관련된 행동과 다른 사람을 곤란하게 할 수 있는 행동이다. 그런데 처음에는 이 부분조차도 아이들의 이해를 바라기는 어렵다. 아이가 상황을 이해하고 어느 정도 상호 공감이 되기까지 가능한 한 어려운 상황을 만들지 않도록 하는 것이 원칙이다.

아이가 주방에서 노는 것을 즐긴다면 아이의 손닿는 곳에서 위험한 물건을 아예 보이지 않게 한다. 높은 곳을 올라가기를 좋아한다면 올라갈 수 있는 안전한 공간을 만들어주거나 또는 절대 할 수 없도록 가구를 조정해 놓아야 한다. 단, 어떤 조치를 취할 때 아이가 전혀 모르는 순간에 살짝 해놓는 지혜가 필요하다. 아이가 사람들이 많은 공간에서 흥분하고 제어가 안 된다면 그런 곳은 가급적 가지 않는다.

다른 아이와 비교하지 않는다

아이들은 저마다 모두 다른 각각의 정보처리체계를 가지고 있다. 다른 아이에게 유용했다고 해서 나의 아이에게 모두 맞지 않는다. 아이들은 모두 다르다. 다른 아이와 비교하지 말고 나의 아이에게 집중해야 한다. 나의 아이는 단지 다르게 느끼고 표현하는 방법이 다를 뿐이라는 것을 기억해야 한다. 모든 사람이 같을 필요는 없다. 다른 사람의 평가나 눈을 의식하기보다 내 아이에 대한 정확한 판단과 내 아이와의 관계가 가장 중요하다.

아이의 특성을 온가족에게 이해시켜라

아이의 특성에 따른 주변 사람들이 이해하는 것은 매우 중요하다. 일단 아이가 접하는 주변 사람들이 아이를 이해해야 일관성 있는 양육 태도를 유지할 수 있다. 아이의 양육에서 주변 사람들의 이해로부터 얻어지는 공감은 매우 중요한 역할을 한다. 최대한 주변과 소통하여 아이의 특성을 이해시키는 것이 좋다.

아이의 주변을 최대한 정리하고 조용하고 안정된 곳을 선택한다

플로어타임을 진행할 때 아이의 관심을 집중시키기 위하여 주변은 최대한 단출한 것이 좋다. 좋아하는 것 몇 가지와 상호작용 증진에 도움이 되는 감각적인 놀잇감 한두 개를 제외하고는 최대한 아이의 주변을 복잡하지 않게 한다. 많은 아이들이 쏟아지는 정보의 양을 제대로 받아들이지 못하고 과부하 걸린 상태가 되면 스스로 감각을 차단해버리고 상호작용을 기피하기 때문이다.

자폐스펙트럼 아동의 70% 이상이 매우 좁은 시야를 가지고 있고 시각적 정보처리를 깊이 있게는 하지만 넓게 하지 못하는 경향이 있다. 눈앞에 있는 바닥의 아주 조그마한 점 같은 것은 잘 보지만 조금 떨어진 커다란 물체에 대한 인식은 떨어진다. 아동의 활동공간에 너무 많은 장난감과 조작물이 있다면 아이를 더욱 혼란스럽고 집중하지 못하게 만든다.

바닥만 바라보는 아이가 있다면 이 아이는 시각 정보처리가 미숙하여 번잡한 주변 환경을 피곤해하고 힘들어하는 것일 수 있다. 이때 부모들은 대부분 새롭고 다양한 것을 지속적으로 보여주어 아이의 시선과 관심을 끌려고 하겠지만 결론적으로 이것은 아이를 더 회피하게 만든다. 아이가 바닥만 바라본다면 부모는 거꾸로 아이들에게 편안하고 단출한 환경을 제공하고 아이가 스스로 고개를 들어 눈을 바라볼 때까지 기다려주어야 한다.

아이에게 접근할 때는 최대한 천천히 부드럽게 다가간다

매우 과민한 아동 중 고유수용감각이 매우 떨어지거나 또는 과둔하면서 실행장애를 가지고 있는 아동들이 있다. 이런 아동은 자극적인 방식의 접근을 거부하거나 두려워하는 경향이 있다. 이런 아동들에게는 무조건 최대한 서서히 그리고 낮고 부드러운 목소리로 다가가야 한다.

예를 들어보자. 아이가 언어발달이 늦으면 많은 부모들은 더 많은 말을 해주고 더 많은 것을 읽어주어야 한다고 생각하기 쉽다. 감각적으로 자기방어적인 아동들은 이렇게 강하게 자극을 집중적으로 제공하면 오히려 움츠러들고 회피하게 된다.

아이의 언어발달은 사회적 상호작용의 증가를 통해서 이루어진다. 몇 개의 단어를 알고 있는가보다는 아이가 몸짓이나 표정 등 비언어적으로라도 의사소통이 활발하고 정서교류가 원활한가를 먼저 살펴보고 평가하는 것이 중요하다. 만일 아이와 정서적 교류나 상호작용에 문제가 있다면 언어적 표현보다는 다양한 어조의 감탄사나 다채로운 표정 등 비언어적인 표현으로 의사소통을 시도하는 것이 좋다.

신체 놀이, 운동에 집중해보자

감각 변조나 감각 차별 증상이 통합수행능력 장애와 결합되면 이상 행동이나 언어 발달장애, 학습능력장애 등으로 이어진다. 통합수행능력 장애에서 오는 어려움을 극복하기 위해서는 끊임없는 신체활동이 요구된다. 아이에게 인지를 가르치는 것보다 더 우선되어야 할 것은 신체기능의 안정이다. 다양한 환경에서 다양한 경험을 할 수 있는 바깥 놀이에 집중하자.

비가 오면 비를 맞으면서 첨벙거리고 눈이 오면 눈에서 구르는 경험이 좋다. 비 온 뒤 진흙탕에서 지렁이를 찾고, 낙엽과 벌레, 온갖 자연을 그대로 경험하면서 감각하는 것, 걷고, 뛰고 넘어지고 부딪히면서 노는 활동들 이런 놀이들이 아이들의 신체기능을 안정시키며 궁극적으로는 뇌 발달을 돕는다.

나이에 맞지 않는 고기능의 장난감이나
너무 자극적인 장난감을 사지 않는다

너무 많은 자극적인 장난감들은 사람과의 상호작용을 방해할 수 있다. 최근에는 스마트한 기능을 가진 장난감들의 증가로 더욱더 사람과의 상호작용보다는 기계와의 접촉을 즐기는 사람들이 늘고 있다. 감각 정보처리가 아직 원활하지 않은 아이들은 우선 더 감각적인 자극을 주는 전자기기를 선호할 수 있다. 문제는 이러한 기기들이 상호작용을 형성하기보다는 더욱더 자기 세계로의 몰입을 만드는 데 있다. 아이들이 사람과의 정서적 상호작용의 기쁨을 알기 전에 스마트기기와의 접촉을 더 선호하게 된다면 더욱더 사람과의 상호작용을 기피할 수 있다.

플로어타임을 시작하기 전 아이가 최적의 각성 수준이
되도록 준비한다

플로어타임은 아이의 발달을 유도하기 위한 접근법이다. 아동의 사회성발달단계에서 4단계 이상에서 상위 발달단계로 끌어올리기 위해 우리는 아이에게 도전할 과제를 주며 밀고 당기기를 계속 유지한다. 이 과정에서 아이가 집중하도록 유도하기 위해서는 아이에게 맞는 각성 수준을 유지할 수 있도록 환경을 제공해야 한다. 끊임없이 움직이기를 좋아하는 아이라면 지속적으로 뛰어다닐 수 있는 공간을 틈틈이 제공한다든지, 음악을 좋아하는 아이라면 음악을 틀어놓아도 좋고, 시원한 것을 좋아하는 아이라면 온도를 낮게 해주며, 달콤한 것을 좋아하는 아이라면 달콤한 디저트를 함께 준비한다.

감각처리장애 아동의 유형별 플로어타임 지침

민감하고 소극적으로 보이는 아동

민감하다고 보고되는 아동들은 잘 움직이려 하지 않고 조심성이 많다. 사람들이 자기 몸을 만지는 것을 좋아하지 않고 본인도 새로운 것을 잘 시도하려 하지 않는다. 감각기관별로 어떤 감각은 민감하고 어떤 감각은 둔감할 수도 있으나 주로 신체감각을 위주로 생각할 때 민감한 아이들은 촉감에 방어적이고 전정감각 기능, 고유수용성 감각이 떨어지는 경우가 많다.

민감한 아이를 대하는 전략 중 가장 중요한 것은 아이에게 접근할 때의 리듬과 강도다. 민감한 아동에게는 무조건 서서히 부드럽게 다가가야 한다. 아이가 스스로 부모가 제공한 것을 받아들일 준비가 될 때까지 절대 요구하거나 시키지 않고 기다려준다.

일반적으로 아이가 너무 조용하거나 소극적으로 보이면 양육자나 교육자들은 아이를 어떻게든 재미있게 해주기 위해, 아이의 흥미를 끌고 반응을 얻어내기 위해 열심히 장난감을 제공하거나 자극을 주려고 한다. 하지만 민감한 특성의 아동들에게 이것은 고문이나 마찬가지이다. 이 아동들이 소극적으로 보이고 조용하게 가만히 있는 이유는 흥미가 없어서가 아니라 새로운 탐색 자체가 고통스럽고 불편하게 느껴지기 때문이다.

이러한 아동들에게는 아주 서서히 조금씩 접근하여 세상을 경험할 수 있도록 하는 것이 맞다. 목소리도 너무 높은 톤보다는 낮은 톤으로, 아이에게 말할 때나 다가갈 때도 아주 천천히 말하거나 접근한다. 너무 과도하게 쏟아지는 정보는 아이를 피곤하게 하고 오히려 학습을 막는 것임을 꼭 알아야 한다.

일반적으로 민감한 아동은 감각을 추구하는 아동에 비해 발달이 좀 더 더딜 수도 있다. 입력될 수 있는 감각 정보의 양도 적고 또한 민감한 아이들은 그들에게 과하다고 느끼는 감각을 스스로 차단하기 때문이다. 하지만 일단 길을 뚫어놓으면 아이들은 서서히 자신의 발달에 필요한 자극이나 정보를 기꺼이 받아들이게 될 것이다. 싫어하고 거부하는 것들을 아주 조금씩 아이가 경험할 수 있도록 하는 것이 핵심이다. 이때 무조건 아이가 즐겁고 편안해야 한다.

분노발작을 보이는 아동

아이가 공공장소에 갔을 때 심하게 울거나 보채거나 어서 나가자고 화를 낼 때, 또는 사람들이 많은 곳에서 이상한 소리를 지르거나 할 때, 공격적인 언어로 훈육하는 경우가 많다. 부모들은 "쉿, 조용히 해, 사람들이 많은 곳에서는 얌전히 있어야 해.", "너 도대체 왜 그러니? 집에서는 나가자고 하더니 왜 나오니까 이러는 거야?", "놔둬. 울다가 그만 울겠지. 뭐." 등의 반응으로 아이를 대한다.

이런 경우 청각이나 시각의 정보 처리나 전정감각 기능의 불안정함 때문에 아이가 고통스러워하고 상황을 못 견딘다는 것을 이해하는 부모는 거의 없는 듯하다. 이런 경우 훈육은 전혀 도움이 되지 못한다. 어쩌면 그 순간을 모면할 수 있을지도 모르지만 아이는 그 괴로웠던 기억을 뇌에 담아 점점 더 사람이 많은 곳을 거부하고 부모의 부름에 등을 돌릴 것이다.

이외에도 아이를 씻길 때, 먹일 때, 옷을 입힐 때, 외출 준비를 할 때 등 일상생활에서 아이의 거부와 의사소통의 문제로 힘이 든다면 아이의 감각처리 메커니즘에 문제가 있는지 의심해 볼 필요가 있다. 물론 이것이 사회적 반응 즉 수행해야 하는지 알지만 하기 싫어서 아이가 의도적으로 선택한 행동이라면 해석 방법이나 해결 방법은 다를 수 있다. 즉 아이와 의사소통이 충분히 되는 상태에서 단순히 떼를 부리거나 하는 것이라면 그것은 인지행동이나 사회적 의사소통 측면에서 고려되어야 할 것이다.

높은 곳으로 지속적으로 올라가는 아동

만일 아이가 높은 곳에 기어 올라가 뛰어내리는 것을 즐긴다면 안전한 장소를 제공하여 아이가 뛰어내리며 놀 수 있도록 하고 그 안에서 아이와의 상호작용을 즐겨 보아야 한다. 이때 올라가지 못하도록 장치를 하거나 혼을 내거나 못하게 한다면 아이들은 더욱더 그러한 자극을 추구하게 될 것이고 양육자와의 관계는 더욱 악화될 수 있다. 자신의 욕구가 충분히 받아들여지고 인정받는다는 느낌이 들 때 아이는 더욱더 밀접한 상호작용을 시도할 것이다.

편식이 심하고 정상적으로 섭식이 어려운 아동

만일 아이가 지나친 편식을 한다면 어떠할까? 자폐 아동이 편식하는 이유의 대부분은 촉감 거부 현상이다. 음식의 맛을 거부하는 것보다는 음식의 촉감이나 질감을 거부하는 것이다. 이때에도 부모는 기다려 주어야 한다. 이 세상에 반드시 먹어야 하는 단일 식품이 있을까? 필요한 영양소를 공급받기 위해 얼마든지 다양한 음식이 존재한다. 왜 아이들이 콩을 안 먹는다, 버섯을 안 먹는다 따위로 고민하는가? 먹여야 하는 음식에 대한 과도한 집착을 버리고 아이와 함께 아이가 좋아하는 음식을 눈 맞추며 먹는 시간을 늘려라.

자폐 아동을 위한 플로어타임 프로그램

아동의 사회성발달단계이론에 대한 이해

    그린스판의 플로어타임 이론에서 가장 핵심이 되는 이론은 사회성 발달단계이론이다. 이는 아동의 사회성발달은 일정한 경로를 통해 이루어진다는 이론으로서 그 발달 과정의 경로를 법칙으로 제시하고 있다. 어린아이가 두 발로 능숙하게 걷게 되기까지 거쳐야 하는 발달단계가 있다는 것과 같은 원리이다. 목 가눔, 뒤집기, 앉기, 네발로 기기, 두 발 서기, 붙잡고 걷기, 능숙하게 걷기라는 단계를 하나씩 거쳐서 아동은 걷게 된다. 앉기를 하던 아이가 네발로 기기 없이 갑자기 서거나 갑자기 걸을 수는 없다. 오로지 발달단계를 성실하게 거쳐야만 아주 정상적인 걷기가 완성된다.

    그린스판은 아동의 사회성발달 과정도 이렇게 단계가 있는 것으로 이해했다. 능숙한 사회성발달까지는 9단계가 있는데 그중 6단계를 사회성발달단계의 기초 단계로서 가장 중요한 발달 과정이라 하였다. 그린스판은 6가지 단계를 성실하고 충분히 거쳐야 안정적인 사회성발달을 이룬다고 지적하였다.

그린스판이 말한 사회성발달단계이론은 플로어타임을 시행하는 데 필수적인 지침을 준다. 가장 중요한 것은 발달 지연이 있는 아동의 사회성발달단계를 추정하는 작업이다. 즉 아동의 생물학적인 나이가 중요한 것이 아니라 사회성발달 수준이 몇 단계 수준인지를 평가하는 것이다. 이것을 평가하고 나면 아동의 사회성이 완성되는 9단계까지 얼마나 걸리고 어떤 경과 과정을 거쳐서 목표 지점으로 도착할지가 이해된다.

두 번째로 중요한 점은 플로어타임 과정에서 역점을 두어야 할 목표가 정리된다는 것이다. 아동의 사회성발달단계가 정리되면 그 발달단계에 맞는 사회성 과제를 성실하게 형성하는 데 주력해야 한다. 흔히들 하는 실수는 아동의 생물학적인 연령에서 과제를 도출하는 것이다. 예를 들어 5살 아동이라면 5살 아이들이 하는 기능을 급하게 실현시키려는 시도가 많다. 그러나 아동의 사회성발달 수준이 18개월 수준이라면 플로어타임을 시행하는 치료사나 부모들은 18개월 수준의 사회성 과제를 실현하는 데 충실해야 한다. 그래야만 다음 사회성발달단계로 나갈 수 있을 것이다.

발달 지연이 있는 아동의 발달 수준이 어느 정도이고 플로어타임 실행의 과제는 무엇인지를 능숙하게 도출하려면 사회성발달이론을 깊게 이해해야 할 것이다.

그린스판의 사회성발달단계

그린스판이 정리한 아동의 사회성발달단계이론에서 가장 중요한 키워드는 '사회적 정서'와 '사회적 기능'이다. 인간의 사회성이 발달하는 데가장 근본적인 원동력은 '사회적 정서, 사회적 감정'이다. 감정, 정서의 발달이 더 풍부해지고 확장될수록 아동의 사회성발달은 활발해진다. '사회적 기능'은 '사회적 정서, 감정의 교류'를 왕성하게 만듦으로써 발달하게 된다. 그러므로 아동의 사회적 정서 수준과 사회적 기능 수준을 평가하면 아동의 사회성발달단계를 측정할 수 있는 것이다.

그린스판이 정리한 6단계의 '사회 정서적 기능'은 영유아 발달단계에서 기본적으로 이루어져야 하는 역량이다. 그린스판은 사회성발달단계(아래 도표 1)를 총 9단계로 정리하였는데 그중 영유아, 아동기에 6단계의 기본적인 단계적 발달이 이루어진다고 했다. 학령기에 필요한 고차원적 발달단계를 이루어내기 위해서는 기초 단계인 6가지 기본적인 단계를철저히 밟고 올라가야 한다고 이야기한다. 이 6가지 발달요소들은 마치 사다리처럼 밑에서부터 하나하나 밟아 올라가는 역량이기 때문에 그나이에 따라 순서가 있으며 아래 단계부터 하나하나 올라가야 정상적인 상위 능력의 발달을 이룰 수 있다고 하였다.

그린스판이 정리한 사회성발달단계는 차곡차곡 밟아서 올라가야할 사다리를 의미하며, 또한 아동의 사회성발달을 완성하기 위해서 갖추어야 할 필수적인 구성 요소를 의미하기도 한다. 즉 6단계를 구성하는 정서발달 요소가 골고루 발달이 이루어져야 안정적인 사회성발달을보인다는 것이다. 예를 들어 기능적으로는 6단계의 기능과 정서표현을 한다고 해도 2, 3단계의 발달 구성 요소가 부족한 아동이 있다고 한다. 이런 경우는 낮은 수준의 사회정서발달을 충족시키는 과정이 있어야 안정적인 사회성발달이 이루어진다.

대부분 정상 발달 아동의 경우 자연스럽게 이러한 발달을 이루고 기능을 갖출 수 있다. 하지만 신체적, 생물학적 또는 환경적 이유들로 인해 발달을 적기에 이루지 못하는 아이들이 있다. 이렇게 조금 다른 발달적 특성들을 가지고 있는 아동들, 우리는 이 아동들을 도움이 필요한 아동이라고 칭한다. 분명히 알아야 할 것은 그들은 문제 아동이 아니다. 단지 조금 다르게 세상을 감각하고 학습하는 아이들, 그래서 조금 더 개별적이고도 전문적인 도움이 필요한 아동일 뿐이다.

그린스판은 아동의 발달 지연의 핵심적 이유는 '정서-감각-신체동작의 통합' 문제라고 하였으며 풍부한 사회정서적 상호작용이 발달 지연 문제를 해결할 수 있다고 하였다. 발달 지연 아동들은 일반 정상 발달 아동보다 어쩌면 1년, 아니면 그 이상 늦은 발달 양상을 보일지 모른다. 하지만 만일 이 아동이 조금 늦더라도 각각의 단계를 확고하고 단단하게 밟아 나간다면 발달은 지속적으로 이루어질 것이다. 그린스판은 각각의 단계를 안정성 있게 마스터하고 나아가는 것과 발달의 지속성을 유지하는 것이 중요하다고 하였다.

그러므로 도움이 필요한 아동의 발달에 도움을 주기 위해서는 우선 아동의 생물학적 나이보다는 발달단계에서 아동이 어느 단계에 있는지 즉 현시점에서 어느 정도의 정서적 기능이 수행되고 있는지 판단하는 것이 중요하며 그 시점부터 정서와 감각, 그리고 신체의 통합적 발달을 도모해야 한다.

다음은 그린스판 박사가 『*Engaging Autism: Using the Floortime Approach to Help Children Relate, Communicate, and Think*(매력적인 자폐증)』라는 책에서 간략하게 설명한 아동발달단계표이다. 이것을 참고하며 아래의 설명을 보면 도움이 될 것이다.

[그린스판이 정립한 사회성발달단계 도표]

관계 맺기/ 의사소통/ 사고하기 기능적 정서적 발달	자폐스펙트럼의 핵심적 결함의 초기 징후	자폐스펙트럼 관련 증상
• 공유된 공동주의와 조절(생후 0~3개월에 시작) • 시각, 청각, 촉각, 주변의 움직임 등 다른 감각자극과 경험에 대한 안정된 흥미와 목적이 있는 반응(예: 쳐다보기, 소리를 듣고 돌아보기, 웃기)	• 다양한 시야와 소리에 대한 지속적 주의집중력의 결핍 • 이유를 알지 못하는 짜증과 울음 • 허공을 응시하는 경우가 종종 있음	• 목적이 없는 행동, 혹은 자기자극적인 행동
• 참여하기와 관계하기(생후 2~5개월에 시작) • 친밀감과 상대방에 대한 관심을 표현(예: 빛나는 눈과 행복한 미소의 시작, 사람을 보고 까르르 웃음, 손을 뻗으려 함)	• 관심이 아예 없이 조용하고 온순하게 있는 시간이 길다 • 활기차고 지속적인 참여가 아닌 단지 순간적 즐거움과 기쁨의 표현만이 존재	• 자기몰입적이거나 주변으로 항상 멀리 떨어져 있음
• 감정의 목적 있는 상호작용(생후 4~10개월에 시작) • 감정 표현, 소리, 제스처, 욕구 의도 전달을 위해 여러 가지 소리와 표정, 몸짓을 사용하고 다양한 표현이 결합된 주고받는 상호작용의 연속	• 상호작용의 부재 • 자발적 표현이 없거나 간헐적으로 짧게 오가는 상호작용	• 예측할 수 없는 행동(무작위적 혹은 충동적인 행동이 나타남)

● 연속적으로 오가는 정서적 신호의 교환, 그리고 공유된 문제해결(공동주의) (생후 10~18개월에 시작) ● 문제해결을 위한 많은 사회적, 정서적 상호작용의 연속(예: 아빠에게 장난감 보여주기)	● 연속적으로 오고 가는 많은 사회적 상호작용이나 정서적 신호 교환을 시작하고 지속하는 능력의 결여	● 반복적 혹은 부속적 행동
● 창의적 아이디어(생후 18~30개월에 시작) ● 단어나 구절의 의미 있는 사용과 또래나 부모와 함께하는 상호적 역할 가상놀이	● 말이 없거나, 단어의 기계적 사용(예: 대부분 들은 것을 반복한다)	● 반향어와 보고 들었던 것에 대한 다른 형태의 반복
● 아이디어 연결하기: 논리적 사고(생후 30~42개월에 시작) ● 의미 있는 아이디어 사이의 논리적 연결("놀고 싶기 때문에 밖에 나가고 싶어요.")	● 말이 없거나, 논리적이기보다는 무작위에 의한 아이디어가 사용된 암기된 스크립트	● 분별력 없는 행위나 불합리하고 비현실적인 아이디어의 사용

기초 단계 아동발달의 이해

　엄마의 뱃속에서 세상에 나온 아이가 다음 단계의 발달을 이루기 위해서 가장 먼저 해야 하는 일은 주변 환경을 감각하는 것이다. 그리고 감각이 성숙해가면서 주변 사람들과 초보적인 수준의 소통을 시도하는 것이다.

　주변 환경을 감각하고 탐색하는 것은 스스로 보고, 만지고, 냄새 맡고, 맛보는 감각적인 경험에서 시작한다. 가장 먼저는 자신의 신체를 감각하고 탐색하는 것부터 시작하여 주변 사물과 환경을 감각하고 탐색

자폐 아동을 위한 플로어타임 프로그램

한다. 이후 점차 사람들에 대한 관심을 유지하며 사람과의 접촉을 감각하고 경험하는 단계로 발전해간다.

이 과정이 점차 다른 사람과 소통하는 단계로 발전하는 사회적인 소통으로 이루어지기 위해서는 스스로의 감각조절능력이 안정되어 있어야 한다. 스스로의 감각-정서적인 조절이 안정적으로 유지되어야 집중하여 정보를 적극적으로 받아들일 수 있다. 사회성발달의 1~3단계가 바로 이렇게 자기조절능력(Self Regulation)을 기르고 외부 세계와의 소통을 증가시키는 단계이다.

이렇게 사회적인 소통 능력을 발달시킬 수 있는 기본 능력을 다지는 시기가 초기 1~3단계이다. 그린스판은 이 단계가 사회성발달에서 생명과도 같은 시기이기에 심장과도 같은 단계라고 표현하였다. 정상 발달아의 경우 생후부터 약 18개월까지 정도에 이러한 발달이 이루어진다. 이 단계에서 아이는 자기 자신과 주변 세상과의 관계를 인식하고 설립함으로써 인간으로서 기본적인 사회생활을 이루기 위한 기초적인 역량을 갖게 된다.

1단계부터 3단계까지 각각의 발달단계를 특성별로 설명하도록 하겠다. 1, 2, 3단계 발달은 연속적으로 이루어지기에 하나의 과정으로 이해해야 한다. 그러나 각각의 단계에 대해 깊이 이해해야 아동의 발달 상태를 정확히 분류할 수 있으니 숙지하도록 하자.

발달 1단계: 자기 자신과 세상을 감각하고 관심을 유지하며 환경에 맞추어 자기를 조절하는 능력을 형성하는 시기(Self Regulation and interest in the world)

일반적으로는 생후 3개월가량의 아기들이 보여주는 발달단계를 말한다. 엄마의 태중에서 세상으로 나오는 순간 아기는 전혀 다른 세계를 마주하게 된다. 이 과정은 생소한 자극을 처음으로 경험하는 시기라는 것을 이해하면 얼마나 당황스러울지는 상상할 수 있다. 그래서 이때의 아기는 심각한 수준의 스트레스를 경험하게 된다.

분만의 방식에 따라 아동이 경험하는 감각적인 자극과 스트레스는 엄청난 차이를 보인다. 아동의 스트레스를 줄이기 위해서 다양한 분만 방식이 연구되고 있지만 아직까지는 정상분만이 가장 권유되고 있다. 분만을 통하여 세상에 나온 아기는 세상을 마주하게 되고 온몸으로 새로운 정보, 새로운 감각들을 받아들이고 그것에 하나하나 자신을 적응해 나간다.

일반적으로 생후 3개월 정도까지 아기는 주변 환경을 느낄 수 있는 기본적인 감각처리능력을 갖게 되고 여러 가지 감각 정보에 따라 자신을 조절하는 능력을 습득해간다. 이 과정에 감각 정보의 전달체계나 운동능력(신체 각 기관의 움직임)에 이상이 있을 경우 아기는 지속적으로 긴장 상태에 놓이게 되며 환경에 적응하도록 자신을 조절하는 데 실패하게 된다.

엄마의 따뜻한 목소리, 미소, 냄새, 부드러운 손길이나 흔들리는 요람의 경쾌한 움직임 등은 아이들에게 기분 좋은 감각적인 경험을 제공한다. 이 과정은 아동에게 감정적인 반응을 일으키며 '감각 정보와 감정의 결합'을 그대로 뇌에 저장시킨다. 다음에 아기는 엄마의 목소리만 들어도 미소와 따뜻한 포옹을 기대하고 엄마 쪽으로 몸짓을 하거나 울다가도 울음을 멈추거나 하는 등의 자기조절 표현을 한다. 그런데 만일 아기가 이러한 감각 정보들을 그대로 저장하지 못했을 경우 이러한 자기 조절 표현들은 나오기가 어렵다. 이렇게 자기조절 표현들이 형성되어야 다음 단계인 '사회성발달 2단계-애착 관계 맺기'를 형성할 수 있게 된다.

발달 2단계: 사회적 애착 관계를 형성할 수 있는 능력 형성기
(social engagement)

이 단계는 생후 3개월부터 6개월 정도까지의 발달단계를 나타낸다. 기분 좋은 감각 정보를 주는 대상들과 아기가 애착 관계를 형성하는 시기다. 자신을 둘러싸고 있는 환경 안에서 여러 가지 감각 정보를 저장하면서 아기는 특별한 감각 정보들과 감정이 결합되면서 애착 관계를 형성하기 시작한다. 익숙한 소리와 냄새, 자신을 향해 웃어주는 엄마나 아빠의 얼굴 모습들을 보고 들으며 미소를 띠고 혹은 입맛에 맞는 분유나 젖을 찾거나 갈구하는 행동, 울다가도 엄마가 안아주면 울음을 그치는 행동, 이러한 행동들은 아동의 애착 관계 형성의 능력을 보여주는 척도다.

그런데 만일 발달 1단계에서 '세상에 대한 관심과 자기조절력'이 출현하지 못한 아기는 이 시기에 감정 넘치는 애착 행동을 보여주기 어렵다. 아무리 안아주어도 계속 보채는 아기, 이유 없이 우는 아기, 깨어 있는지 자는지 모를 정도로 너무 순한 아기, 기저귀가 젖어도 보채지 않는 아기, 끊임없이 먹으려고만 하는 아기, 너무 안 먹는 아기 등등 아기가 생후 6개월 정도까지 이러한 모습을 보인다면 우리는 감각처리장애를 의심해볼 수 있을 것이다. 감각처리에 관계된 문제는 아기의 1, 2단계의 정서적 기능의 완성을 방해하는 데 핵심적인 요소 중 하나이다.

발달 3단계: 아기가 목적성 있는 상호작용을 시도하는 단계
(Reciprocal social interaction)

이 단계는 생후 6개월경 시작되어 18개월에 이르는 동안 발달이 이루어지는 시기다. 대체로 9~10개월 수준의 아동발달 상태를 보이는 시기다. 아기는 생후 6개월이 넘으면 자신과 애착 관계에 있는 대상, 즉 엄마나 보호자를 향하여 자신이 원하는 것에 대한 목적성 있는 표현을 시작한다. 포인팅(손가락으로 가리키기), 우우 소리내기, 원하는 것을 향해 손을 뻗거나 몸을 움직이기 등이다. 즉 언어를 사용하지는 못하지만, 비언어적인 의사소통을 활발하게 시도하는 시기다.

이 시기의 아이들은 양육자의 웃음이나 신호에 답하고 친밀감이나 기쁜 감정, 화가 난다거나 무서워하는 등의 감정을 담은 반응을 보일 수 있다. 이것은 아이가 자신의 기본적인 욕구를 표현하고 의도한 바를 달성하기 위해 다른 사람과 다양한 방법(단어, 행동, 표정, 몸짓 등)으로 의사소통을 시도하는 것이다. 이 시기 아동은 상대방의 행동이 주는 의미를 감각-감정적으로 이해하고 의사전달 목적의 행동을 하는 커뮤니케이션(쌍방향의 소통과 공감) 유지능력을 갖추게 된다.

이 단계는 아이와 양육자가 함께 참여하고 충분한 상호작용이 이루어질 때 더 강해질 수 있다. 다음 발달단계인 4, 5, 6단계인 '복잡하고도 예기치 않은 다양한 상황에서의 의사소통과 문제를 해결'할 수 있는 능력을 키우는 기반이 된다. 앞서 설명한 발달 1, 2단계가 이루어지지 않은 아기는 3단계의 발달이 구현되기 어렵다.

자폐 아동을 위한 플로어타임 프로그램

기초 발달단계를 마스터하기 위한
플로어타임 전략

너무나 까다로운 아이와 너무나 순한 아이, 그 이유를 찾는다

흔히 까다로운 아이와 순한 아이의 이유를 기질에서 찾는다. 물론 그런 경우도 있을 것이다. 이는 일반적으로 아이들이 목을 가누며 일어나기 전, 약 3개월 동안 먹고 자는 것이 대부분인 이 기간 동안 아이들이 아무것도 하지 못한다고 생각하기 때문이다. 하지만 가만히 누워 있는 동안에도 아이는 세상을 감각하고 배우고 행동하며 우리에게 표현한다. 단지 그 표현을 우리가 감지하지 못할 뿐이다.

너무나 순해서 있는 둥 마는 둥 소리 없이 잘 있는 아기와 반대로 이유 없이 보채고 울고 아무리 달래도 진정되지 않는 까탈스러운 아이가 있다. 이 두 경우 모두 아이의 감각처리 발달의 문제를 의심할 수 있다. 이 아이들은 아마도 너무나 예민한 감각적 문제를 가지고 있거나 너무나 둔한 감각처리기능을 가지고 있을 가능성이 있다.

아이가 주변과 소통하고 있는지 확인하라

아이는 주변 환경의 변화에 적절한 감각적인 반응을 지속적으로 나타내야 건강하게 발달한다. 따라서 부모는 아이가 주변과 소통하는 반응을 하는지를 지속적으로 확인해야 한다. 아기가 모빌 따위의 움직이는 물건을 보는지, 주변의 사람을 빤히 쳐다보는지, 익숙한 사람을 보거나 기분이 좋을 때 미소를 짓는지 관찰해야 한다. 기초발달단계에서 아동들은 충분히 이런 반응을 할 수 있다.

주변의 특정한 소리가 나면 그에 반응하는지, 양팔을 벌리며 엄마에게 안아달라는 의사 표현을 하는지, 손으로 물건을 잡고 입으로 가져가는지 지속적으로 관찰해야 한다. 아기가 주변의 상황과 전혀 상관없이 무표정으로 있다거나 또는 지속적으로 보채기만 한 경우, 아이의 몸이 경직되어 있거나, 지나치게 축 늘어져 있는 경우, 감각발달 과정에 이상이 있을 수 있다.

아이의 감각발달에 이상이 있다고 느낀다면 무조건 감각발달 놀이에 집중하라

아이가 주변과 소통하지 않는다거나 발달상의 문제가 예상되면 가능한 한 빨리 감각발달 놀이에 집중해야 한다. 영아기의 발달에서 가장 중요한 감각은 촉감이다. 아이의 온몸이 다양한 촉감을 느낄 수 있도록 마사지를 하거나 두드려주어야 한다. 아기 마사지는 이러한 감각발달의 일환이다. 가장 좋은 것은 엄마의 손을 이용한 온몸의 마사지이지만 그 외에도 다양한 질감의 천을 이용한다거나 압력의 차이를 준다거나 또는 온도의 차이를 느끼게 해주는 방법으로 감각 놀이 활동을 할 수 있다.

아이가 너무 민감한 부분이 있다면 최대한 조심스럽고 짧게 하지만 지속적이고 반복적으로 해주어야 한다. 싫어하는 것을 억지로 강하게 해서는 안 되지만 그만두어서도 안 된다. 싫어하는 것이 있으면 좋아하는 감각과 함께 연합하여 느끼게 해준다. 예를 들어 등을 만지는 것을 싫어하는 아이라면 등을 쓰다듬으면서 좋아하는 요구르트나 사탕을 맛보게 해주는 등의 방법이다.

기계적인 표정으로 감각적인 자극을 준다면 아이에게 감각 경험은 정서적인 어펙션을 만들지 못한다. 애정 넘치는 표정과 음성으로 아이와 교감하며 감각 놀이를 결합하면 이는 플로어타임적인 접근이 된다. 결국 아동의 감각발달도 플로어타임으로 시행해야 한다.

감각 놀이에 음악과 향기를 결합하고 언제나 즐겁고 애정이 넘치게 시행해야 한다

아동의 사회성발달에 중요한 감각은 촉각 다음에는 후각과 청각을 꼽을 수 있다. 발달 지연이 있는 아동 대부분 후각과 청각 처리에서도 감각처리장애를 나타낸다. 그러므로 청각과 후각도 아동의 감각 놀이에 즐겁게 통합적인 자극이 되도록 해야 한다.

음악과 향기를 결합하는 것은 각각의 자극을 뇌가 인지하고 학습하는 효과도 있지만, 감각들의 긍정적인 통합을 이루어내고 뇌에 새로이 통합된 감각 정보(이미지)를 형성하는 데 큰 역할을 한다. 이때 반드시 결합되어야 할 것은 다정하고 따뜻하고 애정 넘치는 부모와의 애착이다. 이렇게 결합된 감각 정보는 상징적 사고로 이어지고 언어를 출현시키는 데 필수적인 요소이다.

신체 놀이는 감각 놀이와 더불어 기초 단계의 필수적인 놀이다

세상을 인식하고 관심을 가지려면 그 안에 있는 자기 자신을 먼저 인식해야 한다. 자신의 존재를 감각하고 인식하지 못하면 주변 또한 구별되지 않는다. 신체감각 인식은 우리 뇌의 가장 기본적인 기능이다. 다른 말로 전정감각 기능이나 고유수용성감각이라고도 표현되는 이 신체감각 인식 위에 상위 단계의 언어나 인지기능의 발달이 이루어진다. 신체

감각 인식이 발달하기 위해서는 끊임없는 신체활동이 요구된다.

무언가를 향해 팔을 휘젓는 행동, 배밀이, 뒤집기 이러한 것들은 신체감각 인식으로 인해 보이는 모습들이다. 만일 아이의 몸이 경직되어 있거나 반대로 너무 축 처져 있는 경우 아이의 신체감각기능에 문제가 있을 수 있다. 부모와 함께하는 신체활동은 아무리 많이 해도 지나치지 않을 정도로 아이들의 신체, 정서, 사회 기능 발달에 도움을 주는 중요한 요소다. 그러므로 이 시기에는 신체 놀이를 이용한 플로어타임이 매우 중요하게 진행되어야 한다.

부모의 신체를 최대한 이용하는 놀이에 집중하라

신체 놀이뿐 아니라 어떤 놀이를 할 때도 부모의 신체를 최대한 이용하는 놀이가 좋다. 즉 부모의 입(말)으로 하는 놀이보다 직접 몸을 사용하는 놀이가 발달의 기초 단계에서는 더 효과적이라는 것이다. 신체 놀이는 신체접촉에서 오는 촉감, 신체를 이용한 동작을 통한 통합수행능력의 즐거운 접촉이 만드는 어펙션 유도 등 감각-정서-행동의 변화를 효과적으로 만들어낸다.

사실 이 시기에 가장 좋은 아이들의 장난감은 엄마나 아빠 그 자체인 것이다. 엄마, 아빠가 자신의 몸이 아이에게 장난감이 될 수 있도록 아이가 원하는 놀이 도구 역할을 해보자. 단 주의할 것은 강도의 조절이다. 아이의 몸의 근육 인식이 매우 약한 경우, 또는 촉감이 예민한 경우, 아이의 전정감각 기능이 불안정한 경우의 너무 강한 신체 놀이는 아이를 더욱 멀어지게 할 수 있다. 아이의 신체감각 처리 기능에 따라 놀이의 정도나 강도를 조절해야 한다.

자폐 아동을 위한 플로어타임 프로그램

부모는 아이에게 즐겁고 유쾌한 바보가 되어라

이 부분은 특히 한국의 부모들이 어려워하는 듯하다. 전통적으로 우리에게 부모의 이미지는 권위 있고 완벽한 어른으로서 존경받아야 하는 존재였다. 그러므로 부모들이 아동을 교육하는 방법은 훈육자, 교육자로서의 태도를 기본으로 한다. 이런 상태에서 아이들에게 부모는 놀이를 함께하는 대상이 아니다. 단순 보호자이며 훈육자일 뿐이다. 나의 경우도 어린 시절을 돌아보면 나의 부모가 나에게 장난을 한다거나 농담을 건넸던 기억이 한 번도 없다.

아이가 세상과 즐겁게 소통하고 나를 바라보게 하기 위해서 부모는 아이의 모습으로 돌아가야 한다. 아이 앞에서 아이의 수준으로 스스로를 낮추어 즐겁고 유쾌한 장난을 걸어야 한다. 어린아이들이 하듯이 아이의 놀이나 아이의 행동을 즐겁게 따라 하면 아이는 부모를 바라볼 것이다. 아이는 부모를 놀이의 동반자로 바라보기 시작할 것이다.

부모가 알면서 모르는 척 아이에게 표현을 더 요구할 때, 바보가 된 듯한 우스꽝스러운 표정이나 우스운 몸동작을 보일 때, "혼자 놀지 말고 나랑 놀자." 하면서 조금은 귀찮게 장난을 걸 때, 아이의 이상행동에 개입할 때, 모든 순간에 부모는 즐겁고 유쾌한 애정 넘치는 표정과 목소리 톤을 유지해야 한다.

말을 많이 하는 것보다 먼저 표정과 목소리로 대화를 시도해라

사회성발달단계가 기초 단계인 아동은 언어가 가지는 의미를 이해하며 소통하기보다는 비언어적인 소통에 더욱 능숙하다. 즉 엄마나 아빠가 하는 말보다 말을 할 때의 표정, 허밍적인 어투, 몸짓 등에 더욱 민감하게 반응한다. 그러므로 아동과 상호작용을 시도할 때 접근에 어려움이 있다면 어떤 말을 할까 하고 생각하는 것보다 어떤 표정과 어떤 소리로 아이의 관심을 자극할 것인가 고민하기를 권유한다.

대부분의 부모나 치료사는 말을 통한 개입을 시도한다. 아이가 자기몰입 놀이나 이상행동(상동행동) 시에 말로 개입하려면 매우 어렵다. 많은 부모들이 아이가 놀이에 몰입해 있을 때 그 옆으로 가면 아이가 도망을 간다며 어려움을 호소한다. 아이가 도망간다는 것은 방해받고 싶지 않아서이다. 그 순간까지 아이는 부모를 자신이 하고 싶은 일을 방해하는 사람으로 인식하고 있을 것이다.

우리는 아이의 이러한 생각을 바꾸어주어야 한다. 그를 위해서는 접근법을 바꿔야 한다. 우선 말을 줄인다. 오랫동안 사람들의 의사소통을 연구한 UCLA 심리학과 교수인 앨버트 메라비언(Albert Mehrabian)은 『침묵의 메시지(Silent Messages)』라는 책에서 메라비언 법칙을 발표했다. 앨버트 박사의 주장에 의하면 우리가 상대방에게 우리의 의지를 전할 때 말의 내용(언어)이 차지하는 역할은 7%에 지나지 않는다고 한다. 그리고 얼굴 표정(시각적 이미지)이 55%이며 그 외 목소리나 톤(청각적 이미지)이 38%라고 한다.

결국 아동과 언어적인 도구를 이용하는 것보다 비언어적인 접근을 하는 것이 아이에게 쉽게 다가가는 방법이 된다. 침묵의 메시지를 주장하는 앨버트 박사의 법칙은 플로어타임에서는 더더욱 중요한 가치를 지닌다. 표정과 콧소리로 아이에게 "나랑 같이 놀자. 응? 제발…." 하면서 은근히 다가가자. 특히 언어가 아직 출현하지 않은 아이에게는 언어를 사용한 대화 접근보다는 표정과 감탄사, 높낮이가 분명한 톤을 사용한 대화를 시도하라.

아이의 모든 이상행동이나 표현에는 의미가 있다. 무조건 수정하거나 금지하지 말고 이유를 알아내고 놀이로 전환한다

발달 지연이 있는 아동은 이해할 수 없는 행동을 한다. 아이가 목적 없이 또는 아무 표정 없이 배회하거나 어떤 특정 행동을 반복한 적이 있는가? 왜 이 아이는 갑자기 소리를 지르는가? 왜 끊임없이 왔다 갔다 하는가? 왜 계속 문을 열고 닫기를 반복하는지? 왜 스위치를 껐다 켜기를 반복하는지? 왜 화장실 변기에 손을 넣으려고 하는지? 왜 팔딱팔딱 계속 뛰고 있는지? 왜 집안의 가구에 침을 바르는지? 왜 손목을 물어뜯는지? 이외에도 부모들의 입장에서 보면 아이마다 각양각색의 많은 이상행동이 있다.

우리가 알아야 할 것은 이러한 모든 행동이나 표현에 이유가 있다는 것이다. 아이의 행동을 수정하거나 멈추려 하기 이전에 아이의 행동이나 표현에 관심을 가져보자. 그리고 그 이유와 의미를 알려고 노력해보자. 이러한 행동 중에 남에게 해를 끼칠 수 있거나 아이의 안전에 관계된 문제가 있다면 최대한 문제가 발생하지 않도록 행동의 주원인 요소를 제거해야 한다. 하지만 그 외의 문제에 대해서는 보다 열린 마음으로 관찰하고 아이의 행동을 용납할 필요가 있다.

이러한 이상행동을 통해 아이들은 자신이 필요한 감각을 추구할 수도 있고 싫은 것을 해소할 수도 있으며 궁금증을 해소할 수도 있다. 끊임없이 계단을 오르락내리락하는 아이를 위해 몇 시간이고 함께하면서 함께 즐길 수 있는 방법을 찾아보자. 스위치나 문을 가지고 노는 아이에게 약간의 방해를 하면서 장난스러운 표정과 목소리로 대화를 시도해보자. 부드럽게 주의를 돌릴 수 있는 방법을 찾아보자.

아이의 주도적 표현을 이끌어내기 위해 부모는 최대한 표현을 아끼며 기다려야 한다

아이가 자신이 원하는 것을 밖으로 표현하기를 원한다면 부모는 최대한 시간을 갖고 기다려야 한다. 부모가 알아서 모든 것을 다 해주는 아이는 표현할 기회를 갖지 못한다. 목마를 것을 대비하여 물을 들고 대기하고 배고플 것을 대비하여 언제나 먹을 것이 준비되어 있다면 아이는 목이 마르다거나 배가 고프다는 표현을 배울 기회를 갖지 못한다.

아이가 원하는 것이 무엇인지를 정확히 알고 있다면 오히려 아동의 주도적인 행동을 유도할 기회가 된다. 곧바로 원하는 것을 주기보다는 한 박자 쉬며 아이의 행동을 기다려보자. 그리고 아이의 행동을 지켜보자. 아이는 무엇인가 행동을 할 것이다. 만일 조금 더 행동을 유도하고 싶다면 엄마가 잘 모르겠다는 신호를 아이에게 보내자. 아이는 자기 요구가 분명할수록 적극적으로 의사 표현을 시도할 것이다.

아이가 상호작용을 시작한다면 최대한 상호작용의 서클(back and force)이 많이 만들어지도록 의도적으로 노력하자

아이가 부모를 바라보고 애정을 표현하며 원하는 것에 대해 비언어적인 수단이라도 의사 표현을 시작하면 부모는 적극적으로 대응해야 한다. 상호작용의 서클을 최대한 많이 만들기 위해서 다양한 방법이 적용되어야 한다. 그때 기준은 내가 반응하는 것의 목표가 아이의 반응을 유

자폐 아동을 위한 플로어타임 프로그램

도하기 위해서라는 것이다.

즉 내가 어떤 행동을 했는데 아이의 반응이 없다면 상호작용의 서클은 닫히고 끝이 나는 것이다. 그러므로 부모는 항상 아이의 다음 반응을 유도하는 방식으로 행동해야 한다. 앞서도 이야기했는데 의도적으로 바보가 되는 전략이 이때 도움이 된다.

대응은 즉각적으로 이루어져야 하지만 아이의 요구를 그대로 모두 들어주는 것은 아니다. 예를 들면 아이가 물을 원할 때 물을 주면 거기서 대화가 끝나버린다. 이때 물을 바로 주지 않고 주스를 보여주거나 물과 주스를 함께 보여주면 아이는 한 번 더 표현할 기회를 갖게 된다. 다음에는 뚜껑을 열어달라는 표현을 끌어낼 수도 있다. 다음에는 이만큼? 좀 더? 하면서 물의 양을 가지고 또 다른 표현을 만들 수 있다. 또는 뜨거운 물? 찬물? 하고 물어볼 수도 있고 컵의 선택 등 다양한 상황으로 아이의 요구를 세분화하여 대화의 서클을 여러 번 반복할 수 있다.

신체 놀이로 상호작용의 서클을 늘려가는 것도 한 방법이다. 아이랑 엄마가 서로 코코코~! 하면서 코를 가리키는 놀이를 끝없이 주고받는 것을 본 적이 있다. 아이가 코~! 하고 엄마 코를 가리키자 엄마는 더 즐겁고 과한 몸짓으로 아이 흉내를 내며 아이의 코를 손으로 가리키면서 코~~! 하고 소리를 낸다. 아이는 까르르 웃으며 재차 코를 하고 엄마가 이를 더 재미난 액션으로 받기를 반복하는 과정 역시 매우 훌륭한 상호작용의 서클(back and force)이 탄생하는 과정이다.

이 상호작용의 서클(back and force)을 많이 만드는 것이 사회적 의사소통의 연습 과정이며 언어를 출현시키기 위한 기초 과정이다. 대화의 서클의 횟수를 늘리고 얼마나 확장이 가능한가 하는 문제는 뇌의 정상적 기능 즉, 정보를 받아들이고 통합하고 계획하고 실행하고 그에 따른 또 다른 피드백을 받는 이러한 일련의 과정이 얼마나 잘 수행되는가와 직접적인 관련이 있다.

기초 발달단계를 마스터하기 위한 놀이법 소개

플로어타임에서 효과적인 놀이는 아이마다 다르고 장소마다 다르다. 가장 좋은 플로어타임 놀이법은 현장성을 철저히 중시하는 것이다. 그렇지만 초보적인 부모들이나 치료사들이 어려움을 겪을 경우 도움이 되고자 기초발달단계에서 가장 전형적인 놀이법을 소개한다.

아빠가 할 수 있는 신체 놀이

등말 타기, 목말 타기, 비행기 태우기, 빙글빙글 돌려주기, 거꾸로 해주기 등. 이 놀이들은 특히 아동이 신체감각이 둔하여 끊임없는 움직임을 원할 때 주효하다. 만일 신체감각이 매우 예민한 아이라면 매우 조심스럽게 접근해야 하고 아주 천천히 조금씩 즐기도록 해야 한다. 신체 놀이 시 대화의 서클을 많이 만들 수 있음을 꼭 기억해야 한다. 즉 일방적으로 놀이를 해주는 것이 아니라 아이와 함께 대화하면서 노는 것이다.

[비행기 타기를 즐기는 아이의 예]

아빠 "비행기 태워줄까?"

아이 "우 우~" (또는 아이가 다가온다.)

아빠 (웃으며 아니면 장난스러운 소리를 내며 살짝 비키거나 메롱을 하거나 해줄까 말까 하는 느낌을 주듯이 대응한다.)

아이 (소리를 내며 아빠가 움직이는 방향으로 다가간다.)

아빠 (살짝 잡혀주는 듯하다가 또 도망간다.)

아이 (다시 아빠 쪽으로 몸을 돌려서 가거나 "아빠" 하고 소리를 낸다.)

아빠 "아이쿠, 잡혔네." (일부러 잡혀서 아이에게 성취감을 준다. 이어 우스꽝스러운 표정으로 "어떡하지?"라고 하면서 아빠가 어떻게 하면 좋을지 아이에게 물어본다.)

아이 (아빠 팔을 내리려고 깡총깡총 뛰거나 팔을 잡으려는 몸짓을 하거나 언어적 표현을 할 수도 있다.)

아빠 "아아 이렇게?" (아이가 시키는 대로 아이를 들어올리다가 "아이 무거워." 하면서 잠시 멈춘다.)

아이 (몸을 움찔하면서 또는 소리를 내어 아빠의 다음 행동을 요구한다.)

아빠 ("네, 네." 하면서 벌떡 일어나 아이를 한 번만 쌩하고 돌려준다.)

아이 (소리를 지르며 좋아한다.)

아빠 "더 할까?" (잠시 행동을 멈추고 아이에게 묻는다.)

아이 "더." (혹은 더 해달라는 듯이 소리를 지르거나 몸을 움직인다.)

아빠 "알았어. 한 번 더…." (하나, 둘, 셋 하면서 두 번 정도 돌려준다.)

이것은 하나의 예시다. 한 번 비행기 태워주고 끝나면 단 한 번의 대화의 서클로 끝나버린다. 하지만 이렇게 놀이를 하면 대화의 서클을 최소 10번 이상 만들 수 있다. 이렇게 좋아하는 활동을 하며 부모와 애착 관계가 강하게 연결될 때 아이의 각성 수준도 높아진다. 이런 순간에 아이는 발화도 증가하고 감정 표현도 증가한다.

엄마와 함께할 수 있는 신체 놀이

엄마의 손이나 냄새를 이용한 신체활동은 매우 중요하다. 아이의 몸을 구석구석 쓰다듬어주거나 관절을 꾹꾹 눌러주거나 돌리는 등의 활동 또는 엄마의 얼굴, 머리카락 등을 만져보고 온몸으로 느껴볼 수 있게 한다. 손가락마디 하나하나, 발가락마디 하나하나가 모두 중요하다.

목덜미, 등, 겨드랑이, 가슴 등의 촉감에 아이가 어떻게 반응하는지 주의 깊게 관찰해야 한다. 아이가 좋아하는 감각이라면 장난을 걸듯 하여 상호작용의 서클(back and force)로 발전시킬 수 있다. 아이가 긴장하며 주저하는 감각이라면 최대한 다른 좋아하는 감각과 함께 결합시키면서 조금씩 적응해나가도록 한다. 아빠와의 놀이 예시와 같이 아이와 대화의 서클을 유지하도록 한다.

까꿍 놀이

발달 1~3단계에서 빼놓을 수 없는 놀이다. 대화의 서클을 언어적 비언어적으로 많이 만들 수 있다. 주의할 점은 아이가 따라 할 수 있을 정도로 수준을 맞추어야 한다. 이 놀이는 신체 놀이로 함께할 수도 있지만, 아이가 집착하는 장난감이나 매체들로도 가능하다. 아빠나 엄마와 까꿍 놀이를 할 때 완전히 숨어버리거나 하면 놀이가 되지 않는다. 아이가 쉽게 알아채고 도전할 수 있을 정도로 여지를 남겨야 하며 아이가 숨지 않아도 안 보이는 척 연기를 해야 한다.

아이가 매체에 집중할 때 이 놀이로 환기시킬 수가 있다. 매체에 스카프를 살짝 덮거나 손으로 덮거나 하는 방법이다. 아니면 작은 매체의 경우 옷이나 몸속으로 숨기고 아이가 찾도록 유도하는 방법으로 쓸 수도 있다. 아이의 시각 정보 처리 기능이 떨어질 경우 물체가 사라지는 과정을 천천히 슬쩍 보여주거나 위치를 바꾸는 등의 방법으로 쉽게 할 수 있다. 지속적으로 아이의 시선을 유지하여야 한다.

신체 인식을 자극하는 반복 리듬 놀이

일정한 리듬을 가지고 반복하는 놀이는 기초발달단계에 필요한 여러 가지 효과를 가지고 있다. 우선 놀이가 진행되는 동안 아이를 집중시킬 수 있으며(1단계, 주의집중), 놀이의 성격에 따라 애착을 증진시킬 수 있으며(2단계 관계 형성), 아이의 기대감을 이용하여 대화의 서클을 만들 수 있다(3단계 상호작용). 이외에도 모방 학습을 기대할 수 있고, 반복되는 놀이를 통해 기억력과 순서에 대한 인식을 시작할 수 있는 효과를 기대할 수 있다.

놀이의 예로 전통적으로는 '짝짝꿍 짝짝꿍', '곤지곤지 곤지곤지', '우리집에 왜 왔니 왜 왔니', '두껍아 두껍아' 등이 있으며, 영어 동요로는 '조니, 조니, 조니, 조니, 웁스'가 있다. 이처럼 음절이 반복되는 노래를 부를 때는 아이를 무릎에 앉히고 박자를 맞추거나 박자를 조절하여 아이를 마주보고 리듬이나 박자에 맞추어 공동 집중을 조절한다.

예 1) "퐁당퐁당 돌을 던지자, ○○ 몰래 돌을 던지자…." 이 정도의 가사만 연속해도 된다. 이 노래를 반복하며 바닥에 앉아서 아기를 다리 위에 앉히고 허리를 잡아 무릎을 위아래로 움직이는 놀이를 할 수 있다. 또는 그때 다리를 벌리면서 아이를 붙잡고 아래로 떨어뜨리거나 양옆으로 쓰러뜨리는 놀이를 할 수 있다. 아기가 균형을 잡는 데 도움이 되고 신체에 적절한 자극을 준다. 좌우로 번갈아가며 할 수 있다.

예 2) "Johnny Whoops! 조니, 조니, 조니, 조니, 웁스⋯ 조니, 조니, 조니, 조니, 웁스⋯" 하면서 아이의 손가락이 위를 향하게 한다. 이때 아기의 손을 잡고 새끼손가락으로 시작해서 검지손가락으로 한 번에 하나씩 손가락을 가볍게 치고 매번 "조니."라고 말한다. 검지손가락을 만진 후에 '웁스.' 하면서 반복한다. 이 활동은 특히 언어와 신체 인식(특히 말초인식－손가락)에도 도움이 된다.

뽀뽀 놀이

아기에게 뽀뽀할 때 각 신체 부위의 이름을 지정하면 신체 인식에 적합하며 공동주의(Joint Attention)의 유지와 관계 형성에 좋다.

1. 뺨에 뽀뽀, 목에 뽀뽀, 다음은 눈썹!
2. 아기를 무릎에 앉히거나 바닥에 눕히거나(목욕이나 기저귀를 갈 때) 아이를 구부리고 "큰 뽀뽀 먹을 거야? 작은 뽀뽀 먹을 거야?"
3. 아기의 뺨부터 시작해서 이마, 귀, 코 등으로 움직이면서 다음에는 "뽀뽀를 할 시간입니다."라고 하며 뽀뽀를 시도한다. 턱, 뺨, 팔, 발

가락을 가볍게 두드리는 것처럼 소리를 내며 맛있는 뽀뽀를 맛보게 한다.

4. 에스키모 뽀뽀. 부드럽게 아기의 코를 문지르고, 누워 있는 아기의 귀와 뺨과 배를 조심스레 입으로 문지른다.

5. "나비 뽀뽀를 할 때가 되었습니다." 아기의 이마, 턱, 코 근처에 속눈썹을 대고 빠르게 눈을 깜빡인다.

6. "다음은 뿡뿡이 뽀뽀입니다!" 입술을 아기의 아랫배에 대고 불면서 배꼽 웃음을 듣고 반복한다.

이불과 손전등을 이용한 놀이

이불은 아이들에게 안정감을 주기 때문에 신체적으로 민감한 아이들도 이불을 이용하면 놀이가 쉽게 이루어진다. 엄마와 아빠가 양측에서 이불을 잡고 아이를 이불 위에 올려놓고 흔들어주기, 이불로 돌돌 말아주기, 이불에 들어가서 숨기 놀이, 이불 속에서 손전등을 이용해 놀기 등이 있다.

물, 모래, 바람, 깃털, 커다란 공, 큰 북, 커다란 자동차, 배, 비행기, 커다란 인형 등을 이용한 놀이

이 시기는 자연의 감각을 그대로 즐길 수 있는 놀이가 좋다. 목욕과 함께할 수 있는 물놀이 시에는 찬물과 뜨거운 물을 감각하게 하고, 거품놀이 등을 즐길 수 있다. 다양한 색깔 놀이도 가능하다. 깃털이나 커다란 공, 커다란 자동차나 배, 비행기, 커다란 인형 등을 준비하고 아이가 관심을 가지는지에 따라 놀이에 응용해본다.

음식을 이용한 놀이

미각과 후각, 촉각은 언어의 발화에 매우 중요한 감각이다. 언어발달이 늦은 아이 중 섭식장애나 후각이 발달되지 않은 경우를 종종 본다. 소리를 내어 언어를 구사하려면 구강 주변과 구강 내의 수많은 근육을 움직여야 하며 혀의 움직임도 중요하다. 혀는 음식의 맛을 느끼고 구강 내의 피부조직은 촉감에 관여한다. 다양한 음식을 맛보고 질감을 경험하는 것은 이러한 발달을 촉진한다. 좋아하는 과일, 갈비, 밥 종류 어떤 것을 이용하더라고 놀이를 구성할 수 있다. 만일 싫어하는 것이 있다면 좋아하는 것과 같이 섞어 넣어 조금씩 경험하게 해본다.

사고단계 발달의 이해

기초발달단계인 '발달 1~3단계'는 자기조절과 원활한 감각적 처리에 중심을 두며 연속적으로 발전이 이루어진다. 이에 비한다면 '발달 4~6단계'의 과정은 생후 18개월경부터 시작하여 생후 60개월 넘어서까지 발달하는 시기이다.

이 시기는 좀 더 인지적인 발달 능력이 중심을 이룬다고 할 수 있다. 이 시기의 중요 과제는 사고능력이다. 사고능력은 아동의 세상에 대한 호기심과 정서가 충만한 상호작용, 구체화된 의사소통을 기반으로 발달된다. 상호작용의 발전과 더불어 사고력의 논리적 발전이 이루어지는 사고발달단계인 '발달 4~6단계'도 분절 없이 연속적으로 이루어진다. 그러므로 이 과정을 하나의 과정으로 인식해도 좋다.

자폐 아동을 위한 플로어타임 프로그램

발달 4단계: 문제해결을 위한 상호작용이 이루어지는 시기(complex gestural communication)

보통 아이들의 경우 생후 18개월에서 36개월 사이에 발달이 이루어지는 시기이다. 이 시기에 주변과의 교류의 즐거움을 알고 나를 인식하게 된 아이들은 끊임없이 소통을 시도하며 타인을 모방하고 새로운 것에 대한 학습을 시도한다. 감정이 세분화되고 신체 근육의 발달도 좀 더 세분화되어 원하는 것을 위해 협상을 시도하고 또한 얻기 위해 구체적으로 몸을 움직이는 시기이다. 즉 높은 곳에 있는 장난감이나 간식을 얻기 위해 단순히 우는 것이 아니라 소리를 지르거나 포인팅을 하거나 의자를 끌고 거거나 하는 시도들이 함께 나타난다.

이 단계는 인지발달 과정에서 매우 중요하다. 이 시기에 아이는 과학적 사고 즉 인과관계의 개념을 알게 된다. 내가 소리를 지르면 엄마가 온다, 또는 내가 울면 엄마가 안아준다, 물건을 떨어뜨리면 소리가 난다, 내가 소리로 어떤 표현을 하면 엄마가 좋아한다와 같은 인과관계에 기초하여 상호작용을 이해하기 시작한다.

언어도 출현하기 시작하고 표현 언어에 대한 강한 욕구를 나타내는 것도 이 시기다. 이 시기에 언어의 사용에 대한 피드백을 충분히 받지 못한 아이들은 언어 지연이 나타나기도 한다. 또는 쌍방향이 아닌 일방적인 언어 자극을 받은 아이들의 경우(미디어의 지나친 노출) 발달이 원활하지 않을 수 있다.

발달 5단계: 생각을 만드는 시기(symbolic)

이 시기는 생후 36개월에서 60개월에 이르는 시기다. 대체로 유치원에 다닐 만한 시기라고 생각하면 이해가 쉽다. 발달 5단계에 이르면 아이들은 생각하는 것을 말하거나 보여주게 된다. 즉 자신만의 아이디어를 형성할 수 있는 시기다. 아이가 스스로 인형에게 밥을 먹인다든지, 인형에 자신의 감정을 이입한다든지 하는 행동들이 나오는 시기다. 상징물을 이용하여 사람의 역할을 대신하는 역할극 놀이가 가능해지는 시기다. 이때 언어는 폭발적으로 증가하게 되며 단어의 사용도 확대된다.

생각이 출현한다는 것은 어떤 이미지가 머릿속에서 개념화되는 것을 말한다. 즉 아이들은 물이나 주스가 옆에 없어도 목이 마르면 물을 말할 수 있고, 부모가 옆에 없어도 부모에 관해 이야기할 수 있다. 이러한 상징적인 체계를 이해하면서 언어의 사용과 감정의 폭은 좀 더 세분화된다.

발달 6단계: 사고와 사고 사이에 논리적 연결을 구성하는 시기
(logical thinking)

이 시기는 만 6세에서 7세에 해당하는 시기다. 대체로 초등학교 1~2학년의 아동기 발달 수준이라 생각하면 된다. 발달 5단계가 생각을 만드는 시기라면 6단계는 이러한 생각을 논리적으로 구성할 수 있는 시기다. 이 시기의 아이들은 과거 현재 미래의 시간의 흐름을 인식하고 나와 주변에서 일어나는 일련의 일들을 흐름에 맞추어 이해하고 구성할 수 있다. 또한 단순한 각각의 사건과 사실들을 '누가, 어떻게, 언제, 어디서, 왜'라는 형식으로 스토리화할 수 있다. 이 발달 과정에서 나와 주변의 감정들을 구별하고 예측이 가능하며 더 높은 상위 단계로 갈 수 있는 기반이 된다.

사고단계 발달을 마스터하기 위한
플로어타임 접근법

이 시기의 플로어타임은 주로 아이와의 대화를 통하여 이루어진다. 물론 1~3단계에 플로어타임적인 접근법은 여전히 유효하다. 예컨대 신체 놀이는 여전히 유효하고 비언어적인 접근법을 풍부히 하는 것도 여전히 유지되어야 한다. 그러나 주된 소통 방식은 언어를 이용한 대화로 바뀌게 된다.

대화를 통한 플로어타임 접근법에서 가장 중요한 것은 열린 대화를 유지하는 것이다. 상호작용의 서클(back and force)의 횟수를 늘리기 위해서는 대화의 형태 자체가 상대방의 답을 차단하는 폐쇄형(closed) 대화는 철저히 피해야 한다. 명령형 대화, 정답을 일러주는 대화, 잘못을 지적하는 대화법 등이 폐쇄형 대화법의 전형이다. 아이가 답을 해야만 끝이 날 수 있는 방식의 대화법을 즐겁게 연결해가는 것이 이 시기 플로어타임 접근법의 요체다.

아이의 문제를 해결해주지 말고, 아이 스스로 해결할 수 있도록 기회를 주어라

아이가 원하는 것이 있을 때 바로바로 해결해주지 않는 것이 우선이다. 예를 들어 아이가 과자 봉지를 뜯어 달라거나 과자 박스를 열어달라고 할 때 바로 그렇게 해주는 것은 좋은 태도가 아니다. 아이에게 스스로 뜯는 법을 배울 수 있는 기회라는 것을 알려주어야 하며, 아이가 문제를 직접 해결할 수 있도록 해야 한다.

이 과정도 "네가 해봐라."라고 명령, 지시적인 접근을 하는 것은 좋지 않다. 엄마가 끙끙 힘을 쓰면서 힘들다는 표정과 몸짓을 하고는 아이에게 "도와줘~!" 하거나 "같이 힘을 합해서 하자."라고 제안하는 것이 좋다. 아니면 "엄마도 잘 못하겠는데 어떻게 하는 게 좋을까?" 하고 한 번 열린 태도로 의논하는 방식도 고려해야 한다.

칭찬은 아이가 자발적이고 구체적인 표현을 했을 때 충분히 한다

칭찬은 아이가 어떤 기능이나 과제를 수행하였을 때 적극적으로 이루어져야 한다. 그러나 엄마 아빠가 원하는 것을 수행했을 때가 아니라 아이가 스스로 원하는 것을 자발적이고 구체적으로 시도하고 표현했을 때 충분하고 즐겁게 칭찬을 해주어야 한다. 부모나 치료사가 원하는 것을 성취했을 때 칭찬이 반복된다면 아동 중심적인 접근법이 아니라 과제 중심적인 접근법으로 변질되는 경우가 많다.

아이에게 생각할 수 있는 시간과 기회를 주어라

나는 플로어타임이 한국적 정서에 어려운 이유를 이 부분에서 많이 발견한다. 우리의 교육환경은 아이 스스로 성취하도록 돕는 교육 방식보다는 하루라도 빨리 기능을 습득시키는 것을 위주로 한다. 그러다 보니 아동이 발전하기 위해서 탐색하는 시간을 가지는 것을 정체된 시간으로 생각한다. 아동이 잘못된 시도를 하는 것을 시간을 허비하는 것이라 생각한다. 아이가 빠르게 정답을 획득하듯 기능을 수행하길 바라다보니 아이와의 대화도 정답을 제시하는 유형의 대화가 대부분이다.

이렇게 일방적인 정보전달형 대화가 대부분 부모에게서 관찰된다.

아이들 스스로 탐구하고 발견할 기회를 주기보다 먼저 열심히 방법을 가르치기에 바쁘다. 우리 아이가 남보다 더 빨리 고기능의 장난감을 조작하고 더 빨리 책을 읽기를 바라는 마음에 구조화된 지식을 가르치는 일에 더 몰두하는 것 같다.

스스로 생각하고 행동하지 못하는 인간은 로봇과 다르지 않을 것이다. 우리 아이가 누군가의 조정이나 명령 없이 자기 스스로 설 수 있게 발달하기를 원한다면 아이에게 생각할 시간을 주어야 한다. 일방적으로 가르치는 것보다는 먼저 경험하게 하고 대화하고 열린 질문으로 아이의 생각을 격려하도록 하여야 한다.

답을 하기보다는 생각할 수 있는 대답과 질문을 해라

아이의 질문에 직답하는 것은 피해야 한다. 앞서 지적한 대로 플로어타임 과정에 부모의 대답과 질문은 항상 열려 있어야 한다. 무언가를 규정짓거나 결정적인 대답 또는 질문은 아이의 생각을 막아버린다. 가급적이면 아이의 질문에 다시 질문으로 답을 하여 아이의 생각을 유도해야 한다. 예를 들자면 다음과 같은 답변이다. "나는 정말 잘 모르겠네. 정말 왜 그랬을까?", "이렇게 생각할 수도 있지 않을까?", "네 생각은 어떤데? 참 궁금하네."

답을 할 필요가 있다면 충분히 설명하고 이해를 구해야 한다. 아이가 설사 이해하기 어려운 것이라 할지라도 충분히 설명하고 아이의 마음을 읽어주며 공감해야 한다. 질문에 정답을 주는 것보다 더 중요한 것은 아이가 질문하는 의도다. 답을 말해주면서 "네가 참 궁금했나 보구나." 등과 같이 아이의 의도나 요구에 공감을 표현하는 것이 상호 교감의 증대에 중요하다.

이해하지 못하는 것을 강제적으로 지시하지 않는다

공공장소에서 아동의 호기심 어린 행동이 문제가 되는 경우는 흔하다. 발달 지연이 있는 아동은 사회성 미숙으로 이런 문제가 더 도드라진다. 공공장소에서 문을 왜 닫았다 열었다 하면 안 되는지, 엘리베이터의 층수 버튼을 왜 다 누르면 안 되는지 이해하지 못한 채 아이는 "안 돼."라는 말을 지속적으로 듣는다. 아이에게 이것은 폭력일 수 있다.

공공장소에서 아동의 요구도 적절하게 실현시키면서도 공공의 피해를 최소화하기 위해서는 지혜로운 대처가 필요하다. 무조건 "안 돼."라는 말 대신에 장난스럽게 손으로 가리기 놀이를 하거나 아이의 손에 다른 것을 들려준다거나 하여 아이의 호기심을 놀이로 전환시키도록 해야한다. 아니면 엘리베이터의 버튼이 보이지 않게 해주는 등의 방법으로 아이의 주의를 돌리거나 다른 호기심을 갖도록 유도해보자.

그리고 대화가 가능한 아이는 대체할 수 있는 다른 놀이를 생각하거나 다른 사람의 불편함에 대해 이야기해보도록 한다. 엘리베이터 버튼 앞에서 흥분했던 아이에게 이후 조용한 시간을 내어 아이가 엘리베이터 버튼을 누르지 않았던 행동에 대해 칭찬해주자. 비록 모든 내용을 다 이해할 수는 없다 할지라도 아이는 그 의미를 의식할 것이다.

아이가 한 놀이나 테마에 집중하지 않을 때는 원 주제로 다시 끌어온다

이 과정은 민감하고 능숙한 기술이 요구된다. 흔히 플로어타임 과정에서 아이의 요구를 중시한다고 하면 아이가 원하는 것만 하고 노는 것이라 오해하고는 한다. 그러나 발달 4~6단계는 아동의 연속적인 사고발달을 유도하는 과정이기에 일정한 테마나 놀이를 마친 후에는 아이가 다른 주제로 전환할 수 있도록 도와주어야 한다.

테마에 재차 집중할 것을 강제로 요구하는 것은 지시적이고 훈련적인 접근법이다. 플로어타임적으로 접근한다고 하면 아이가 자연스럽게 놀이의 마무리로 들어올 수 있도록 자극적인 유도를 해야 한다. 예를 들어 목소리 톤을 바꾸든지 어떤 신체적 자극을 주어서 아이가 다시 먼저 하던 놀이로 돌아올 수 있는 계기를 제공해주어야 한다.

아이의 생각이나 행동을 다시 읽어주는 것과 질문하는 것, 조언하는 것들을 적절히 균형 맞춘다

아이에게 대답해주거나 대화를 할 때 아이의 생각을 다시 읽어주는 것은 아이로 하여금 전에 했던 일들을 회상하게 해주며 현재와 미래를 연결시켜주는 의미가 있다. 또한 질문은 아이들로 하여금 생각의 기회를 준다. 그리고 아동이 문제해결에 어려움을 겪을 때 시의적절한 조언은 아동에게 큰 격려가 된다. 아이의 행동이나 마음을 읽어주면서 함께 질문을 이어나가는 기술이 필요하다.

아이의 수준이 돼서 아이와의 역동적인 대화를 즐겨라

이 시기 발달단계의 아이들은 끊임없이 재잘거리고 질문을 쏟아붓는다. 부모들은 아이와의 역동적인 대화를 즐겨야 한다. 아이와 같은 상태가 되어서 부모도 같이 끊임없이 질문을 해야 한다. 언제, 어디서, 무엇을, 어떻게 그리고 왜에 이르기까지 반복된 질문을 퍼붓는 것은 아동의 논리적 사고력을 증진시키며 다음 단계로의 사고력 발전을 유도한다. 아이에게 끊임없는 질문을 던지며 역동적인 대화를 이어가는 가장 쉬운 방법은 부모가 아이 또래의 정신 연령이 되어 아이의 대화 상대가 되어주는 것이다.

아이가 대답을 못하면 단계를 약간 낮춘다

아이가 질문에 대답을 못하는 경우가 있다. 이럴 때는 슬쩍 보기를 예시로 주어라. 예시를 줄 때는 하나는 지극히 맞는 답과 하나는 말도 안 되는 우스운 오답을 준다. 그렇게 하면 아이는 재밌어 하며 정답을 맞출 수 있을 것이다. 이 기술은 아이의 긴장도를 낮추고 대화를 즐겁게 만든다.

부모의 질문에 대답하지 못하는 것 또한 아이에게는 스트레스로서 이는 또 하나의 부정적 정보로 뇌에 남을 수 있다. 그래도 아이가 대답하는 것을 꺼린다면 "정말 어려운 질문이다. 나도 잘 모르겠네…. 코끼리야 너는 어떻게 생각하니?" 하면서 인형이나 아이가 좋아하는 동물을 대화에 출현시켜 본다. 대화에 출현시킨 동물 친구를 통하여 힌트를 주는 것도 좋은 방법이 될 수 있다.

만일 상황에 따라 아이의 긴장도가 심하거나 스트레스를 받는다면 단계를 낮추어 감각적인 놀이로 돌아간다

아동이 피곤하거나 기분이 나쁠 때 억지로 이러한 놀이를 진행해서는 안 된다. 가장 중요한 것은 놀이를 함으로써 즐겁고 행복해야 하는 것이다. 즐겁지 않으면 아무 도움이 안 된다. 이런 상황이라면 낮은 단계의 놀이 즉 아이가 편안함을 느낄 수 있는 감각적인 놀이로 단계를 낮춘다. 사회성발달 1~3단계에서 하던 놀이는 언제라도 실행할 수 있다. 낮은 수준의 놀이를 즐겁게 할 수 있다면 매우 만족할 만한 감정적인 안정이 생기고 긴장을 해소할 수 있다.

아이에게 놀이를 계획하고 준비할 수 있도록 한다

놀이에서 아이의 주도성을 높이기 위해 아이 스스로 놀이를 계획하고 준비할 수 있게 하는 것은 매우 중요하다. 그런데 그러다 보면 아이가 매일 똑같은 놀이만을 하려고 한다고 걱정하는 부모가 많다. 하지만 같은 형식의 놀이라도 얼마든지 내용적으로 확장될 수 있다.

예를 들어서 같은 자동차 놀이라도 발달단계에 따라 다르다. 사회성발달의 초기 단계의 자동차 놀이는 바퀴를 돌리는 감각적인 놀이다. 그리고 다음 단계는 자동차를 용도에 맞게 가지고 노는 자동차 밀기 놀이다. 더 발달하면 자동차를 이용한 상상 놀이가 결합된다. 자동차 경주를 하기도 하고 토마스나 로보캅 폴리 등을 등장시켜서 스토리 있는 놀이로 발달시킬 수 있다.

인형 놀이도 마찬가지다. 같은 인형 놀이라도 얼마나 많은 상황이 연출될 수 있는지는 부모의 역할이다. 인형 목욕시키기 놀이를 좋아하는 아이에게 다양한 냄새가 나는 거품을 제공한다든지, 목욕물에 색깔을 풀어볼 수도 있고 인형이 목욕을 한 후에 무엇을 할지도 얼마든지 기획해볼 수 있다. 같은 인형을 가지고도 모든 발달단계에 따라 변형이 가능하며 아이들의 특성에 따라 탄력적인 변화가 가능하다.

놀이 시 아동의 주도를 지속적으로 유지하고 부모의 생각이나 개입은 최소화하라

놀이를 할 때 부모의 대답이나 말은 최소화하고 될 수 있는 한 아이의 생각을 유지하도록 한다. 놀이 시 엄마나 아빠의 의견이 들어가지 않도록 참는 것이 중요하다. 말이 되지 않는 것을 이야기할 때도 먼저 수정하거나 고쳐주지 않는다. 대신 "왜 그렇게 생각하니?"라고 물어본다.

4~6단계를 마스터하기 위한 놀이의 예

4~6단계의 아동이라면 이미 구체적인 자신의 관심 대상이 존재한다. 즐겨서 가지고 노는 도구도 있게 마련이다. 어떤 것이든 상관이 없다. 어떤 물건이건 어떤 주제이건 아동의 관심이 집중된 것을 이용하여 놀이가 가능하다. 다만 그 놀이 과정에서 역점을 두어야 하는 사항을 이해하는 것이 중요하다. 공룡을 좋아하는 아이. 자동차를 좋아하는 아이, 인형 놀이, 숫자 놀이 등등 아이의 관심과 놀이가 달라도 원칙은 동일하다.

놀이 과정은 첫째 스토리가 있는 상상 놀이화 과정으로 발전시켜야 한다. 둘째로는 스토리에 담긴 감정, 정서의 변화를 아동이 경험하고 이해하도록 배려해야 한다. 이 과정은 아동이 경험할 복잡한 사회생활을 압축적으로 경험하는 과정이기도 하다. 또한 감정, 정서의 논리적인 연결 과정을 통하여 복잡한 사회현상을 이해할 수 있는 기초가 형성되는 과정이 된다.

역할 놀이

역할 놀이는 아동이 이미 경험한 것과 이해한 것을 더욱 확장하여 다양한 느낌과 생각, 상황을 만들 수 있는 놀이다. 추상적인 사고능력과 더욱 구체적인 언어발달을 이룰 수 있으며 타인과의 경험을 이해함으로써 감정의 폭이 더욱 확대되고 사회적 상황을 이해하는 데 도움이 된다. 기차, 자동차 등 아이가 좋아하는 장난감과 다양한 피규어, 간단한 블록, 소품 들로 이야기를 꾸며본다.

[역할 놀이의 예]

음식물 모형이나 인형, 주방 놀이 장난감을 사용해도 좋고 실제 사용하는 것들로도 놀이가 가능하다. 처음에는 만져보거나 단순히 늘어놓고 먹여주고 하는 놀이를 했다면 이제는 상황을 만들어보도록 한다.

아이 (초콜릿 아이스크림 모형을 끼워 먹는 시늉을 한다.)

엄마 "와 맛있겠다. 나도 먹고 싶어. 아~." (입을 벌린다.)

아이 (웃으며 엄마에게 자신이 먹는 흉내를 내던 것을 내민다.)

엄마 "싫어. 싫어. 난 딸기 아이스크림이 좋아." (아이가 알고 있는 아이스크림 맛이어야 하며 주변에 아이가 이 상황을 해결할 수 있는 물건이 있어야 함.)

아이 (주변을 둘러보다 빨간색 블록 또는 대체품을 발견하고 엄마에게 내민다.)

엄마 "와 맛있네." (블록을 입술로 물거나 다 먹은 체하면서 뒤로 숨긴다.)

아이 (뒤로 숨긴 블록을 찾거나 엄마 입을 벌린다.)

엄마 "더 먹을래. 더 먹고 싶어."

아이 (빨간 것이 더 있나 살피고 없으면 오렌지색을 내민다.)

엄마 1) (아이가 빨간 것을 내밀었을 경우 그것을 냉큼 받아먹는 시늉
　　　을 하며) "와 신난다."

　　　2) (아이가 다른 색을 내밀었을 때는 평소에 떼를 부리던 아이의
　　　흉내를 내며) "아냐, 이건 딸기가 아니야."

아이 1) (웃으며 더 빨간색을 더 찾아본다.)

　　　2) (웃으며) "안 돼."

엄마 (배를 만지며 우는 척한다.) "아야. 아야. 아이스크림 너무 많이
　　　먹었나 봐."

　　이때 아이의 반응을 살피며 아이가 병원 놀이로 옮겨갈 수 있다. 병원 놀이로 아이가 스스로 옮겨가지 않는다면 우선은 아이와의 신체접촉을 꾀하면서 공동주의를 늘리고 유도해본다. 예를 들어 아이의 손을 엄마의 배에 대고 문지르며 세게 누르고 약하게 누르기를 반복한다. 세게 누를 때 엄마는 큰 소리로 아픈 시늉을 한다. 반대로 살살 만질 때는 부드러운 목소리로 "아이, 좋아. 안 아파." 하면서 아이에게 기대어본다.

　　또는 아이에게 "어떻게 하지?"라고 질문을 던지거나 질문에 아이가 반응하지 않는다면 "병원에 갈까?" 하면서 유도해본다. 어떤 경우에도 아이가 엄마를 바라보고 있는 상황을 유지해야 한다. 아이가 다른 쪽으로 주의를 돌리려 한다거나 엄마를 바라보고 있지 않은 상태에서 이런 시도는 의미가 없다. 만일 아이가 흥미를 못 느끼고 주의를 돌리면 거기

　　　　　　　　　자폐 아동을 위한 플로어타임 프로그램

에 맞는 대응 방법으로 전략을 바꾸어 공동주의를 유지해야 한다.

발달 4단계 정도의 놀이가 가능하다면 아이를 무조건 따라가기보다 아이를 다시 끌어 올 수 있는 전략을 사용할 필요가 있다. 이때는 평소와 다른 목소리의 톤이나 리듬을 만들거나 아동의 신체를 자극함으로써 주의를 환기시켜 놀이의 주제로 다시 돌아오도록 이끌어본다.

역할 놀이에 관심이 부족하고 자동차나 기차, 배, 비행기 등에 관심이 많은 경우

자동차나 기차를 좋아하는 아이라면 주유소나 공장, 공사장 들이 모델이 될 수 있다. 피규어를 사용하는 것을 꺼린다면 모래 상자나 콩, 플레이콘이 들어 있는 커다란 박스를 이용해 놀이를 구성할 수 있다. 배를 좋아하는 아동이라면 다양한 크기의 물고기를 이용한다거나 공룡 등의 피규어를 이용할 수도 있다. 기차나 자동차를 가지고 노는 경우라면 다양한 색의 테이프를 바닥에 붙이면서 길을 만들어주거나 상황을 만들어주면서 아이와 놀이를 진행해도 좋다.

아이 "부릉부릉!" (아이가 자동차를 가지고 논다.)

아빠 (다른 자동차나 트럭을 가지고 아이의 차를 따라가본다.) "어디에 가나요?"

아이 (아무 대답이 없다.)

아빠 "따라가도 되나요?"

아이 (아빠의 차가 어디로 가는지 바라본다.)

아빠 "따라갈 거야." (아이의 자동차에 꽝하고 부딪친다.) "앗! 사고다!"

아이 1) (도망간다.)

아빠 "도망가지 마! 잡으러 갈 거야!" (아이의 자동차를 잡으러 가면서 아이의 몸 위로 트럭을 오르락내리락하면서 신체 자극을 준다. 아이가 까르륵거리며 도망가는 것을 재미있게 방해하면서 아이가 상황을 벗어나기 위해 다양한 방법을 사용하도록 유도한다.)

아이 2) (아이가 자동차를 넘어뜨리며) "사고다!"

아빠 "빨리 구급차를 부르자. 아니 경찰차를 부를까?"

아이 "구급차."

아빠 "아, 그렇지 구급차야 어서 와줘."

아이 "삐뽀 삐뽀. 여기 왔어요."

아빠 "구급차에 자동차가 안 들어가. 어떻게 하지?"

아이 (구급차 위에 자동차를 올린다.)

아빠 "여기 테이프가 있어."

아이 (아이가 테이프로 구급차 위에 자동차를 고정하려고 한다. 아이가 어려워하면 아빠가 슬쩍 도와준다.)

아빠 "어디로 갈까?"

아이 "병원 가야 해."

아빠 "병원이 어디 있지?"

아이 (무언가를 가리키며) "저기."

아빠 "빨리 가자."

아이 "삐뽀 삐뽀."

쌓기 놀이를 즐기는 아동의 경우

쌓기 놀이로 역할 놀이를 만들기는 쉽지 않다. 하지만 쌓기 놀이를 구성한 후 역할 놀이를 시도할 수는 있다. 이때 쌓기에는 빈 종이박스, 종이 벽돌이나 우드 벽돌, 커다란 레고 같은 것을 이용할 수 있다. 이것들을 쌓아서 의자나 계단을 만들어 아이 스스로 올라가거나 앉아보도록 하는 것부터 시작해서 방을 꾸미는 것으로 확장해간다. 커다란 종이 벽돌이나 커다란 상자 들로 집을 구성하면서 문이나 창문을 만들고, 아이의 의견에 따라 여러 가지 꾸미기 놀이를 하는 것도 도움이 된다. 박스를 이용해서 빌딩을 만들거나 숫자를 써서 붙이고 엘리베이터 놀이를 하며 역할 놀이를 시도해볼 수 있다.

또 다른 방법은 아이가 좋아하는 캐릭터로 부모가 변신하여 쌓기 놀이에 참여하는 것이다. 예를 들어보자. 아이가 뽀로로를 좋아한다면 엄마나 아빠가 뽀로로 역할을 시작한다. 뽀로로 가면을 쓰면 더 좋을 것이다. "난 뽀로로야~. 쌓기 놀이하는구나~? 나도 같이하자."라고 하며 참여를 한다면 아이는 뽀로로와 함께 쌓기 놀이를 상상 놀이와 결합하게 될 것이다.

성숙의 단계, 발달 7~9단계

이 발달단계는 사회성발달의 최종 단계다. 아동기부터 청소년기를 지나면서 발달하게 되며 성인의 사회성과 사고력에 도달하는 시기다. 자기의 입장이 아니라 타인이나 제삼자의 입장이 돼서 상황을 이해하는 단계를 거쳐서, 흑백논리를 벗어나서 다양한 관점에서 대상을 이해하는 단계, 그리고 최종적으로는 성숙된 자아 성찰의 단계까지를 말한다.

이 단계는 주로 고기능 아스퍼거증후군에서 문제가 되는 경우가 많다. 언어도 유창하며 대화도 무난하게 이루어지지만 복잡한 사회문제에서 갈등을 반복하거나 문제해결을 어려워한다. 특히나 친구와 문제가 있을 시 감정조절에 어려움을 겪으며 학교생활에도 어려움이 조성된다.

7~9단계의 사회성발달을 위한 플로어타임에서도 먼저 검토되어야 하는 것은 사회성발달의 기초 단계(1~3단계), 사고력발달단계(4~6단계)의 부족한 과정을 꾸준히 결합해야 한다는 것이다. 또한 이때 낮은 수준의 발달 놀이도 지속적으로 결합하는 것이 필요하다. 기능적으로 높은 경우에도 7~9단계만 부족한 경우는 거의 없다. 의외로 1~3단계의 발달이 부족한 경우가 많다. 낮은 수준의 자기조절과 규제가 부족한 경우가 대부분이다. 그리고 사람과의 상호관계에서 어펙션을 형성하는 능력이 부족한 경우가 많다. 그러므로 아래 단계의 발달에서 무엇이 부족한지 분석하는 과정이 필요한데 이는 책의 부록에 제공된 자료를 이용하면 도움이 될 것이다.

7~9단계의 플로어타임은 관심 있는 주제나 문제가 되는 주제를 놓고 부모와 아동이 대화를 지속하는 과정이다. 이때 대화의 방법은 앞서 이야기한 대로 열린 대화로 이끌어주어야 한다. 7~9단계의 플로어타임 진행 사례를 상세히 다루는 것은 이 책의 기획 의도를 벗어나 다음 기회로 미룰 것이다. 이곳에서는 이론적인 원칙만 소개한다.

자폐 아동을 위한 플로어타임 프로그램

7단계: 다양한 관점에서 생각하고 인간관계에서 제3의 존재와 객관성을 이해하는 단계(Multi-causal and Triangular Thinking)

상호관계에서 주체와 객체(나와 너)의 이중 구도를 이해한 아이는 다음에 삼자 간의 상호작용을 이해하는 단계로 들어간다. 이 시기의 아이들은 각각의 상황에 대한 배경과 이유를 찾아내고 이해할 수 있다. 즉 사람들과의 대화에서 다른 관점을 인식하고 허용하며 바르게 반응한다. 습득된 내용의 지식과 자신의 내면의 사고방식의 차이에 대해 객관적인 시각을 가지고 반응할 수 있으므로 자아가 더욱 강하게 정립될 수 있다.

나는 무엇을 원하는가? 나는 무엇을 두려워하는가? 사람들이 나와 다른 관점을 가진 경우 나는 어떻게 하는가? 다른 사람은 왜 나와 다른가? 등의 질문에 답을 생각할 수 있게 된다. 다른 사람의 관점에서 상황을 이해하는 것은 자아를 더욱 강하게 키워주고 자신감을 주며 도전 의식과 창의적 사고방식의 기반이 된다.

[7단계 사고의 예]

엄마가 동생을 더 많이 안아주기 때문에 나는 화가 나. 하지만 동생은 더 작아서 혼자 일어설 수가 없기 때문에 엄마가 더 안아주는 거야. 나는 크기 때문에 동생이 하지 못하는 것을 할 수 있어.

나는 예림이랑 같이 놀고 싶어, 그런데 예림이는 나랑 안 놀려고 할 수도 있어. 그러면 어떡하지? 차라리 예림이랑 자주 노는 혜정이에게 가서 같이 놀자고 해야겠다. 왜냐하면 혜정이랑 나는 같이 논 적이 있고 혜정이는 나를 좋아하는 것 같아. 그럼 곧 예림이랑 같이 놀 시간이 생길 거야.

8단계: 회색 영역의 이해

사실에 기반을 두지 않는 주관적 견해를 이해할 수 있는 단계다. 다양한 관점에서 바라보는 사실의 객관적 다양성을 이해하는 것이 7단계라면 주관적 영역을 이해하는 것이 8단계라 할 수 있다. 우리가 사실이라고 부르는 것들은 모두 합리적인 분석을 통해 보는 피할 수 없는 확고한 형태이므로 회색 영역이 존재하기 어렵다. 하지만 감각적 경험 내에는 합리적으로 설명되지 않는 주관적 영역이 존재한다. 왜냐하면 감각 그 자체가 개인적인 투영이기 때문이다. 8단계 사고의 역량이 발달되면 격하고 충동적인 사고보다는 정치적이고 사회적인 사고가 발달되어 합리적이고 도덕적인 선택이 가능해지고 본인이 직접 경험하지 않은 사회 전반적 영역에의 공감 능력도 발달한다.

[8단계 사고의 예]

A는 나보다 수학에서 더 훌륭하지만 나는 글쓰기와 미술을 잘할 수 있어.

아빠는 오늘 뭔가 다른 일 때문에 기분이 좋지 않지만, 내일은 다시 좋아지실 거야.

오늘 경기는 졌지만, 다음엔 우리가 이길 수도 있어.

9단계: 자기 반영과 투영이 가능한 단계

그린스판은 9단계의 발달을 '내 안에 있는 두 개의 세계'라고 표현했다. 가치를 내면화하고 양심을 가지며 자신을 돌아보고 행동을 조절할 수 있게 되는 단계다. 즉 어떤 사람들이 나를 해하거나, 남들이 어떤 행

자폐 아동을 위한 플로어타임 프로그램

동을 하더라도 나는 나 자신이기 때문에 변하지 않는다는 것을 깨닫는다. 남들이 다 나를 나쁘게 보아도 그것이 나를 나쁜 사람으로 만들지 않는다는 것을 안다. 왜냐하면 나는 내가 좋은 선택을 하는 좋은 사람이라는 것을 알고 있기 때문이다.

발전적인 자기반성은 '나는 이래, 나는 이런 사람이야.'라고 항상 생각하며 알고 끝나는 것이 아니다. 자기반성은 자신에게 끊임없이 질문하는 것이다. "나는 왜 이 일을 하는가?", "나는 왜 이것을 선택했는가?" 이러한 질문은 미래에 더 나은, 또는 보다 효율적인 방법이 있는지를 생각하고 스스로 결정하는 데에 도움을 준다.

[9단계 사고의 예]

오늘은 우리 팀이 경기에서 졌다. 다음엔 우리에게 이길 수 있는 기회가 있다. 그렇게 되기 위해 우리는 무슨 노력을 해야 할까?

9단계 사고의 완성을 위해 자신에게 질문하는 반영적 질문의 예:

● 내 장점은 무엇입니까? **예)** 나는 잘 조직되어 있나? 나는 기억력이 좋은가?

● 나의 약점은 무엇입니까? **예)** 산만한가? 특정한 부분에 더 많은 연습이 필요한가?

● 나는 어떤 기술을 가지고 있고 무엇을 잘합니까?

● 집이나 학교에서 나에게 영향을 줄 수 있는 문제는 무엇입니까?
   예) 공부, 일, 게임

● 내가 달성한 것은 무엇입니까?

● 나를 불행하거나 실망하게 하는 것이 있습니까? 나를 행복하게 하는 것은 무엇입니까?

● 내가 이 분야에서 개선할 수 있는 방법은 무엇입니까?

자폐 아동을 위한 플로어타임 프로그램

3장

플로어타임의
실제

플로어타임에 필요한 기본 이론과 실제 적용의 원칙은 앞서 다루었다. 플로어타임은 이론을 아는 것도 중요하지만 실제 현장에서의 능동적인 적용이 더 중요하다. 다른 치료법은 규격화된 놀이나 과제로 구성되어 있어 잘된 치료인지 아닌지를 평가하기 어렵지 않다. 그러나 플로어타임은 규격화된 프로그램이 없기에 구체적인 평가가 어렵다. 따라서 플로어타임을 관철하는 실제 원칙을 명심하며 실행 과정을 습관적으로 비판하고 성찰하는 것이 중요하다.

이 장에서는 실제 진행 과정에 끝없이 확인해야 할 지침들을 검토해 보겠다. 앞서 이론을 다루며 소개한 사례 중에 실제 지침이 될 만한 내용은 중복하여 기록하였다. 플로어타임을 시행하면서 어려움이 있다면 3장을 중심으로 다시 반복하여 읽어보는 것이 도움이 될 것이다.

플로어타임 진행 원칙

함께 있는 것 vs 함께하는 것

아동을 만나면 제일 먼저 나는 부모와 아동의 놀이 장면을 관찰한다. 정말로 한결같이 내가 만났던 부모들의 95%는 매우 적극적이고 아동을 위해 열심히 이야기해주고 아동과 함께 놀기 위해 노력하는 모습을 보였다. 그리고 또한 한결같이 아이들은 부모의 노력을 아는지 모르는지 등을 돌리거나 자신의 세계에 빠져 대답하지 않았다. 아이들이 자신의 세계에 빠져들면 들수록 부름에 대답하지 않으면 않을수록 부모들은 열심히 아이를 부르고 많은 것을 보여주려고 노력한다. 어떻게 하면 아이가 나를 바라보고 나의 부름에 대답을 할까? 모든 부모의 공통적인 고민이다.

대답은 의외로 간단하다. 우선 함께 무언가 하려고 하기 전에 함께 있으려고 노력하는 것이다. 함께 있는 것과 함께 무언가 하는 것은 다르다. 플로어타임의 시작은 진정 아무것도 하지 않고 바라보는 것에서 시작한다. 말이 안 된다고 생각할 수도 있다. 하지만 이 과정이 없이는 플로어타임을 한다고 할 수 없다. 아이와 부모 모두가 아무것도 하지 않아도 그저 같이 있기만 해도 서로의 감정을 느낄 수 있는 공동의 정서 튜닝 시간은 플로어타임의 기초 지반을 다지는 것과 같은 과정이다. 겉만 평평한 모래 위에 집을 짓는 것보다 단단한 지반 위에 집을 지을 때 훨씬 안정적으로 빠르게 집을 지을 수 있을 것이다. 아이와 부모의 공동주의 완성은 발달을 만드는 초석이며 이러한 공동주의는 감정의 교류 안에서 이루어진다.

플로어타임의 시작은 아이와 함께 있는 것이다. 아이와 함께 있는 것은 아이와 함께 무엇을 하는 것과는 다르다. 아이가 이 세상에 나왔을 때 우리는 아이가 무언가 하기를 바라지 않았다. 그저 건강한 모습으로 우리 곁에 있어 주는 것으로 행복했었다. 하지만 시간이 갈수록 부모는 아이가 무언가 하기를 바란다. 옆집 아이, 사촌, 친구의 아이가 눈에 함께 보이고 내 아이의 모습이 처음 그대로가 아닌 무언가를 수행하는 모습으로 변화하기를 기대한다.

때로 그 기대를 아이가 맞추지 못할 수도 있다. 왜냐하면 모든 아이는 자신만의 특성을 가지고 있기 때문이다. 하지만 우리는 아이만의 개성을 찾기 이전에 아이에게 일반적인 기준을 가르치기 시작한다. 어쩌면 이것이 아이가 부름에 답하지 않고 등을 돌리는 첫 번째 이유가 될 수도 있다.

아이와 함께 무언가를 하려고 노력하지 말고 그저 함께 있어 주자.

그리고 아이의 감정을 읽어주고 부모의 감정을 전달해보자. 감정의 교류는 무언가 하지 않아도 또 언어를 사용하지 않아도 이루어질 수 있다. 아이는 자신을 바라봐주고 자신의 안전을 위해 함께 있어 주는 그리고 자신이 무언가 하지 않아도 행복한 표정을 끊임없이 보내주는 부모에게 먼저 손을 내밀 것이다.

예를 들어보자. 아이가 아무것에도 흥미가 없고 한 장소에서 움직이지 않는 경우도 있다. 영민이는 매우 순한 남아였다. 어렸을 때부터 순한 아이였고 그냥 놔두면 몇 시간이고 누워서 바퀴를 굴리거나 끈을 만지작거리며 조용히 있었다. 두 돌이 지나도록 아이는 말이 없었고 외출하는 것도 싫어했으며 멍하게 누워 있는 시간이 점점 길어졌다. 급한 마음에 먼저 영민이의 부모는 트램펄린을 샀다. 하지만 영민이는 몇 번을 뛰어보고는 다시 올라갈 생각을 하지 않았다.

영민이를 일으켜 무언가 하는 것은 부모에게 너무나 힘든 일이었다. 아이는 틈만 나면 업어 달라고 하고 누워서 뒹굴뒹굴하는 것으로 하루의 반을 보내고 있었다. 영민이는 근육 긴장도가 매우 낮고 무기력한 신체를 가진 촉감 과둔형의 아이였다. 우리는 부모에게 아이와 함께 누워서 같이 뒹굴뒹굴하는 것으로 플로어타임을 시작하도록 권했다. 아이를 일으킬 수 없다면 그리고 아이가 누워 있을 때 더 편안함을 느낀다면 같이 누우면 된다.

누워서도 얼마든지 놀이가 가능하다. 아이의 얼굴과 몸을 만지고 배꼽도 찔러보고 다리 올려 교차하기, 등 대고 눕기, 바로 눕기, 아이를 몸 위에 올리기, 또는 아이 위에 올라 눕기, 쓰다듬기, 두드리기, 꼭 안아주기, 풀어주기 등등 얼마든지 놀이가 가능하다. 이렇게 몸 놀이가 가능하다면 아이와 함께하는 놀이가 가능한 것이다. 놀이가 꼭 무엇인가를 해야 하고 어떤 매체를 사용해야만 하는 것은 아니다. 많은 경우 무엇을 함께하기보다는 애정 넘치게 바라봐주며 함께 있어 주며 이루어지는 터치가 놀이가 된다. 부모의 몸은 그 자체로 가장 훌륭한 장난감이다.

바라보고 기다리고 궁금해하라

"아이와 함께 있는 동안 부모는 무엇을 하나요?"라는 질문을 받으면, 나는 "부모님은 무엇을 하시고 싶으신가요?"라고 되묻는다. 부모는 당연히 아이와 놀고 싶고 아이와 상호작용을 하고 싶어 한다. 내가 "그러면 어떻게 하시나요?"라고 다시 물으면, "이것저것 관심 가질 만한 것을 보여줍니다."라는 대답이 단연 압도적으로 많다.

같이 있지만 감정의 교류가 되지 않기 때문에 부모는 아이의 원하는 것을 잘 모르는 것이다. 그래서 또다시 아이에게 이것저것을 제시한다. 이렇게 되면 다시 원점으로 이야기가 돌아간다. 뭔가 하기보다는 같이 있어 주는 것에서 시작이라는 것을 알고 있지만 같이 있기 위해서 또다시 뭔가 해야 한다는 생각이 머릿속에서 떠나지 않는 것은 아이가 뭔가 하고 싶을 것이라고 생각하기 때문이다.

발달장애 아동의 부모들은 모두 마음이 급하다. 하나라도 더 알려주고 가르쳐주고 머릿속에 넣어주어야 한다는 의지가 항상 깔려 있다. 그리고 그 바람대로 이루어지지 않는 것에 절망하고 또다시 노력하고 가슴 아파하는 감정의 사이클 속에 산다. 나 또한 비슷한 경험을 한 부모로서 십분 이해되는 일이다. 그래서 이것은 내가 가장 조언하기 힘든 부분이다. 하지만 한번 경험하게 되면 부모들은 이 의미를 깨닫게 될 것이다. 아이를 '기다리는 것'이다.

아이와 함께 있으면서 그저 아이를 바라보면서 기다리는 것. 아이가 무엇을 하려는지 무엇을 보고 있으며 무엇을 생각하고 있는지 궁금해하면서 관찰하는 것. 평소에 10분, 20분 아무것도 하지 않고 그저 아이를 바라보며 관찰했던 시간이 있었느냐고 물으면 대부분의 부모는 기억을 못 한다.

사실 어려운 일이다. 갓 태어난 아이가 침대에 누워 있을 때 누워서 손발을 꼼지락거리며 있을 때 우리가 그 아이를 20분 이상 지속적으로 바라본 적이 있을까? 만일 아이를 위해 플로어타임을 한다면 우리는 이제 아이를 그렇게 바라보아야 한다. 그리고 아이가 무엇을 하는가 어떤 것을 하려고 하는가 살펴보고 어떤 작은 단서도 놓치지 않고 아이의 특성을 찾아야 한다.

언제 아이가 눈을 깜빡이는가? 언제 깜빡이지 않는가? 무엇이 아이를 흥분시키는가? 어느 순간에 흥분을 멈추는가? 어떤 시간에 더 흥분하는가? 흥분한 상태에서 아무 자극을 주지 않는다면 얼마나 몰입하는가? 어떤 것이 주의를 환기시키는가? 어떤 순간에 아이가 나를 바라보는가? 어느 순간에 아이는 나의 존재를 의식하지 않는가? 의식한다면 기계적인가? 진심으로 나를 바라보는가? 내가 제공하는 것 때문에 나를 찾는가? 무엇이 아이가 이상행동을 하게 하는가? 어떤 것이 아이를 자극하고 어떤 것이 아이를 안정시키는가? 어떤 순간에 아이가 좋아하는가? 어떤 것을 싫어하는가? 어떤 것에는 관심이 없는가? 아이가 가만히 있는가? 왜 한 곳만 바라보고 있는가? 무엇을 바라보는가? 어떤 순간에 다시 움직이는가? 무엇이 아이를 움직이게 하는가?

이렇게 아이에 대한 아주 작은 단서와 정보를 찾고 궁금해하는 것은 플로어타임 내내 이루어져야 하는 부모의 마음가짐이다. 이 단서와 정보가 아이의 프로파일이 되며 이 프로파일은 지속적으로 변화할 수 있다. 이 프로파일은 우리가 아이에게 무엇을 어떻게 해야 할지를 알려주는 중요한 단서가 되며 또한 우리가 이루고자 하는 목표를 위한 전략을 세우는 데 기초 자료가 된다. 순간순간마다 우리는 잊지 말아야 한다. 바라보고 기다리고 궁금해하자.

아동의 감정과 나의 감정을 함께 맞춘다

아이를 보고 관찰하면서 같이 있는 동안 부모는 아이와 감정적으로 공감을 자아내야 한다. 행동에 대한 이성적인 공감 이전에 아동의 감정 상태에 공감하고 같은 감정 상태로 들어가는 것이 중요하다. 즉 단순히 아이를 보고 프로파일을 찾는 과정에만 머무는 것이 아니라 아이와 감정의 보조를 맞추는 것이다. 공감은 단순히 말로 이루어지지 않는다. 말로만 하는 표면적인 공감을 뛰어넘어 진심으로 아이와 감정적 보조를 맞추어 감정을 전달하는 과정으로 들어가면 자연스럽게 표정과 말소리의 톤, 속도가 조절될 것이다.

이러한 신호들은 아이에게 전달되어 아이는 부모가 진심으로 자신과 함께한다고 느낄 것이다. 이러한 신호들을 우리는 어펙트(Affect)라고 한다. 이 신호는 아이들의 감정(어펙트)과 어우러지고 교류될 것이다. 이것이 바로 플로어타임에서 가장 먼저 이루어져야 하는 기본적인 전략 이다.

아동의 신체 연령에 따른 역량이 아닌 기능적 정서적 발달 역량을 늘 염두에 둔다

그린스판의 DIR(Developmental Individual differences Relationship) 발달단계는 아동의 기능적 정서적 발달의 역량을 잘 설명하고 있다. 발 달에 어려움을 겪고 있는 아동에게 또래의 일반 아동의 역량을 기대하는 것은 부모나 아이에게 모두 힘든 일이다. 아이에게 부모의 기대와 요구 는 벅차고, 부모는 아이의 부족함에 좌절할 것이다. 대부분의 부모는 아 이의 발달 상태에 기초해서 생각하는 것이 아니라 아이를 같은 또래와 비교하기를 반복한다. "어린이집에서 다른 애들은 잘하는데 얘는 혼자 만 문제예요." 이런 멘트는 상담 중 가장 많이 듣는 이야기다. 잠시 옆집 아이는 잊어버리고 내 아이에게 집중하는 것이 필요하다.

아이의 현재 역량을 파악하고 그 수준에 맞추어 상호작용을 시도하 자. 이것이 가장 자연스럽고 아이에게 가장 부담스럽지 않은 상호작용 이 될 것이다. 여기에는 부모의 인내심과 여유가 필요하다. 부모가 해야 할 것은 아이가 자연스럽게 발달할 수 있도록 안전하고 풍부한 환경을 만들어주는 것이다. 아이가 할 수 없는 수준의 기대를 하는 것은 아이에 게 매우 잔인한 일이다. 아이는 자신이 맺은 관계를 통해서 이를 학습하며 자연스럽게 발달을 이룰 것이다. 당신이 믿어주고 기다려주는 만큼 성장할 것이다.

이를 위해서는 아이의 주도성이 필요하다. 부모의 조급함과 강요는 아이의 주도를 방해한다. 아이가 가지고 있는 잠재력을 믿고 잠시 기다려주는 마음으로 스스로를 아이에게 맞추어보자. 이것은 아이를 포기하는 것이 아니다. 아이가 시작하는 상호작용의 끈을 잡기 위해 잠시 기다리는 것이다. 아이가 만드는 상호관계의 끈을 잡을 수 있다면 이후에는 우리가 노력하는 만큼 아이를 따라오게 할 수 있다.

아이의 아주 작은 신호도 놓치지 않는다

의외로 많은 부모가 아이의 의사나 표현하고자 하는 것을 잘 알아채지 못한다. 왜냐하면 부모의 사고 중심은 아이의 입장이 아닌 부모 자신인 경우가 많기 때문이다. 아이의 발달에 문제를 안고 있는 부모들의 입장에서 부모들의 고통과 어려움이 너무나도 크다. 아이가 빠르게 발달하길 바라는 열망에 마음이 절로 급해진다. 그러니 아이들의 입장에서 그들이 얼마나 힘들까 하는 생각을 할 여유가 없을 수도 있다.

하지만 우리가 아이와 의사소통을 하기 위해서는 아이가 보내는 신호를 하나라도 놓쳐서는 안 된다. 상호작용은 아이가 자신의 표현에 상대방이 답한다는 것을 느끼고 인지함으로서 시작하고 발달한다. 갓 태어난 아기들도 자기가 옹알옹알하거나 웃음소리를 낼 때 부모가 즐거워하고 반응한다는 것을 알면 그러한 행동과 소리를 반복한다. 이것이 상호작용의 시작이다.

대부분의 자폐스펙트럼 아동은 이러한 상호작용의 의미를 알지 못한다. 오랜 기간 그들이 나름 표현한 것을 양육자들이 알아채지 못했기 때문에 그 아이들은 자신의 표현에 대답을 듣지 못했을 것이다. 혹은 대답을 들었지만, 그것을 대답으로 인지하지 않았을 수도 있다. 그래서 아이들의 신호에 민첩하고 다양하게 대응하고 대답하는 노력이 필요하다.

때로는 틀릴 수도 있다. 하지만 그래도 지속적인 노력이 필요하다. 틀린 것은 또 하나의 정보이다. 아주 작은 신호라도 하나하나 중요하게 생각하고 민첩하게 대응하고 대답하면서 어떤 것이 아이의 반응을 이끌어내는지 찾아내고 또 찾아내는 노력이 필요하다.

아동의 행동에 잘못된 것은 없다

부모들이 아이와 함께하고자 할 때 가장 걸림돌이 되는 것은 아이의 행동을 이해하려는 노력보다 평가하려는 경향이 강하다는 것이다. 아이의 행동을 좋은 행동, 나쁜 행동으로 분류하는 것이 습관적으로 먼저 이루어진다. 만에 하나 잘못된 행동, 문제행동이라는 생각이 들면 부모는 아이와 함께하려는 생각을 버리고 교정하려는 태도로 바뀌게 된다.

부모들의 이런 태도를 수정하기 위해 플로어타임에서 강조하는 것은 '아동의 행동 중에 문제행동은 없다.'는 것이다. 즉 아동이 하는 모든 행동은 절대 문제를 일으킬 목적으로 하는 것이 아니다. 자신의 기준에서 최선을 다한 선택을 하는 것이고 최대한의 노력을 기울인 행동이다.

그러므로 문제되는 행동에도 아이 기준에서는 합리적인 이유가 있기 마련이다. 문제행동이라도 아이가 그 행동을 하는 동기와 의도가 바로 플로어타임을 시작해야 할 출발점인 것이다.

때로는 아동이 좋아하는 것에서 놀이나 관계를 시작하는데 이 역시 아이의 동기나 의도를 따라가기 위한 전략적 방법이다. 아동이 어떤 일에 몰입하여 있더라도 그것을 치워버리는 것은 도움이 되지 않는다. 아동이 몰입하는 어떤 것이 있다면 그것은 아이가 관심이 있는 것이거나 또는 아이가 스스로 자기조절을 위해 선택한 '아동에게 도움이 되는 것'이다. 상호작용을 하기 위해 아이가 좋아하는 것을 없애는 것은 아이를 힘들게 하는 것이다. 아이가 좋아하는 것과 몰입하는 무엇이 있다면 부모는 그것에 대해 더 많이 공부하고 어떻게 하면 그 놀이를 함께할 수 있을지 연구해야 한다.

그래도 모르겠으면 따라 하는 것으로 시작하라

아무리 기다리고 바라보아도 아이가 나를 봐주지 않을 수도 있다. 아무리 생각해봐도 아이가 무슨 생각인지 알지 못하겠고 함께할 단서를 찾지 못할 수도 있다. 그러면 아이가 몰입해서 하는 것을 따라 하는 것에서 시작해보자. 아이가 지금하고 있는 행동을 똑같이 따라 해보자. 대부분의 아이는 부모를 바라보게 될 것이다. 만일 아이의 반응이 없다면 좀 더 길게 따라 해보자. 그래도 반응이 없다면 조금 더 큰 몸짓과 풍부한 표정으로 따라 해보자. 그러면 아이는 반드시 반응한다. 도망갈 수도 있고 부모가 하는 것을 뺏을 수도 있다. 그러면 이것이 아이의 첫 번째 신호라고 생각해야 한다. 그곳에서 상호작용을 시작할 수 있다.

따라 해도 아무 반응이 없다면 어떻게 할까

그렇다면 방법을 바꾸어보자. 말로 하는 자극은 아이의 반응을 불러일으키기 어렵다. 이때 가장 좋은 방법은 신체를 사용하는 것이다. 아이가 과도하게 무언가에 몰입되어 있는 상태에서 주의를 환기시키기 위한 가장 좋은 방법은 아이의 신체를 자극하는 것이다. 무언가 계속 보고 있다면 손바닥으로 눈을 살짝 가려본다. 또는 옆구리를 살짝 찔러본다. 평소에 좋아하던 공이나 작은 장난감 또는 좋아하는 사탕이나 사탕 껍질(사탕을 빼고 다른 것을 넣은 것도 좋다) 등을 몸에 부딪치게 굴려보거나 던져줄 수도 있다. 또는 노래를 불러줄 수도 있다.

즉 무언가 그 상황을 깰 수 있는 다양한 자극을 시도하는데, 일반적이지 않은 자극, 전과 다른 유의 감각적 자극이 필요할 것이다. 리듬, 톤, 템포 등을 다양하게 구사해서 아이의 주의를 환기시켜 보자. 어느 것에서 아이가 반응한다면 그곳에서 바로 아이와 소통을 시작할 수 있다.

말은 줄이고 어펙션을 늘려라

아이가 반응하는 순간 바로 부모는 반응해야 한다. 아이가 바라봐

줘서 반갑고 고맙다는 부모의 마음이 전달되도록 놀랍고도 반가운 표정을 지으며 즐거운 감탄사로 반응해야 한다. 이 순간 아이가 부모의 즐거운 반응을 주시한다면 이제 공동주의 상태로 진입한 것이다. 이때 아이가 반응하던 놀이나 행동에 아이가 더욱 호응할 수 있도록 부모는 좀 더 자극의 양과 방법을 강화하여 반응해야 한다.

아이와 공동주의 상태를 길게 유지하기 위해 필요한 것은 풍부한 감정과 정서의 교류다. 이것은 말로써 이루어지기보다 주로 표정과 몸짓, 다양한 음성 등으로 이루어진다. 아이와 같은 수준이 되지 않으면 아이와 함께 놀이할 수 없다. 언어의 사용보다 감정과 정서의 사용을 늘려야 한다. 우~, 아~, 오~, 오호, 그래, 맞아, 와~, 야~ 등 느낌과 정서로 많은 대화의 원을 만들 수 있다면 일단은 성공적인 플로어타임을 시작한 것이다.

아동에게 시선을 떼지 말라

어떤 것을 아이와 하더라도 아이에게 시선을 떼어서는 안 된다. 가끔 놀이하는 중에 부모가 놀잇감의 작동에 관심을 두면서 아이의 신호를 놓치는 경우가 있다. 즉 비눗방울이 잘 불어지는가, 물감이 잘 짜지나, 소리가 잘 나나, 블록이 잘 맞았는지 등을 보는 순간 아이를 관찰하지 못하게 된다. 어떠한 순간에도 아이에게 시선을 떼서는 안 된다. 비록 잘 안 되는 것이 있더라도 한 눈으로 아이를 보고 다른 한 눈으로 장난감을 보면서 아이의 반응을 살펴야 한다. 아이는 말로 표현하지 못하기 때문에 끝없이 무언가를 표정으로 눈으로 몸짓으로 표현한다. 이것을 놓치게 되면 부모는 아이의 반응을 읽을 수가 없고 그렇게 되면 아이의 반응에 따라 대답해주어야 할 부모의 반응은 가야 할 곳을 잃고 대화는 그곳에서 단절될 것이다.

같은 장난감이나 같은 물건을 두 개 준비하라

아이의 놀이에 개입하기란 쉬운 일이 아니다. 특히 자기가 좋아하거나 집중하는 특정한 것이 있을 때는 더욱 그렇다. 아이는 집중도가 강할수록 자신의 장난감을 빼앗기거나 방해받는다고 생각하고 더욱 강하게 방어적인 담을 쌓을 것이다. 이런 행동은 대부분 아이가 경험한 과거의 상황에 의해 만들어진 행동이다. 이전에 이미 방해받은 경험이 많은 것이다.

아이의 이런 행동 양식은 단번에 깨기 쉽지 않다. "네 것을 뺏으려는 것이 아니야. 나랑 같이 놀려고 하는 거야." 또는 "자동차 놀이 그만하고 다른 거로 놀자. 우리 야채 잘라볼까? 이거 봐 재미있어." 따위의 말을 아무리 해도 아이를 설득하지 못한다. 아이는 대부분 잠시 부모가 제시한 것을 만져보는 척하다가 돌아서거나 아니면 아예 쳐다보지도 않을 것이다.

아이의 이런 선입견을 없애주려면 부모는 아이보다 더 즐겁게 노는 사람으로 변신해야 한다. 아이가 부모를 자기보다 놀이를 더 재미나게 하는 사람으로 인식하도록 행동을 바꿔야 한다. 아이의 세계에 들어가기 위해서 우리는 아이와 같아져야 한다. 마치 아이들이 드나드는 문으로 들어가기 위해 어른이 허리를 구부려야 하듯이 아이의 세계로 들어가려면 우리가 아이에게 맞추어야 한다는 것을 잊어서는 안 된다.

아이가 좋아하는, 아이가 집중하는 놀이에 들어가기 위해서는 같은 장난감이 필요하다. 똑같은 것을 가지고 접근해본다. 만일 특정 자동차를 좋아한다면 똑같은 것을 준비하고 더불어 또 다른 비슷한 것 또는 더 좋아 보이는 것을 따로 준비해 아이가 부모에게 관심을 보일 때 슬쩍 보여준다. 아이가 관심을 보이면 즐겁게 대응하면서 아이의 노력으로 그것을 얻도록 해준다. 이 과정이 반복되면 될수록 아이는 부모를 바라볼 것이다. 왜냐하면 아이가 부모를 자신이 좋아하는 것을 알고 더 굉장한 것을 제공해주는 사람으로 기억하기 시작하기 때문이다. 이것은 아이가 부모에 대한 신뢰를 공동주의적 애정으로 변화시키는 시작이 된다.

장난감보다 부모에게 관심을 갖게 하는 것에 집중하라

공동주의 상태를 유지하며 상호작용이 진행될 때 흔히 벌어지는 일은 아이가 사람이 아니라 놀이 도구에 관심을 보이는 것이다. 즉 눈이 부모를 향하는 것이 아니라 놀이 도구를 향하는 것이다. 발달장애 아동은 사람에 대한 관심을 유지하기보다는 사물에 대한 관심으로 기우는 경향이 강하다. 만일 아이가 부모가 제공하는 장난감에만 관심을 갖는다면 부모의 상호작용에 문제가 있다는 신호다.

대체로 이런 경우 아이는 부모를 통하여 물건을 쉽게 획득하던 습관이 있는 경우가 많다. 아이가 스스로의 노력 없이 그리고 부모와 정서적 상호작용 없이 지속적으로 무언가를 받아왔다면 아이는 장난감 역시 쉽게 얻어지는 것이라고 생각한다. 마치 자판기에서 물건이 나오듯이 부모에게 장난감을 얻는 일을 당연하게 여긴다. 그런 생각을 가지고 있는 아이는 어떤 사회적 상황에서 자신이 원하는 것을 얻지 못했을 때 상황을 이해하지 못하고 흥분해버린다.

사회에서는 의도적 또는 비의도적으로 수많은 사건이 일어난다. 우리는 이러한 일들의 상호작용에서 일이 벌어지는 일련의 순서를 배운다. 아이들에게 사물이 아닌 사람에게 관심을 갖게 하기 위해서는 사물이 사람에 의해 사람의 의지와 감정에 의해 움직인다는 것을 알려주어야 한다. 이것은 수많은 상호작용의 흐름 속에서 자연스럽게 습득되는 것이다. 아이와 수없이 많은 상호작용을 형성하는 것은 아이가 부모에게 또 사람에게 관심을 갖게 하는 열쇠다. 풍부한 감정과 정서를 이용하여 아이와 비언어적인 상호작용을 수없이 만들어보자.

30회 이상 가능한 지속적인 의사소통의 원을 만들기

아이와 상호작용에 성공하면 이제 상호작용의 횟수를 늘리는 데 주력해야 한다. 상호작용의 서클(back and force)의 횟수를 5회에서 10회, 10회에서 20회, 그리고 30회까지 늘리는 것을 목표로 해야 한다. 그린스판은 의사소통의 원을 30회까지 만드는 것을 매우 중요시했다. 이는 일차적인 상호작용이 완성되는 기준이다. 그린스판은 대체로 발달단계

4단계 수준이 안정적으로 이루어지면 30회 정도 상호작용의 서클이 만들어진다고 했다. 이 과정이 이루어지고 나면 언어를 이용한 상징 놀이나 논리적인 놀이로 나갈 수 있다.

아이와 지속적으로 의사소통과 상호작용의 원을 유지하기 위해서는 상호 간의 감정-정서적 유대를 지속하는 것이 반드시 필요하다. 끝없이 아이의 감정과 정서에 부모의 정서를 맞추는 과정을 지속해야 한다. 이렇게 교감 상태를 유지한 상태에서 아이의 주도로 시작된 의사소통의 끈을 잡고 아이와 주고받기를 만들어야 한다.

초기에는 20회 이상 비언어적으로 의사소통이 이루어지는 것을 목표로 해야 한다. 그러기 위해서는 약간의 수완이 필요하다. 동일한 반응 방식이 반복되면 상호작용은 지루해지기 시작하고 시들어가게 된다. 몇 단계에 걸쳐 상호작용을 주고받으면 반응 시간과 상황에 대한 변수를 넣어 변화를 꾀해야 한다. 즉 자극의 강도와 방식에 변화를 주어 아이가 원하는 것을 더 표현하도록 유도하는 것이다. 이것을 그린스판 박사는 '유연하게 상황을 요리한다.'라고 표현했다.

아이의 주의를 다른 곳에 빼앗기지 않고 지속적으로 공동주의를 유지하면서 핑퐁 대화를 이어나가는 기술은 여러 가지로 의미가 있다. 공동주의 시간이 길게 유지됨으로써 아이의 주의를 집중시키는 연습도 되고, 여러 상황에서 주고받는 대화를 통해 아이는 여러 가지 감각을 처리하고 통합하는 연습을 할 수 있다. 이렇게 통합한 정보를 가지고 일련의 연속적인 행위를 만듦으로써 두뇌의 모든 기능을 연습하는 기회도 된다.

하버드대학 아동발달센터에서는 상호작용을 주고받는 것은 아동의 두뇌 구조를 형성하는 것이라고 하였다. 아이가 어떤 표현을 할 때 부모가 그에 반응하는 시선과 소리, 포옹 들을 적절히 해주면 아동의 뇌에 사회적 기술 개발과 관련된 신경망 연결의 구축과 강화를 돕는다고 한다. 이것이 이루어지지 않고 이러한 상호작용을 경험하지 못한 아이는 뇌의 발달 구조가 손상되어 신체적, 정신적, 정서적 건강에 영향이 있을 수 있다.

도전 과제의 활용

상호작용의 서클(back and force)을 통하여 아동과 부모의 정서적 흐름이 원활하고 풍부하게 이루어진다면 아동이 사회적 문제해결을 할 수 있는 능력이 향상하고 있다는 것을 의미한다. 30회 넘는 상호작용을 질 높게 만들기 위해서는 이제 아동이 도전할 수 있는 과제를 제공해야 한다. 조금씩 의도적으로 놀이 안에서 도전 과제를 제공해본다. 그리고 아이가 어떻게 문제를 해결하는지 살펴본다. 이 과정을 통하여 동일한 매체를 이용한 상호작용도 매번 업그레이드할 수 있다.

발달 1, 2, 3단계에서 도전 과제는 아이와의 상호작용 횟수를 늘리기 위한 목적으로 주어져야 한다. 앞서 지적했던 내용 중 '의도적으로 바보 되기'를 상기해보면 도움이 될 것이다. 발달 4단계 이후의 도전 과제는 사회적 문제해결을 위한 사고력 향상을 목표로 하는 것이 중요하다.

자폐스펙트럼 아동의 경우 사고가 유동적이기보다 고정적이고 새로운 상황에 맞게 유추하는 능력이 부족하다. 이것은 끊임없는 대화를 통한 경험의 누적과 노력이 있어야 변화가 가능하다. 아이가 어느 정도 말을 하고 대화가 된다 해서 태도를 바꾸어 주입식으로 교육하는 것은 이러한 역량의 개발에 도움이 되지 않는다. 아이와 대화를 늘리고 답을 주기보다는 생각할 수 있는 시간을 주고 대답을 스스로 끌어낼 수 있도록 하는 작업이 필요하다. 상호작용 중 도전 과제를 제시하고 스스로 해결하도록 기다려주는 과정이 바로 플로어타임을 단순 놀이 과정이 아니라 아동발달을 유도하는 매우 의식적인 활동이 되게 하는 것이다.

발달 사다리를 오르락내리락하는 놀이

아동이 어느 단계의 발달 역량을 보인다고 하더라도 늘 그것이 안정적으로 이루어지지 않을 수 있다. 기분이나 환경에 따라 아이는 기복을 보인다. 만일 아이가 스트레스를 받고 있거나 긴장되는 환경이라면 발달단계를 낮추어 아이에게 접근해야 한다. 아이를 편안하게 만들 수 있는 정서적 교감을 최대한 활용하여 아이를 회복시킨 후 다시 단계를 올린다.

행동 읽어주기 vs 질문하기 vs 코멘트하기

발달 1~3단계까지는 부모의 언어보다 비언어적인 접근이 더 중요하다. 아이는 부모의 언어 자체보다는 언어의 톤과 리듬에 담긴 감정, 정서를 읽기 때문이다. 그러나 발달 4~6단계로 진입하면 아동은 언어를 자체의 의미로 파악할 수 있게 되기 때문에 언어를 이용한 상호작용이 매우 중요하다.

언어를 사용하는 방법은 대략 3가지로 분류할 수 있다. 첫째는 '행동 읽어주기'로서 영어로 표현하자면 내레이션이다. 아동이 하는 행동을 중계방송하듯이 읽어주는 것이다. 이는 가장 흔하게 부모들이 할 수 있는 접근법이다. 내레이션으로 아동이 호응하도록 하려면 감정을 한껏 실어서 감탄적인 내레이션으로 진행해야 한다. 둘째로는 '질문하기'가 있다. 질문 역시 선생님이 아이에게 시험문제를 내듯 해서는 안 된다. 엄마가 정말 몰라서 아이에게 알려 달라고 조르는 듯한 표정으로 질문을 이어가야 한다. 셋째로는 '상황에 대하여 알려주고 가르쳐주기'로 영어로 표현하면 코멘트하기다.

아이와 함께 플로어타임 대화를 할 때 부모는 내레이션과 질문하기, 그 행동에 대해 코멘트하는 것을 잘 섞어서 사용해야 한다. 무조건 행동을 읽어주는 내레이션과 계속 질문만 하기 또는 계속 행동을 가르쳐주는 코멘트하기는 지양해야 한다. 이 모든 것은 어느 한 가지만 지속적으로 사용되어서는 안 된다. 아이의 발달단계에 맞게 세 가지를 적절히 배분하여 대화나 놀이를 이끌도록 한다. 또한 어느 경우든 아동의 감정-정서적 교감을 강화하는 방향에서 사용해야 한다.

새로운 분야로 확장하기

새로운 분야에 대한 확장은 자폐스펙트럼 아동에게 힘겨운 일일 수 있다. 그럼에도 불구하고 우리는 새로운 주제와 새로운 환경에서 새로운 상호작용의 서클(back and force)을 30회 이상 장시간 시행해야 한다. 플로어타임은 단지 노는 것이 아니라 아동의 발달을 위한 능동적인 도전 과정이기 때문이다.

새로운 분야에 대한 도전과 관심에 대해 강요하기보다 먼저 보여주고 조금이라도 관심을 보이는 것에 대해 칭찬하자. 하지 못하는 것에 대해 비판하거나 재차 권하기보다 그것에 대해 충분한 정보를 전달하고 가능성을 열어두자. 아이가 스스로 선택하여 할 수 있고 그것에 대해 판단하도록 주도권을 주어야 한다. 다른 사람과의 비교는 아이를 더욱 주저하게 만들 것이다. 어떤 것이라도 아이의 생각과 선택을 존중한다는 것을 늘 느낄 수 있게 해야 한다.

늘 자신을 되돌아보는 습관을 생활화한다

끊임없는 관찰과 실험 그리고 도전, 이것은 플로어타임 전 과정에서 유지되어야 한다. 어떠한 조그만 단서도 놓치지 않아야 하며 어떻게 하는 것이 아이의 자발적 반응을 더 많이 끌어낼 수 있는지 연구하고 찾아내야 한다. 주기적으로 아이와의 상호작용을 최소 10분 이상 촬영하여 다시 보면서 늘 확인해야 한다. 지속적인 성찰을 통해 업그레이드된 방식으로 플로어타임이 이루어져야 한다. 매번 제자리를 맴도는 방식은 매너리즘에 빠진 것이고 부모가 지겨워 포기하기도 전에 아이가 먼저 포기를 할 것이다. 매번 새로워져야 아이는 생동감을 유지하고 플로어타임

역시 발전적으로 진행할 수 있다. 반성적인 성찰은 플로어타임의 필수 과정이다.

아이를 가장 잘 아는 사람과 주기적으로 대화하고 점검한다

아이의 사회적 발달은 관계를 통하여 이루어지는 많은 상호작용 과정에 의해 실현된다. 아이의 발달적 문제가 한 사람의 힘으로 해결될 것이라 생각하는 것은 위험하다. 왜냐하면 신체, 언어, 인지, 감각 등 모든 분야의 발달이 서로 연관되어 서로에게 영향을 미치기 때문이다. 정기적으로 아동에 대해 잘 알고 있는 전문가들과 의견을 나누며 확인하고 점검하고 방향을 잡는 것이 중요하다. 발달은 전 생애에 걸쳐 이루어지지만, 사회적 인간으로서의 기본적인 발달은 아동기에 대부분 완성된다. 아동의 변화에 맞추어 목표를 수정하고 재설정하며 관리하는 시스템을 구축하는 것이 절대로 필요하다.

플로어타임 중 집중해야 하는
세 가지 기본 목표

그린스판 박사의 아들 제이크 그린스판(Jake Greenspan)은 플로어타임센터를 운영하는 테라피스트로 활동하며『플로어타임 매뉴얼』이라는 소책자를 저술하기도 하였다. 제이크 그린스판은 플로어타임 시간 내내 다음 세 가지 목표를 염두에 두어야 한다고 하였다. 그리고 세 가지 목표를 성취하는 것을 중심으로 플로어타임 전개법을 설명하였다. 이 것은 플로어타임이 단순한 놀이가 아니라 발달을 유도하는 계획적인 설계에 의해 구성된다는 것을 잘 표현하고 있다.

제이크 그린스판이 제시한 세 가지 목표는 아이 따르기(Following), 도전하기(challenge), 확장하기(Expansion)다. 실제로 플로어타임을 진행하면서 잘 진행되고 있는지 평가하고, 계획을 수립할 때 세 가지 목표를 중심으로 평가하는 것은 아주 유용한 틀거리를 제공한다. 아래는 각각의 놀이별로 아이 따르기, 도전하기, 확장하기를 어떻게 시도해야 하

자폐 아동을 위한 플로어타임 프로그램

는지 사례를 제시하고 있다. 이는 저자가 가장 쉽게 접근했던 사례들이다. 현장에서는 훨씬 창의적인 접근이 필요할 것이다.

첫 번째 목표 : 아이 따르기(Following)

아이가 어떤 발달단계에 걸쳐 있더라도 부모는 처음에 아이의 주도를 따라야 한다. 가장 좋은 것은 아이의 초대에 의해 부모가 개입하는 것이기는 하지만 아이가 먼저 부모를 초대하지 않는다면 부모는 아이가 자신을 받아들이도록 최선을 다해야 한다. 아이로 하여금 부모를 받아들이고 놀이에 개입하는 것을 허용하게 하는 것은 마치 건물을 세우기 전에 지반을 다지는 것과 같다.

[감각 놀이에서 아이 따르기의 예]

아이가 감각적 놀이(신체 놀이 또는 특정한 것에 대한 감각을 찾는 놀이)를 하고 있을 경우 아이 따르기를 하는 가장 기본적인 방법은 아이가 추구하는 감각을 더 재미나고 커다란 즐거운 감각으로 강화시켜 선물하는 것이다.

1) 아이가 트램펄린에서 뛰고 있다면 부모는 아이가 더 높이 뛸 수 있도록 아이의 머리 위에 아이가 좋아하는 물건을 들고 아이가 더 높이 뛰어 잡을 수 있도록 유도한다.

2) 아이가 물 튀기기 놀이를 하고 있다면 부모는 아이가 더 큰 물방울을 튀기거나 더 세게 물이 튀도록 놀이를 도와준다.

3) 아이가 공을 좋아한다면 아이 방 전체를 공으로 가득 채워 주거나 공이 들어 있는 풀을 준비해준다.

4) 아이가 문을 여닫는 놀이를 계속하고 있을 때 부모는 까꿍 놀이를 결합하여 놀이를 재미있게 해주거나 다른 문으로 가서 같은 놀이를 반복할 수 있게 해준다.

[장난감 놀이에서 아이 따르기의 예]

기차, 자동차, 피규어, 문자, 숫자, 카드 등을 가지고 늘어놓거나 만지면서 놀이를 하고 있을 때는 아이가 가지고 노는 장난감에서 아이가 추구하고자 하는 것을 조금씩 도와주면서 놀이가 더 풍성해지도록 도와주는 방식으로 개입한다.

1) 아이가 기차를 늘어놓고 있을 때, 기차를 자석으로 붙이거나 테이프나 끈으로 연결할 수 있도록 도와준다.

2) 트럭 같은 것을 가지고 논다면 트럭에 작은 장난감이나 아이가 좋아하는 것을 실어준다.

3) 피규어를 가지고 논다면, 비슷한 피규어를 슬쩍 집어주거나 아이가 피규어 놀이를 구성하는 것을 도와준다. 예를 들어 일자로 세우면 더 잘 세워주고 위로 세우면 더 잘 붙어 있도록 놀이를 도와준다.

4) 카드나 숫자들로 놀고 있을 때도 처음에는 아이가 찾는 것을 열심히 도와주고 아이가 즐기고자 하는 방식의 놀이가 잘 완성되도록 슬쩍슬쩍 개입한다. 그리고 더 큰 문자나 더 화려한 카드들을 아이에게 선물한다.

자폐 아동을 위한 플로어타임 프로그램

가장 좋은 방법은 상대방이 되어주는 것이다. 이때 아이의 편을 들어주는 방식으로 개입한다. 역할 놀이의 상대방이 되어서 아이의 생각이나 표현에 적극적으로 찬성하고 지지해준다.

1) 캐릭터 인형 놀이를 할 때 같이 캐릭터 흉내를 내면서 아이가 좋아하는 캐릭터의 표현을 하면 칭찬해주거나 지지해준다.

2) 아이가 하고자 하는 행위에 대해 미리 질문한다. 당연히 아이가 할 수 있는 대답에 대해서, 즉 아이가 확실히 하고자 하는 것에 대해서만 질문한다. "뽀로로, 포비한테 가니? 루피야, 병원에 가니?"라고 물어본다.

두 번째 목표 : 도전하기(challenge)

'문제 제공하기'로 번역하기도 한다. 즉 아이가 도전할 문제를 제공하고 아이가 문제를 풀 수 있도록 돕는 과정이다. 즉 아이 따르기가 성공하여 부모가 놀이에 개입했다면 이제는 아이에게 문제를 제공하면서 다음번 발달단계로 유도하기 시작한다.

아이에게 어떤 문제를 제공하는가 또는 어느 정도로 제공하는가는 아이의 자기조절 능력이나 아이와의 관계가 어느 정도 잘 정립되어 있는가에 따라 다르다. 초기에는 아주 쉽고 단순한 문제부터 시작하여 점점 더 수위를 높이는 계획적이고 섬세한 전략이 필요하다. 이 단계는 건물이 세워지는 과정에서 좀 더 튼튼하게 모든 기둥이 똑바로 필요한 곳에

세워질 수 있도록 점검하는 단계다.

[감각 놀이에서 도전하기의 예]

아이에게 더 재미있고 자극적인 감각을 제공하면 아이는 즐겁게 부모와 함께 놀이하려고 할 것이다. 부모가 자신을 충분히 재미있게 해줄 수 있다는 것을 알 때 아이와 함께 줄다리기하듯이 밀고 당기는 전략으로 놀이를 이끌어간다.

1) 아이가 트램펄린에서 뛰면서 좋아하는 젤리를 얻을 수 있다고 생각할 때 젤리를 아빠 입에 넣거나 젤리를 손에서 떨어지지 않게 하여 아이가 더 적극적인 시도를 할 수 있도록 유도한다.

2) 아이의 물 튀기기 놀이에서 부모의 참여가 자연스러워지면 아이에게 물을 뿌려서 아이의 다음 동작을 유도하거나, 물놀이 시간에 물을 미리 준비하지 않는 상황을 만들어 다음 단계의 행동을 유도하거나, 도구를 숨겨놓고 찾을 수 있게 유도해본다.

3) 공놀이에서 아이 따르기가 성공하면 아기가 좋아하는 공들을 공끼리 미리 붙여 놓거나 벽 위로 길게 붙여 아이가 노력해서 떼어낼 수 있도록 한다.

4) 문 여닫기 놀이를 할 때, 문에 갑자기 다리를 껴 넣거나 힘을 주는 방식으로 아이에게 해결해야 하는 상황을 만들어준다. 또는 문고리를 빼거나 문이 어느 정도 이상으로는 절대 닫히거나 움직이지 않게 해놓을 수도 있다. 또는 문을 닫고 안으로 들어갔을 때 조용히 밖에서 기다려본다. (주의: 반드시 열쇠를 밖에서 가지고 있어야 한다) 아이가 문을 열었을 때 엄마가 숨어 있다.

자폐 아동을 위한 플로어타임 프로그램

[장난감 놀이에서 도전하기의 예]

아이가 함께 놀이하는 것을 거부하지 않고 무언가 기대하는 것이 느껴지면 짓궂게 아이의 놀이를 방해해본다. 아이는 방해를 해결하는 과정에 새로운 상호작용을 시도할 것이다.

1) 아이의 기차를 일부러 끊어놓거나 트랙을 가지고 도망간다.

2) 자동차를 일부러 부딪쳐 사고가 나게 하거나 바퀴를 미리 빼놓거나 문이나 지붕을 떼어놓는다.

3) 피규어의 소리를 흉내 내거나 이름을 말할 때 일부러 다른 것을 말하거나 흉내를 낸다.

4) 숫자 세기를 할 때 일부러 다른 숫자를 말하거나 틀린 것을 맞다고 우겨본다. 바로 세기를 하는 아이라면 거꾸로 세는 것을 들려준다.

[역할 놀이나 상징 놀이에서 도전하기의 예]

역할 놀이의 상대방으로서 무조건 지지하거나 찬성하는 아이 따르기 과정을 반복하고 나면 적당한 타이밍에 이를 거절하거나 상황을 조금씩 망가뜨려본다. 아이는 변화한 상황에 대응할 것이다.

1) 캐릭터 인형 놀이를 할 때 '나쁜 아이' 캐릭터로 둔갑시켜 상황을 다르게 끌고 나가본다.

2) 극이나 아이가 경험한 상황이 아닌 다른 상황을 만들어본다. 예를 들어 해피앤딩이 아닌 새드앤딩을 만들어 본다든지 하여 아이의 대처를 유도해본다. 착한 아이 캐릭터를 나쁘게 변신시켜 친구 것을 뺏어 먹으며 "와~ 친구 거 뺏어 먹으니까 정말 맛있다. 냠냠." 하는 것도 방법이다.

3) 부모가 늘 하던 캐릭터가 아니라 다른 캐릭터로 바꾸어본다. "오늘
   은 엄마가 나쁜 늑대 할래."

세 번째 : 확장하기(Expansion)

아이가 도전 영역에서 긴장감 없이 상호작용을 활발히 진행한다면
부모가 원하는 방법으로 확장을 시도해볼 수 있다. 놀이의 확장은 아이
의 인지능력의 발달과 밀접한 관련이 있다. 주의할 점은 아이가 스스로
생각할 수 있는 기회를 더 주어야 한다는 것이다. 아이에게 가르치는 방
식으로 확장을 유도한다면 아이의 사고능력이 발달되는 것이 아니라 기
억력만 연습시키는 것임을 알아야 한다.

[감각 놀이에서 확장하기의 예]

아이가 즐기는 감각적인 놀이를 다른 형태로 변환할 수 있도록 정보
를 제공한다.

1) 아이가 트램펄린에서 뛰면서 숫자를 세면 엄마는 그 숫자를 벽에 붙
   인다. 트램펄린에서 뛰면서 얼음땡, 뛰거나 멈춤 놀이, 제자리 앉기
   등으로 놀이의 규칙을 정해 번갈아가며 한다.
2) 물놀이에서는 병에 물을 담아보기, 깔때기 이용하기, 물에 색깔을
   풀어 변하는 것을 보기 등을 시도해본다.
3) 공놀이에서는 공에 숫자를 쓰거나 색깔별로 분류하기, 공에 찍찍이
   를 붙여 벽에 붙이기, 볼링 놀이, 스틱으로 공을 쳐서 매트에 놓기, 공

을 발로 차서 어딘가에 넣기 등을 할 수 있다.

4) 문 여닫기 놀이는 아이가 들어갈 수 있는 커다란 박스(에어컨, 냉장고 박스 등)로 박스 집과 문을 만들고 여닫기 놀이, 집을 만들 때는 문이나 창문을 아이의 아이디어로 만들기를 함께한다.

[장난감 놀이에서 확장하기의 예]

아이가 좋아하는 장난감들로 가능한 구성 놀이를 하거나 줄거리 있는 이야기 만들기를 연속한다.

1) 기차역, 표지판 들을 이용해서 기찻길과 역을 구성하고 이야기를 꾸민다.

2) 사고 나거나 망가진 자동차로 정비소에 가거나 병원에 가는 놀이로 확장을 유도해본다.

3) 좋아하는 피규어의 실제 모습을 구경하러 거거나 체험할 수 있도록 해준다. 영상을 보고 피규어의 생활을 간접적으로 체험하게 해주는 것도 좋다. 함께 보면서 아이의 흥미나 관심에 대해 공감하고 이해를 도와준다.

4) 문자로 글자를 만들기나 순서를 연습해보는 것도 좋다. 수의 개념에 대해 연습할 수도 있다.

[역할 놀이나 상징 놀이에서 확장하기의 예]

아이가 관심 있게 보았던 영상이나 과거에 경험했던 것을 이야기 나누며 감정적인 요소를 집어넣어 이야기를 꾸민다. 어떻게, 왜의 질문을 이용하여 아이의 생각을 끌어낸다. 만일 대답이 어려우면 예를 제시하여 아이가 스스로 생각한 것을 밖으로 꺼내어 말할 수 있도록 유도한다. 부모의 경험이나 느낌, 감정을 이야기하는 것도 좋다.

1) 캐릭터 인형 놀이를 할 때 "뽀로로는 어떻게 할 거야? 포비가 왜 화가 났어?" 등의 질문을 한다.

2) 병원놀이에서도 좀 더 복잡한 상황 설정과 질문으로 놀이를 확장해 본다. "의사 선생님이 뭐라고 했어? 아플 때 절대 약 먹지 마세요, 했어? 아니면 약을 잘 먹어야 빨리 나아요, 했어? 애기는 왜 울어? 엄마 보고 싶어서 우는 거야 아니면 괴물이 보고 싶어서 우는 거야?"라는 대화를 이어갈 수 있다.

3) 뽀로로 캐릭터 놀이에서도 "엄마는 루피가 좋아. 엄마가 분홍색을 좋아해서 그래, 넌 누가 좋아?"라는 식으로 질문과 답을 하는 확장이 가능하다.

자폐 아동을 위한 플로어타임 프로그램

발달단계별 플로어타임의
실제 사례

아래에는 플로어타임을 진행했던 실제 사례를 소개한다. 실제 플로어타임을 진행하다가 어려움이 있을 때 참고하면 도움이 될 것이다. 이론적으로는 사회성발달단계 1~3단계, 4~6단계가 하나의 연속 과정이다. 그러나 플로어타임을 진행할 때면 접근법의 공통성은 1~2단계, 3~4단계, 5~6단계에서 더 뚜렷하다. 접근 도구와 과제가 유사하기 때문이다. 여기서는 실제 적용을 중심으로 서술하는 것이기에 발달단계를 두 단계씩 묶어서 소개할 것이다.

플로어타임에 정해진 답이란 없다. 아이마다 접근법이 다르고 치료사마다도 즐겨하는 접근법은 차이가 있을 수밖에 없다. 여기에 치료 사례를 소개하는 목적은 그것이 정답이라서가 아니다. 앞서 나열했던 이론이 실제로는 어떻게 적용되는지를 알려주기 위해서이다. 그러므로 이론적인 숙지가 된 분들이 실제로 플로어타임을 하기 위해서는 3장을 반복적으로 보는 것이 큰 도움이 될 것이다.

1~2단계의 마스터를 위한 이해와 놀이 사례

자신이 좋아하거나 흥미 있는 것에 과도하게 집착하는 아동

[사례 1] 엘리베이터에서 절대 안 내리는 진우와 형수, 계단을 몇 시간씩 오르락내리락하는 동하

진우와 형수는 호기심 많은 총명한 눈을 가진 활발한 만 3세의 남아였다. 만 3세가 되도록 발화를 하지 못했고 엘리베이터와 반짝이는 불빛을 좋아하며 계산기 누르기를 좋아하였다. 부모님은 아이를 데리고 외출하는 것이 겁이 난다고 하였다. 아이가 엘리베이터나 지하철에만 타면 절대 내리지 않고 억지로 안고 내리려 하면 고래고래 소리를 지르고 바닥에 뒹구는 통에 매일이 전쟁과도 같다고 했다.

우리는 플로어타임을 엘리베이터에서 해보기를 제안하였다. 진우의 부모는 주말에 아이와 함께 엘리베이터가 쉬지 않고 오르락내리락하는 곳을 찾았다. 아파트나 좁은 쇼핑센터 같은 곳은 사람들에게 방해가 되기에 적당한 장소가 아니었다. 공항이나 넓은 복합 쇼핑몰이 다른 사람에게 방해를 주지 않고 놀기에 적당했다. 또 그곳에서는 다양한 엘리베이터와 에스컬레이터도 경험할 수 있었다.

진우의 부모는 아이가 손잡고 끄는 대로 열심히 몇 시간 동안 엘리베이터와 에스컬레이터를 탔다. 타는 동안 아이스크림도 먹고 좋아하는 과자를 먹으면서 즐겁게 하루를 보낸 후 진우는 집에 가자는 부모의 말

자폐 아동을 위한 플로어타임 프로그램

에 순순히 손을 잡고 쇼핑몰을 떠났다. 형수의 부모는 일요일만 되면 종일 지하철과 기차, 버스를 연결해 타면서 아이와 하루를 즐겼다. 이후 두 아이는 모두 과도한 집착을 버리게 되었다.

[사례 2] 그림 그리기에 집착하는 민재

민재는 그림 그리기와 뽀로로를 좋아하는 다문화가정의 아동이었다. 특히 초록색을 좋아하였으며 크레용이나 색연필이 있으면 어떤 놀이도 마다하고 색칠하기에 집중하였다. 부모는 색연필에 몰입하는 아이의 상태가 불만이었다. 부모의 요구에 따라 색연필이나 종이를 모두 눈에 띄지 않게 치운 놀이실에서 플로어타임을 진행하기로 했다.

그러나 아동은 분주하게 이리저리 다니면서 무언가 찾다가 잠시 새로운 장난감을 만지는 듯 보였지만 이내 또 다른 것을 찾아 헤매는 초조한 모습을 보였다. 다음 치료 세션에서 치료사는 아무것도 없는 방에 색연필과 종이만을 준비하였고 아무런 초조함이나 불안 없이 민재가 즐겁게 그림을 그리고 뽀로로에 색칠하는 모습을 확인하였다. 치료사는 자신의 종이에 뽀로로와 다른 캐릭터의 그림이 많은 파일을 가지고 민재와 함께 그림을 그리다가 조금씩 민재에게 다가가 그림을 도와주거나 약간의 방해를 하였고 민재는 거부하다가도 치료사의 색칠을 보면서 부분부분 모방하는 모습을 보였다.

다음 치료 시간, 민재는 먼저 치료실에 뛰어들어와 치료사에게 '뽀로로'라는 말을 하였고 선반에 올려져 있는 종이를 꺼내 달라는 표현을 하였다. 민재와의 대화는 그렇게 시작되었고 이후 민재는 자신이 집착하던 초록색뿐 아니라 다양한 색을 이용해 다른 캐릭터를 완성하였고, 치료사가 보여준 뽀로로의 안경이나 모자 등을 머리에 써보는 등의 놀이를 시도하였다. 미술 놀이를 하는 동안 원하는 것을 얻기 위해 민재는 '일어나', '같이' 등의 단어를 자주 시도하였고 이후 그림 그리기뿐 아니라 치료사와 함께하는 다양한 놀이로의 전환이 쉽게 이루어졌다.

[사례 3] 알 수 없는 음조를 수십 분 동안 지속적으로 발성하는 예림이

예림이는 말을 할 수 있는 아이였다. 기분이 좋으면 노래를 따라 흥얼거리기도 하고 필요하면 한 단어 정도는 말할 수 있었다. 하지만 예림이는 집에서 혼자 있을 때를 제외하고 누구를 만나거나 낯선 장소에만 가면 그 상황에서 벗어날 때까지 알 수 없는 음조로 외계어 비슷한 말을 혼자 중얼거렸다. 우리는 이 문제가 아이의 긴장감 때문이라고 판단하였다.

우선 예림에게 말을 건네기보다 특히 자주 웅얼거리는 음조를 부분적으로 재미나게 변조하여 대화를 시도하였다. 예림이는 자신의 웅얼거림에서 좋아하는 음조를 따라 해주는 치료사에게 눈빛을 보내기 시작하였고 이상한 웅얼거림은 예림이와의 비언어적인 상호작용으로 이어졌다. 제거되어야 할 웅얼거림이 재미난 상호작용으로 이어지면서 예림이는 웅얼거림을 자연스럽게 멈추고 치료사와 표정으로 대화가 가능해졌으며 웅얼거림은 소실되었다.

[사례 4] 자기가 노는 반경에 절대 접근하지 못하게 하는 찬이

찬이는 6세의 매우 긴장감이 높고 예민한 남자아이였다. 6세까지 거의 자발어가 없었고 놀이 중에는 거의 사람을 보지 않았다. 그리고 자신

자폐 아동을 위한 플로어타임 프로그램

의 놀이에 접근하려는 사람이 있으면 무조건 등을 돌리고 적대감을 표시하였다.

치료사는 찬이가 좋아하는 기차와 같은 기차를 준비하고 색깔이 다른 기차를 몇 개씩 주머니에 넣어 찬이에게 슬쩍슬쩍 보여주었다. 처음에 찬이는 관심이 없는 듯했지만 결국 치료사의 주머니에 관심을 보였고 치료사의 기차를 달라는 표시를 했으며 주고받는 대화가 시작되었다.

놀이가 진행되는 동안 치료사는 찬이의 놀이의 의도를 파악하고 찬이를 조금씩 도와주는 방식으로 놀이에 접근했다. 며칠 후 찬이는 더 이상 자신의 놀이를 방어하려고 하지 않았으며 기대에 찬 눈빛으로 치료사를 보게 되었다.

[사례 5] 납작한 물건만 보면 턱 밑에 대고 이리저리 배회하는 지호

지호는 크레파스 통이나 납작하고 넓은 단단한 것만 보면 턱 밑에 대고 놓지 않았다. 빼앗으려 하면 도망가고 반항하였다. 치료사는 비슷한 것을 들고 지호의 흉내를 내었다. 지호는 치료사를 바라보며 놀이 텐트 안으로 숨어 지속적으로 그 물건을 잡고 턱 밑을 압박하는 행동을 하였다. 치료사는 같은 행동을 계속함과 동시에 머리에 장난스러운 바스켓을 뒤집어쓰고 있다가 머리를 숙여 바스켓이 바닥에 떨어지게 하였다. 그러자 지호는 두 손으로 잡고 있던 판을 놓고 자신의 머리에 바스켓을 쓰는 시늉을 하였다. 치료사는 바스켓을 쓰는 것을 도와주었고 지호는 웃으며 바스켓을 바닥에 던졌다.

이후에도 같은 행동이 반복되었다. 지호는 웃으며 치료사가 자신의 행동을 따라 하는 것을 보았고 치료사는 우스꽝스러운 코를 붙이거나 넓적한 판 위에 사탕과 초콜릿을 얹어 놓은 채 지호와 같은 행동을 해주었다. 몇 주 후 지호의 이상행동은 완전히 사라졌으며 주고받는 놀이가 가능해졌다.

[사례 6] 옷을 자꾸 벗어던지려 하는 효주, 양말을 신지 않는 성민

[사례 7] 몇 시간 동안 앉은 채 꼼짝하지 않는 선우

[사례 8] 시선을 절대 위로 올리지 않고 땅만 보는 기태

세 가지 케이스를 함께 다룬 것은 이유가 있다. 외견상 다른 모습이지만 모두 감각 방어 현상이므로 동일한 원인의 행동 양식이기 때문이다. 감각 방어가 심한 아이들은 그들이 처한 상황이 공포스러울 수 있기 때문에 변화된 상황을 거부하는 행동을 하는 것이다.

바닥만 바라보고 위를 절대 보지 않는 아이나 한곳에 쪼그리고 앉아 아무것도 하지 않는 아이는 대부분 방어적인 아동이며 이 아이들은 상황을 회피하는 것으로 자기조절을 한다. 가만히 있으면서 특별한 사고를 치지 않기 때문에 부모들은 초기에 심각성을 느끼지 못해 치료 시기도 늦은 편이다. 그래서 이런 아이들은 조금 늦게 치료가 시작되는 편이며 안타깝게도 시기를 놓친 경우도 종종 있다.

이런 아이들은 어떻게 해야 할까? 방법은 무조건 아이를 편안히 해주는 것이다. 어떻게 하면 아이가 편안하고 긴장감이 없게 되는지, 어떤 순간에 아이가 가장 몸을 이완하는지를 알아야 한다. 주변 환경은 복잡하지 않고 아늑하게 하고, 아이가 기대어 누울 수 있는 카우치 같은 것이 필요하다. 그리고 조금씩 아이의 말초 부분, 손끝이나 발끝부터 부드럽게 터치해준다. 조용한 목소리의 노랫소리도 도움이 된다. 아이가 반응할 때까지 기다리고 어느 순간에 반응하는지 확인해야 한다.

옷을 벗어던지고 양말을 벗어던지는 아이도 마찬가지다. 그 아이가 원하는 대로 잠시 내버려두고 관찰해야 한다. 양말은 큰 문제가 아닐 수 있지만 옷을 벗는 것은 바깥에서는 문제가 될 수 있기 때문에 집에서 반응을 세심하게 관찰할 필요가 있다. 옷이나 양말을 벗거나 반드시 입는 것을 고집하는 아이의 경우 촉감 반응의 이상 느낌일 수 있기 때문에 옷의 어느 부분 또는 신체의 어느 부분인지 알고 불편한 것을 최대한 제거해주어야 한다. 일반 사람은 도저히 이해할 수 없는 이유로 감각처리장애 아동들은 힘들고 고통스럽다. 양말의 발가락 부분의 미세한 솔기부터 발목의 조임, 팔소매, 목 언저리, 등, 배꼽 부분 등 아이에 대한 정보를 알면 알수록 아이와의 상호작용이 쉬워진다.

[사례 9] 같은 질문을 수없이 반복하는 형준

아이가 말을 한다는 것과 대화를 하는 것은 다르다. 자신이 원하는 것을 말하는 아이도 그것을 대화로 연결하지 못하는 경우가 있다. 같은 방식으로 질문을 하지만 답을 듣는 것이 목적이 아니라 단지 질문을 통해서 끝없이 확인하는 것이 목적인 아이들도 있다. 이런 경우 질문은 대화 목적이 아니기에 상대방의 대답과 무관하게 무한반복 질문이 지속되어 상대방을 힘들게 하기도 한다.

형준이는 기억력이 좋고 한글과 숫자를 3살 이전에 모두 습득한 머리가 좋은 남아였다. 형준이는 누구에게나 친근하게 다가가고 무엇이든 궁금한 것이 있으면 누가 옆에 있던 가리지 않고 묻고 또 묻는 아이였다. 이런 아동들은 학령기에 단체생활이 어렵고 사회생활에 어려움을 겪을 수 있다. 왜냐하면 뛰어난 시각처리능력을 가진 반면 청각처리가 어려워 단순히 듣는 것으로는 이해가 어렵기 때문이다. 또한 뛰어난 시각처리능력은 아이를 시각적으로 과도하게 민감하게 하여 불필요한 정보까지도 입력시킴으로써 다른 감각처리까지 상대적으로 힘겹게 한다.

이런 아동의 경우 반드시 시각적 도구가 함께 제시되어야 하며 복잡한 예시보다는 간단한 시각 자료를 이용하여 짧은 대화를 시도하면 무난하게 대화를 이끌어낼 수 있다. 시각 자료를 다양하게 이용하여 시각적으로 회상할 수 있는 질문 등으로 대화하는 것을 연습해야 한다. 일대일로 길게 대화를 이어 나갈 수 있는 연습을 하는 것이 매우 중요하다.

[사례 10] 질문으로 답하는 현빈이

현빈이는 질문을 하면 말끝을 올리며 답을 한다. 말을 하면서 이상한 하이톤이나 말끝을 올리는 등의 소리를 내는 것은 청각적 처리 능력에 문제가 있는 뜻이다. 즉 아이가 듣는 음조가 그렇게 들리는 것이 가장 기본적인 이유이다. 이 경우는 청각처리가 좋아지는 기구를 쓰는 것도 하나의 방법이 될 수 있다.

그 외 아이와 함께 책을 읽거나 극을 자주 해보는 것, 노래를 섞어 말을 하면서 저음과 고음을 섞어 대화를 해보는 방법이 있을 것이다. 중요한 것은 치료실에 한두 번 가는 것으로 치료가 된다고 생각하지 말고 평소에 아이와 주고받는 대화를 많이 시도해야 한다. 대화의 원을 30회, 40회 만든다는 목표하에 아이와 끊임없이 대화가 이어지도록 플로어타임을 구성한다. 플로어타임 과정에 부모의 음조도 높낮이를 다르게 하여 아이가 그 차이를 스스로 알아채고 스스로 조절이 가능하도록 해야 한다. 정서적으로 풍부한 관계에 기초한 자연스러운 대화를 반복하는 데 해답이 있다.

[사례 11] 반향어를 하는 수정이

반향어는 언어의 정상발달 시기 모방단계에서 잠시 출현했다가 없어지는 것이 일반적이다. 하지만 자폐스펙트럼 아동의 반향어는 운동기획과 실행화의 과정에서 나오는 오류로 인하여 출현된다. 언어습득이 기계적이고 훈련적인 방법으로 된 경우에 더욱 두드러지게 표출된다. 즉 언어의 화용을 전혀 무시한 채 단순 어휘의 습득을 위주로 연습되었을 때 나타난다.

또는 모방단계에서 단순 모방이 반복되다가 굳어진 형태로 볼 수도 있다. 반향어를 시작할 때 일단은 긍정적인 신호라고 생각해야 한다. 일단 아이가 말을 못 하게 될 가능성은 없어진 것이다. 다음 서서히 대화로 아이를 이끌어본다. 처음에는 잘 안 될 수 있다. 그리고 또 수정해주고 싶을 수도 있다. 하지만 잠시 참고 비언어를 위주로 대화를 많이 시도해본다.

비언어적 대화 중 언어가 출현했을 때 아이의 말을 반복해서 내레이션 하지 말고 대화식으로 말을 받아준다. 즉 "우유 줄까?"라는 부모의 말에 아이가 "우유 줄까?" 한다면 "아니. 우유 안 먹어." 또는 "우유 싫어." 등 아이의 말에 대한 대답을 해준다. 아이가 "우유 줄까?"를 계속 반복할 수도 있다. 왜냐하면 아이에게 이 말이 우유를 달라는 표현이기 때문이다. 그러면 "아, 우유 먹고 싶어." 하면서 아이와 눈을 맞추어 말을 해준다. 그리고 "수정이 우유 먹고 싶어요."라고 한 번 더 말해주는 것도 좋다.

아이가 말을 따라 할 흥미가 있는지에 따라 서로 즐겁게 음율을 넣어 짧은 대화를 연습할 수도 있다. 이 또한 무한한 대화를 필요로 한다. 대화의 서클을 몇십 회 가능하도록 아이와 공동주의를 유지한 채 주고받고를 지속적으로 해야 한다. 풍부한 정서와 공동의 관심, 그리고 즐거운 상호주의로 30회, 40회의 주고받는 대화가 비언어적, 언어적으로 가능하게 되면 반향어도 어느 순간 줄어들고 아이는 자연스러운 대화를 이어나갈 수 있을 것이다.

[사례 12] 언어를 알아듣고 말할 수는 있지만 자발어가 없는 정우

초등학교 3학년인 정우는 마르고, 신경질적인 표정의 아이였다. 표정의 변화는 거의 나타나지 않았고 놀란 듯한 표정과 약간의 짜증 섞인 표정이 얼굴에 배어 있었다. 3살부터 언어치료실, 감통치료실을 전전하였고 일반 학교의 도움반에 다니고 있었다. 아동은 사물의 이름을 알고 있었고 수용도 가능하였다. 필요한 것이 있으면 고음으로 단어 위주로 이야기하였지만 자발적으로 하지는 않았다. 수 세기도 가능하고 사칙연산도 두 자리 정도는 가능하였다.

이런 경우 솔직하게 말하자면 아이가 정상발달로 이어지기 위해서는 길고 긴 여정이 필요하다. 우선 아이는 일찍부터 훈련과 연습으로 언어를 습득하였고, 언어를 사회적으로 사용하지 못했으며, 자발적인 사회생활 및 관계 맺기를 경험하지 못하였다. 게다가 극심한 감각조절 이상이 보였다.

조기 발견 및 조기 개입이 중요하기는 하지만 어떤 개입이 조기에 이루어지느냐에 따라 결과는 매우 다르다. 아동의 나이가 7세 이상으로 넘어가면 실제로 급격한 변화를 기대하기는 어려울 수도 있다. 이미 아동의 뇌가 그동안의 기억과 경험으로 세팅이 되었기 때문이다. 그럼에도 불구하고 변화의 가능성을 배제할 수는 없다. 뇌는 끊임없이 변화하고 있기 때문이다.

비록 그 변화가 금방 눈에 띄게 나타나지 않더라도 장기적으로 아이를 위해 포기하지 않고 노력한다면 자연스러운 상호작용은 가능할 수 있을 것이다. 이런 경우 아이는 나이도 많고 학습기능도 있지만 정작 필요한 것은 사회성발달의 기초 단계가 필요한 상태였다. 아이는 부모의 욕심에 따라 학원을 전전하고 있었는데 학원을 그만두고 신체 운동과 놀이에 좀 더 집중하는 것이 필요하다고 부모를 설득해야 했다. 부모의 태도가 변경되지 않고서는 플로어타임 자체가 진행되기 어려운 상태였기 때문이다.

[사례 13] 부모와 함께 있을 때 시도 때도 없이 소리를 질러대는 윤이와 동민이

아동들은 센터에서는 전혀 소리를 지르지 않았다. 하지만 집에서는 한밤중은 물론 아무 때고 소리를 질렀다. 특히 밖에 나가서도 소리를 지르는 것이 부모의 걱정이었다. 아이는 부모가 하지 말라면 더욱더 하는 경향을 보였다. 아이의 이상행동을 확인할 때 꼭 함께 확인해야 하는 것은 아이가 누군가를 의식하고 그러는지 그렇지 않은지이다. 즉 사회적 인식을 기반으로 본인이 선택적으로 하는 행동이라면 이는 다르게 반응되어야 한다.

일단 부모는 아이의 행동의 원인이나 기원을 찾아내야 한다. 무턱대고 아이의 행동을 저지하는 것이 아니라 어디에서부터 이 행동이 시작됐는지 근원을 찾아보고 아이와 대화를 시도해야 한다. 아이들의 모든 행동에는 이유가 있다. 그리고 그 이유를 제공한 근원이 있다면 거기서부터 치료를 시작해야 한다. 이런 경우는 아동에게 스트레스를 주는 부모의 잘못된 양육 태도가 있기 마련이다. 이런 원인을 찾아 제거해야 했기에 부모의 협조와 결단이 필수적이었다.

3~4단계의 마스터를 위한 놀이 사례

3~4단계는 도전 과제를 풀고 대화의 패턴이나 서클을 늘리고 공동주의의 지속 시간을 더욱 늘리는 시간이다. 아이의 놀이를 따라 하기에서 시작해서 점차 문제해결의 방식으로 상황을 만들어 놀이 안에서 상호작용의 횟수를 늘리고 확장을 의도해볼 수 있다.

장난감 놀이에서 부모의 생각보다 아이 생각대로 하기

성인은 이미 많은 것에 대해 지식을 가지고 있다. 때문에 무엇이든 아이에게 먼저 보여주고 가르쳐주려고 하는 것이 일반적이다. 그래서는 안 된다. 아이가 탐구하고 직접 시도해볼 수 있는 기회를 주어야 한다. 그래야 아이의 표현도 늘어날 것이며, 그것이 아이의 자존감도 높일 수 있는 방법이다. 무엇보다 아이에 대한 새로운 단서를 발견할 수 있는 시간도 될 수 있다.

아이들이 흔히 할 수 있는 공놀이의 예를 들어보자. 공이 있으면 흔히 어른들은 주고받거나 던지기 또는 차기가 공놀이의 전부라고 생각하고 "던져봐." 혹은 "이렇게 차는 거야." 하면서 먼저 자신이 알고 있는 놀이를 제안한다. 왜냐하면 성인들은 이미 공에 대한 지식을 갖고 있고, 공의 사용에 대하여 통념적인 인식을 하고 있기 때문이다.

하지만 아이들은 다르다. 부모가 공놀이를 보여주기 전에 아이들은 공을 보고 다양한 시도를 하고 싶어 한다. 만지거나 눌러보거나 떨어뜨려도 보고, 냄새를 맡거나 빨아보고 싶을 수도 있다. 그 촉감과 움직임을 아이가 경험하는 것을 적극적으로 격려해야 한다. 그 자체가 아이에게는 놀이의 시작이며 세상에 대한 탐색의 시작이기 때문이다.

아이를 관찰한 후에 부모는 아이가 시도하는 것에 대해 적극적으로 반응해주어야 한다. 즉 아이가 공을 굴리면 달려가서 잡고 다시 굴려주고(다시 굴려줄 때는 공이 아이에게 잘 도착하도록 조절하여야 한다), 떨어뜨리면 '쿵' 소리를 낸다거나 비슷한 공을 가지고 공이 튀어 오르는 것을 더 보여줄 수도 있다. 그렇게 부모는 아이가 시도하는 놀이를 돕는 방식으로 아이의 놀이에 참여해야 한다.

중요한 것은 아이가 어떤 것을 시도하기 이전에 먼저 제시하지 말라는 것이다. 그리고 아이가 공을 즐기고 있을 때 조금씩 공의 여러 가지 성질을 보여줄 수 있다. (빛이 나는 공이나 소리가 나는 공도 효과가 있다) 아이가 만일 어떻게 해야 하는지 모른다고 생각되면 슬쩍 개입해서 아이가 보고 알 수 있게 해주거나 아이의 손을 잡고 해줄 수도 있다.

아이의 동기를 읽는 부모 되기

아이의 표현 단서나 동기를 읽어내는 것은 어느 단계에서나 중요하다. 특히 3~4단계에서는 단서를 읽어내는 것이 의사소통을 확장하고 늘리는 데 결정적이다. 만일 부모가 아이의 단서를 읽지 못한다면 아이 주도의 놀이가 길게 이루어지기 어렵다.

[놀이의 단서를 읽고 아이를 따라가는 놀이의 예]

아이가 상어 장난감을 가지고 놀고 있다.

엄마 "상어가 뭐하는 거야?"

아이 "상어가 물고기 잡아먹어."

엄마1 (아이의 동기를 읽지 못하는 부모) "앗! 물고기가 아프겠다."
　　　　(이런 경우 보통 아이는 등을 돌린다. 왜냐하면 아이는 이미 자
　　　　신의 의지를 표현한 것인데 엄마가 아이의 의지를 꺾은 셈이 되
　　　　기 때문이다.)

엄마2 (아이의 동기를 읽는 부모) "와악~ 도망가자. 상어가 잡으러 온
　　　　다." (엄마는 도망가는 시늉을 하며 아이의 장단을 맞추어준다.)

아이 "잡아먹을 거야." (상어를 엄마에게 들이댄다.)

엄마2의 경우 부모는 아이의 놀이 의도를 존중하고 놀이의 일부가 되어주었으며 아이가 놀이를 계속할 수 있도록 격려하는 반응이 되었다.

엄마2 "잘못했어요. 상어님 살려주세요."

아이 "안 돼."

엄마2 "한 번만요. 아니면 저 (잠시 뜸을 들이다가) 도망갈 거예요."
　　　　(엄마가 소파 위로 도망간다.)

놀이는 역동적으로 끝없이 이어질 수 있다. 상황을 어떻게 바꾸어 놀이를 계속하는가는 부모의 역할이다. 또는 아이가 반대로 제안을 할 수도 있다. 중요한 것은 아이의 놀이 표현에서 그 동기를 읽는 것이다.

열린 반응하는 부모 되기

부모의 반응은 아이를 발달로 이끌 수 있다. 발달은 관계 속에서 주고받는 쌍방향의 상호작용에서 이루어지기 때문에 부모의 반응이 어떤가에 따라 발달의 질이 결정된다고 해도 과언이 아니다. 아이의 표현에 언제나 열린 반응을 보여주고, 이로써 아이의 다음번 표현을 끌어낼 수 있도록 해야 한다.

[**열린 반응의 예**]

아이가 편의점에서 초코 과자를 사달라고 엄마의 팔을 잡아끈다. 엄마는 아이를 데리고 편의점에 가서 초코 과자가 있는 진열대 앞에 함께 선다.

엄마 "과자 먹고 싶어요? 양파 과자 먹을까? 초코 과자 먹을까?"

아이 "초코 과자." (말을 하거나 초코 과자를 가리킨다.)

엄마 "그래, 초코 과자. 어, 잘 안 뜯어지네. 도와줄래?" (도와 달라는 열린 제안을 해도 되고 다른 제안을 할 수도 있다. "큰 초코 과자를 줄까? 작은 초코 과자를 줄까?" 두 개를 보여주고 고르게 한다.)

아이 "작은 것." (말을 하거나 작은 것을 고른다.)

엄마 (진열대에서 양파 과자를 꺼내준다.)

아이 "아니 아니."

엄마 "아, 미안. 뭐 줄까?"

아이 "초코 과자."

엄마 "아, 초코 과자였지. 초코 과자 먹고 싶어요? 여기 있어." (뚜껑을 열지 않은 채 또는 뜯지 않은 채 과자를 내민다.)

아이 (약간의 짜증을 내며 뜯어달라고 다시 내민다.)

엄마 "알았어. 이거 봐." (아이의 손을 잡고 함께 과자봉지를 뜯는다.)

아이 (과자를 집어 먹는다.)

만일 아이가 초코 과자를 먹고 싶다는 표현을 할 때 그냥 과자를 준다면 아이와의 대화는 한 번의 서클로 끝난다. 하지만 이렇게 일상생활에서도 아이의 표현을 늘리기 위해 과자에 관련되는 부가적인 것들을 결합해 대화의 시간과 횟수를 늘릴 수 있다. "주스도 같이 먹을까? 하얀 초코 과자도 맛있는데 이것도 먹어볼까?" 등 다양한 소재로 아이와 대화를 좀 더 시도할 수 있다.

이때 중요한 점은 아이의 요구를 부모가 모두 해결해주거나 더 이상 아이가 의사를 표현할 필요가 없게끔 부모가 모든 것을 알아서 해주어서는 안 된다는 것이다. 자발적인 의사 표현은 자신이 의사소통이 필요하다고 느낄 때 가장 쉽게 나올 수 있기 때문이다.

아이 놀이의 일부가 되기

부모가 아이와 놀아준다는 생각은 바뀌어야 한다. 부모는 아이 놀이의 일부가 되어야 한다. 정확하게 말하자면 아이 놀이의 소품 중 하나로 작용해주는 것이다.

자폐 아동을 위한 플로어타임 프로그램

[승용완구 놀이의 예]

아이가 붕붕카를 타고 있다면 어떻게 놀이의 일부가 될 수 있을까? 붕붕카의 움직임을 방해하면서 재미있게 할 수 있는 전략을 짜야 한다. 쿠션을 발로 차거나 던져 장애물을 만들어서 붕붕카의 움직임을 방해할 수도 있다. 부모의 다리나 몸을 이용해서 놀잇감의 색다른 움직임 또는 움직임의 변화를 만들어주며 반응을 본다. 예를 들어 아빠가 "나는 곰이다." 하면서 붕붕카의 움직임을 방해할 수도 있다. 아이가 즐거워하거나 짜증 내는 반응을 즐기며 아이가 하자는 대로 하면서 신체감각적인 재미를 만들 수 있게 한다.

[감각 놀이의 예]

물이나, 콩, 편백, 공 등의 감각적인 재료를 좋아하는 아이라면 부모가 아이의 장난감을 직접 뒤집어쓰거나 볼풀 안에 누워 아이가 재료들을 부모에게 뿌리고 문지르도록 부모의 몸을 제공할 수 있다. 또는 서로 놀잇감을 한곳에 던지거나 맞추는 등의 놀이(다소 번잡하기는 하지만 아이들은 통계적으로 번잡하고 지저분한 놀이를 좋아하고 즐긴다)를 할 수 있다.

아이 앞에서 바보가 되어주기

아이가 요구하는 것이 있을 때 바보가 된 것처럼 모르는 척을 하는 것이다. 아이는 자신이 원하는 것을 얻기 위해 최선을 다해 자신의 생각을 전달하려고 노력할 것이며 그동안 대화의 서클은 더욱 늘어날 것이다. 아이에게 계속 설명과 표현을 요구하는 동안 아이의 요구를 적극적으로 수용할 자세가 되어 있음을 최대한 표현하며, 아이의 설명에 아낌없이 감사를 표해야 한다.

[숫자나 문자, 카드놀이의 예]

아이에게 가르침을 주는 것이 목적이 아니라는 것을 잊지 말아야 한다. 어떤 개념을 가르치는 것이 아니라 상호작용을 늘리는 것이 목적이므로 순서를 뒤섞거나 틀린 것을 이야기해도 아무 문제가 없다. 아이가 가르치는 사람이 되어 부모에게 알려주는 놀이로 상황을 바꾸어 아이에게 동기와 자신감을 더 불어넣어야 한다. 그러면 아이가 주도하는 대화의 서클은 더욱 늘어날 것이다.

[숫자 세기를 좋아하는 아이의 사례]

아이가 숫자 세기를 좋아해서 부모는 같이 숫자를 세는 것으로 팔로잉을 시작했으며 숫자를 하나씩 주고받으며 세는 놀이를 상호작용을 하는 놀이로 확장해 나갔다. 이제 아이에게 더 큰 도전을 위하여 숫자 세기의 변형을 시도한다.

아이 "하나."

아빠 "둘."

아이 "셋."

아빠 "음, 뭐더라?"

아이 (당황하며 쳐다본다.)

아빠 "정말 모르겠네. 뭐지?"

아이 "넷."

아빠 "아, 넷이었지. 고마워."

이처럼 부모가 바보가 되어서 실수를 하는 방식으로 다양한 변화가 가능하다.

의도적 실패와 문제의 제기

아이가 부모에게 도움을 청했을 때 문제를 한 번에 해결해준다면 아이는 부모를 자신이 원하는 것을 들어주는 해결사로 생각할 수 있다. 자신의 의지와 노력으로 문제가 해결될 수 있음을 알게 해야 하며 그 노력과 의지는 아이의 자발적 표현으로 나타날 것이다. 특히 기본적인 자조 기술(예: 음료수 뚜껑 열기, 사탕 껍질 까기, 바나나 껍질 벗기기, 신발 신기 등)은 연습으로 해결될 수 있다. 그런데 자폐스펙트럼 아동의 대부분은 이러한 기술 발달이 어렵다. 근무력과 더불어 신체 동작 기능의 순서화에 어려움을 겪기 때문이다.

상호작용의 횟수도 늘리면서 자조 기술의 습득도 가능하게 하기 위해서는 의도적으로 부모가 실패하는 모습을 보이면서 아이에게 도움을 청하는 방법이 좋다. 아이는 성공의 기쁨과 도전에 대한 자신감을 가질 수 있으며 더욱이 스스로 즐겁게 하는 자조 연습은 기억에 남아 아이의 자원이 될 것이다.

아이 (신발을 신겨 달라고 발을 내민다.)

엄마 (신발을 거꾸로 신겨본다.)

아이 (짜증을 내면서 발을 흔들어 신발을 뺀다.)

엄마 "어, 왜 안 되지. 거꾸로 하면 안 되는 거야?" (질문을 하며 아이의 눈을 살핀다.)

아이 (인상을 쓰며 짜증을 보인다.)

엄마 "이렇게 바로 해야 하는 거야?" (질문하며 신발을 제대로 신겨준다.)

아이 (발을 끼우며 신발을 신는다.)

엄마 (아이를 포옹하며 칭찬해준다.) "와, 잘 신었구나!"

놀이 방해하기

장난감을 조작해서 소리를 내거나 다른 감각적 자극을 만드는 조작 놀이나 작동 놀잇감의 경우 개입이 어렵다. 이런 경우라면 놀이를 신체를 움직이는 놀이로 전환한다. 놀잇감 위에 부모가 눕거나 놀잇감을 높이 올리는 등의 방해로 아이의 시선을 분산하고 신체를 움직일 수 있도록 한다. 아이가 받아들일 수 있는 정도가 어느 수준인지 지속적으로 관찰하면서 수위를 조절해야 효과가 있다.

[아이가 근무력이 심한 경우 놀이 방해의 예]

아이 (앉아서 버튼을 누르면 소리가 다양하게 나는 장난감을 가지고 놀고 있다.)

엄마 (옆에서 바라보다가 투명한 스카프를 슬쩍 덮어본다.)

아이 (스카프를 집어 올리려 한다.)

엄마 (다른 색깔의 스카프를 슬쩍 엎으며 한쪽은 손으로 고정한다.)

아이 (스카프를 집어 올리려 한다.)

자폐 아동을 위한 플로어타임 프로그램

엄마 (고정된 스카프에 힘을 주어 아이의 손에 저항감이 느껴지게 하며, 목소리를 높여 말한다.) "어, 붙었어."

아이 (스카프를 잡아당긴다.)

엄마 (슬쩍 놓아주며 장난감을 엄마 옆쪽으로 조금 당긴다.)

아이 (장난감을 찾아 몸을 움직인다.)

엄마 (아이가 장난감 쪽으로 몸을 움직이는 리듬에 맞추어 조금 더 슬쩍 민다.)

아이 (장난감을 향해 좀 더 움직인다.)

아이의 표정을 보면서 이 놀이는 횟수를 조절할 수 있다. 때에 따라서는 엄마의 뒤, 엄마의 머리 위로 장남감을 움직이면서 잡기 놀이로 유도하여 아이가 좀 더 활발하게 움직이도록 할 수 있다. 미리 준비한 작은 사탕이나 젤리를 움직인 장난감 아래 슬쩍 밀어넣고 아이에게 발견의 기쁨을 주도록 하면서 찾기 놀이로 확장할 수도 있다.

의견 물어보고 질문하기

어떤 경우이건 아이의 의견을 물어보고 경청하고 반영하는 것은 매우 중요하다. 아이가 언어를 말하지 못한다고 해서 모두 부모의 의도대로 해서는 안 된다. 아이가 말을 못하더라도 의사 표현은 충분히 가능하다. 단계별로 나누어 아이의 의견을 확인하면서 아이가 원하는 방향대로 놀이를 이어가야 한다.

[기차놀이의 예]

아이 (기찻길 트랙을 연결하고 있다.)

아빠 "기찻길이 멋진데."

아이 (말없이 트랙을 연결한다.)

아빠 (구부러진 트랙을 집어주며) "이거 줄까?"

아이 (아빠가 준 것을 내려놓고 다른 것을 연결한다.)

아빠 "에고, 틀렸네. 이번엔 이거 짜잔?" (아빠가 장난스럽게 말을 하
며 다른 트랙을 건네준다.)

아이 (아빠를 한번 보고 트랙에 연결한다.)

아빠 "기찻길이 정말 길다. 다음엔 뭐 만들어?"

아이 "터널."

아빠 "와, 터널? 아빠는 터널 정말 재밌어. 터널은 어디에 만들까?"

아이 "여기야."

아빠 "좋아. 근사한데."

아이 (좋아하며 기차를 가지고 터널을 통과한다.)

아빠 "칙칙폭폭 삥~ 터널 하나 더 만들까?"

아이 (아빠를 본다.)

아빠 "잠깐만, 아빠가 책 가져올게." (아빠가 책을 세모로 세워 터널
모양을 만들어준다.)

아이 "어, 쓰러진다."

아빠 "앗, 좀 더 튼튼하게 만들까?"

아이 "응."

아빠 (두꺼운 책을 몇 권 가지고 온다.)

자폐 아동을 위한 플로어타임 프로그램

아이 "내가 만들어."

아빠 "그래. 아빠가 도와줄게."

아이 "아니. 내가 내가."

아빠 "알았어. 훈이가 잘 만들지."

아이 (책을 가지고 해보려다 잘 되지 않는다.) "아빠가 도와줘."

아빠 "그래. 같이 해보자. 아빠도 잘 못했잖아. 같이해." (책을 쌓고 가운데 지붕을 만들어 터널을 완성한다. 이때 아빠는 말없이 손으로 아이가 아빠를 따라 하는 것을 도와준다.)

아이 "완성."

아빠 "훈이가 도와주니까 튼튼해졌어."

아이 "아빠. 우리 터널 더 만들자."

아빠 "그럼 뭐가 더 있어야 되지?"

아이 "책."

아빠 "그래, 책이야. 더 가져올까?"

아이 "응. 내가 가져올게."

아빠 "좋아. 두꺼운 것으로 가져와."

아이 "아빠. 이거 두꺼워."

아빠 "응. 두꺼워. 더 두꺼운 것도 있나 찾아봐. 있어?"

아이 "응. 근데 무거워."

아빠 "두꺼운 책이 무겁네. 이건 같이 들어보자."

아이 "아빠가 들어."

아빠 "에이, 무거우니까 아빠 시키는거야?"

아이 "알았어. 내가 도와줄게. 그 대신 아빠도 기찻길 만드는 거 도와줘야 해."

아이는 처음에 혼자 기찻길을 만들고 있었다. 여기에 아빠가 개입함으로써 놀이는 훨씬 역동적으로 확장되었다. 이 과정에서 아이는 자신의 의견을 표출하며, 새로운 정보를 학습하게 되었다. 만일 아빠가 아이의 의견을 물어보지 않고 아빠의 생각대로 접근했다면 이런 대화와 놀이는 이루어지지 않았을 것이다. 아이는 놀이의 후반에 자신의 의견을 이야기하고 사회적 문제해결에 있어 아빠에게 협상과 제안을 시도하기도 한다.

5~6단계의 확장을 위한 놀이 사례

발달 5~6단계의 놀이는 이전 단계보다 논리적 구성과 감정의 깊이가 세분화된 놀이로서 아동의 인지적 발달과 밀접한 관련이 있다. 아이는 놀이를 통해 자신이 직접 경험하지 않은 것들을 실험해보고 자신에게 적용하여 자신만의 세계를 구성할 준비를 한다. 이 단계의 놀이는 아이가 자신의 감정과 타인의 감정의 차이를 구별하고, 과정과 결과, 시간과 공간의 개념과 차이를 인지하는 것을 목표로 한다.

기능적으로 언어를 사용하며 초보적인 상호작용이 되는 경우 5~6단계의 발달단계로 진입했지만 발달에 정체나 혼란이 보이는 경우가 많다. 특히나 아스퍼거증후군에서 이런 어려움이 자주 관찰된다. 그 주된 원인은 첫 번째로 감각처리장애가 해결이 안 된 경우들이다. 즉 언어는

자폐 아동을 위한 플로어타임 프로그램

사용하지만 눈맞춤이 불안정하거나 목소리 톤이 불안정한 경우가 이에 해당한다.

두 번째는 주변 환경으로 인해 억압된 자아, 우울, 분노 등이 있는 경우다. 고기능상태에서는 이렇게 심리적 왜곡 현상이 자주 관찰된다. 주변에서 자신의 장애를 왜곡된 시선으로 대하는 것이 반복되며 심리적인 이상이 생기는 것이다. 세 번째는 운동 계획과 순서화가 잘 안 되는 경우에 행동과 동작이 어눌하여 적절한 동작 놀이, 도구 놀이를 진행하기 어려울 수 있다. 이런 경우는 플로어타임도 진행하면서 동시에 근본적인 문제의 해결을 도와주는 것이 필요하다.

이 시기 플로어타임에서 주력해야 할 과제는 세 가지로 집중된다. 첫째는 역할 놀이를 다양화하기, 둘째는 감정-정서적인 경험과 이해를 늘리기, 셋째로 논리적인 이해를 돕기다. 각각의 경우에 대항되는 사례를 보도록 하자.

역할 놀이 다양화하기

가장 쉬운 접근법은 아이가 좋아하는 캐릭터를 이용하는 것이다. 이야기나 드라마에 나오는 캐릭터를 이용하여 이야기를 꾸미는 놀이는 아이들의 상상력을 자극하고 고정된 사고에서 유기적이고 추상적인 사고로의 확장을 돕는다.

부모가 한 캐릭터가 되어 아이와 이야기나 드라마에 나오는 상황을 반영하거나 실생활에 이용해본다. 엄마가 미키마우스가 되거나 아빠가 포비가 되는 등의 설정이다. 이때 최대한 만화에 나오는 캐릭터와 비슷하게 말하거나 행동하도록 노력해야 한다. 캐릭터의 목소리를 흉내 내고 캐릭터의 몸동작을 흉내 내야 한다. 그래야 아이가 역할 놀이에 몰입할 수 있다.

아이가 만일 이 설정을 거부하고 불편해한다면 아이가 점점 친숙해질 수 있도록 엄마가 캐릭터가 되었을 때 아이가 좋아하는 것을 위주로 해주는 방식으로 시작한다. 엄마는 평소에는 게임을 허락하지 않지만, 미키마우스가 된 엄마는 아이에게 얼마간의 게임을 허락하는 것이다.

간혹 아스퍼거증후군 아동의 경우 역할 놀이로의 진입 자체를 거부하는 경우도 있다. 엄마가 다른 캐릭터가 되는 것이 논리적으로 용납이 안 되는 것이다. 이런 경우 중간 단계로 캐릭터 가면을 쓰고 역할 놀이에 참여하는 것이 도움이 된다. 아이가 엄마를 가상의 캐릭터로 대할 수 있기 때문이다.

아이 (뽀로로 인형을 가지고 뽀로로 노래를 흥얼거리며 즐거워하고 있다.)

아빠 (포비 가면을 쓰고) "나는 포비다!"

아이 (아빠를 당황한 표정으로 바라본다.)

아빠 (포비 목소리를 흉내 내며) "너 뽀로로랑 놀고 있구나. 나도 같이 놀자. "

아이 (친근한 미소로 답을 한다.)

아빠 "노래 같이 부를까?" (뽀로로 노래를 부르기 시작한다.)

아이가 반응하는 것에 따라서 함께 손을 잡고 노래를 부를 수 있도록 놀이 유도를 한다.

감정-정서적인 경험과 이해를 늘리기

가장 먼저 해야 할 것은 아동의 감정을 읽어주기다. 자폐스펙트럼 아동들은 감정표현에 서투르다. 분명히 감정을 느끼지만, 그것이 어떤 것인지 정확히 느끼고 밖으로 표현하는 것을 어려워한다. 그래서 부모나 주변인들이 그들의 감정을 읽어주는 것은 매우 중요하다. 그리고 감정에 대한 표현을 요구하며 시키기보다 격려하는 표현을 쓴다. 우리는 이 과정을 '아동의 감정에 대해 읽어주기'라고 표현한다.

다음은 '아동의 감정에 대해 읽어주기'의 사례들이다.

"너 지금 화났구나."

"음. 뭔가 미안해하는 것 같은데."

"우울해 보여."

"내가 너한테 게임을 그만하라고 해서 네가 화난 것처럼 보여." (구체적 이유까지 이야기해준다.)

"선생님이 네 말을 무시하는 것처럼 느껴서 네 기분이 불쾌하구나. 내가 미안하다. 내가 사과해도 괜찮겠니?" (구체적 이유와 상대방의 감정 그리고 해결책에 대한 의견을 물어본다.)

"이 문제 때문에 네가 화난 걸 몰랐어. 다음엔 네가 화났다고 말해줄 수 있니?" (감정의 수용과 문제해결에 대한 의견을 물어본다.)

두 번째 필요한 것은 주변에 있는 사건 또는 드라마나 영화의 스토리를 공감하기다.

타인의 모습을 보고 주변 상황을 논리적으로 이해하는 것은 자폐스펙트럼 아동들에게 어려운 일이 될 수 있다. 특히 일련의 상황이나 사건에 감정이 섞여 있다면 더욱 이해하기 어려울 수 있다. 자신이 아닌 타인의 감정을 이해하는 것은 자신의 감정에 대해 자유롭게 느끼고 표현하는 것보다 어려운 일이다. 타인의 감정과 일련의 상황에 대해 자주 이야기할 기회를 가지는 것은 좋다. 10대의 경우 학교에서 있었던 일들이나 드라마나 영화를 보면서 사건과 감정의 상태를 연결하여 이야기를 나누는 것은 매우 효과적이다.

"오늘 학교에서 소방 연습을 했지. 무섭지 않았어? 사이렌 소리가 들리면 어떻게 하는 거야? 아이들이 모두 다 잘 대피했니? 애들은 무서워해 아니면 재미있어 해? 소방 연습은 왜 한 거야?"

"오늘 선생님은 기분이 어떠신 거 같았어? 선생님이 화를 내셨니? 선생님이 왜 화를 내셨을까?"

"정환이는 왜 오늘 먼저 갔어? 많이 다쳤어? 아파 보였어? 어디서 다친 거야? 누구하고 싸웠어? 정환이는 내일은 학교에 올까? 네가 정환이한테 어떤 말을 해주면 정환이가 고마워할까?"

"저 주인공은 어떤 기분일까? 누가 더 욕심이 많은 사람처럼 보여? 저 주인공은 누구를 더 좋아해? 왜 그런 것 같아? 주인공이 어디를 저렇게 급하게 가는 거지?"

"저 아이는 무엇 때문에 저렇게 울고 있을까? 저 아이 엄마는 어디 있지? 지금 뭘 하고 있어?"

세 번째는 부정적인 감정까지 포함한 다양한 감정을 경험시키기다.

자폐 아동을 위한 플로어타임 프로그램

아이의 놀이에 긍정적인 정서만을 강조하는 것은 놀이를 고정화되고 재미없게 만든다. 즐거움이나 행복은 화나고 슬픈 것이 존재해야 가치가 있는 것이다. 분노와 걱정이 없이 용서와 화해도 없다. 아이와의 놀이에 악당을 출현시키고, 폭발하는 배와 추락하는 비행기를 출현시키는 것을 기꺼이 즐기자. 놀이나 평소의 대화에서 있는 그대로의 감정과 표현을 아이에게 보여주는 것을 두려워하지 말아야 한다. 아이가 이해하지 못한다면 몇 번이고 상황을 만들어 자유롭게 대화하며 화내고 용서하고 다시 기뻐하는 감정의 흐름을 경험하게 하자.

논리적인 이해를 돕기

논리적인 이해를 발달시키는 과정은 인지발달 과정과 밀접한 연관이 있다. 놀이 과정에서 논리적 이해를 높이는 것이 가능하다.

첫 번째 사례는 놀이에서 상황을 더욱 구체화하기다.

놀이를 더욱 복잡하고 논리적으로 구성하기 위해서는 구성 요소들을 점점 더 구체적으로 설정해야 한다. 자폐스펙트럼 아동은 새로운 아이디어를 떠올리거나 유추해서 확장하는 것이 어렵다. 그러므로 놀이 안에서 아이가 간접적으로 경험할 수 있도록 배려하고, 그 경험을 통하여 논리적 발전을 이룰 기초를 만들어야 한다.

[예 1] 놀이의 구체화 전략으로 아이의 이름을 놀이 속 등장인물의 역할로 불러주기

예를 들면 비행기 놀이를 하고 있을 때 "네. 조종사님, 이제 비행기 엔진을 끌까요?"라고 물어본다.

[예 2] 새로운 사건 만들기

"비행기가 착륙합니다. 안전벨트를 매 주세요. 앗, 비행기 연료가 다 떨어져가요. 비행기가 추락하려고 해요."와 같은 방식으로 놀이 중 새로운 사건을 설정하여 놀이 과정을 좀 더 구체화한다.

[예 3] 줄거리에 관해 이야기하기

"늑대가 나타났어. 용감한 개가 양을 도망가게 도왔어. 그럼 그다음에 어떤 일이 일어났을까?" 하며 구체적인 상황에서 질문을 이어간다.

두 번째는 상상력과 창의성을 이용하여 문제를 해결하는 사례다.

아이는 새로운 곤란한 상황에 부딪혔을 때 상황을 해결하기보다 당황하거나 어찌할 줄 모르는 경우가 많다. 이때 직접적으로 당면한 문제를 해결하게 하는 데 집중하기보다 아이의 긴장감을 풀어주는 데 상상력을 발휘해보자.

[예 1] 아이가 단추나 지퍼를 잘 잠그지 못할 때

"어제 못된 괴물이 지퍼를 움직이지 않게 망가뜨렸나 봐. 우리 오늘 그 괴물을 어떻게 혼낼까 생각해보자."

[예 2] 젓가락질을 못 하고 밥을 흘리거나 떨어뜨릴 때

젓가락, 포크 없이 국수 먹는 날을 만들어 아이와 젓가락 없이 스파게티나 자장면 먹는 과정을 즐겨본다. 어떻게 먹을지 의논도 해보고 서로 다양한 방법으로 먹는 모습을 보여주며 유쾌한 놀이를 한다.

세 번째로는 이유에 대해 물어보기 사례다.

논리적, 감정적인 사고의 연결을 구성하는 것은 6단계의 능력이다. '왜'라는 질문에 대한 대답은 지식과 사고의 통합으로 만들어진다. 대화나 놀이의 구성에서 원인과 결과를 명확히 하고 그 관계를 이어갈 수 있도록 도와준다. 일렬로 나열하는 지식의 사고가 아니라 서로 연합하고 공조해서 깊이와 폭이 다른 다양한 사고를 가능하게 만드는 것이 목적이다.

제민 "이건 내가 만든 자장면이야."

엄마 "그래. 맛있어 보이네. 딸기 맛 자장면 같아."

제민 "맞아. 딸기 맛이에요."

엄마 "제민이는 자장면 좋아하잖아. 엄마도 좋아해."

제민 "응응."

엄마 "어떻게 만든 거야?"

제민 "이렇게." (빨간 클레이를 주물럭거려 길게 만든다.)

엄마 "아아, 잘되는구나. 제민아 그런데 자장면 누구하고 먹을 거야?"

제민 "……."

엄마 "여기 아기가 있어. (아기 인형을 앉히고 아기 목소리로) 나도 자
　　　　장면 좋아."

제민 "흥."

엄마 "아기도 자장면 좋아한대."

제민 "애기 안 줘."

엄마 "왜?"

제민 "……."

엄마 (아기 목소리로) "오빠, 오빠. 나도 자장면 먹고 싶어."

제민 "안 돼."

엄마 (계속 아기 목소리로) "나도 먹고 싶어. 배고파."

제민 "안 돼."

엄마 "(아기 목소리로) 이잉잉. (원래 목소리로) 제민아, 아이가 자장면 먹고 싶대. 배가 고프대."

제민 "안 돼요."

엄마 "제민아, 아이가 왜 울어? 아기가 배고파서 울고 있어? 아니면 학교 가고 싶어서 우는 거야?"

제민 "배고파서요."

엄마 "아, 배고파서 울고 있구나. 그럼 제민아 어떻게 하면 좋을까?"

제민 "자장면 줘." (제민이는 자장면을 아기 인형에게 먹이는 시늉을 한다.)

엄마 (아기 목소리로) "아이 배불러 맛있어. 냠냠."

제민 (자장면 주는 것을 멈춘다.)

엄마 "제민아 이제 안 주는 거야?"

제민 "응."

엄마 "왜? 이제 주기 싫어? 아니면 아기가 다 먹었대?"

제민 "다 먹었어."

엄마 "제민이가 아기를 잘 돌보네. 아기가 제민이 오빠를 좋아하는 것

같아."

이유를 물어보았을 때 아이가 대답하지 못할 경우 A 또는 B로 예시를 주어 아이가 대답할 수 있도록 유도한다. 대답을 할 수 있는 것은 논리적 연결을 시도한 것을 의미한다. 이때 한 예시는 반드시 말도 안 되는 것을 제시해서 아이가 긴장감 없이 수월하게 선택할 수 있도록 돕는다.

실생활에서 플로어타임
구체적으로 검토하기

모든 시간을 플로어타임으로

어펙션(Affection)의 기본 개념에 대해서는 앞서 정리한 바 있다. 그런데 플로어타임 실전편에서 또다시 강조하고자 한다. 한국에서 부모들에게 플로어타임을 코칭하면서 가장 힘들게 느껴지는 부분이 바로 어펙션이다. 그래서 필자는 가장 중요한 개념을 뽑으라고 하면 주저 없이 어펙션을 뽑는다.

겉으로 플로어타임을 흉내 내는 것은 금방 만들어진다. 그러나 겉모습으로 제대로 된 플로어타임인지 아닌지를 판단할 수 없다. 이때 가장 중요한 평가 지점이 어펙션이 살아 있느냐 없느냐이다. 어펙션이 살아 있고 풍부하게 차고 넘쳐야 진짜 플로어타임이 진행되는 것이다. 그래서 이 자리에서 좀 더 상세히 다루도록 하겠다.

플로어타임의 핵심, 어펙션(Affection)

　관계 안에서 흐르는 어펙션에 의해 아동의 두뇌는 지속적으로 발달한다. 플로어타임에서 가장 먼저 이해해야 할 것은 두말할 것도 없이 어펙트(Affect)이다. 어펙트는 접촉해서 흔적을 남긴다는 의미의 라틴어 아펙투스(afféctus)에서 나온 말이다. 어펙션(Affection, Affect의 명사형)은 신체의 한 체험적 상태에서 다른 상태로 전환하는 과정에서 느껴지는 강도(intensity)이고 이로 인해 신체의 행동 능력은 증가되거나 감소되기도 한다.

　이 어펙션은 영향을 주는 신체와 영향을 받는 두 번째 신체 사이의 만남 그 사이에서 일어나는 정보들의 상태를 의미한다. 사람으로 하여금 어떤 것을 하게도 하고 하지 않게도 만드는 느낌, 생각, 감정, 신체의 상태 등 그 모든 것들이다. 이것은 눈에 보이지 않고 측정도 잘 안 되는 것이지만 우리의 뇌를 발달시키는 데 있어 없어서는 안 되는 요소이다. 경험된 정보를 조직하고 방향을 바꾸어주기도 하며 깊이를 더하기도 하면서 이러한 과정들을 함께 묶는 접착제 같은 역할을 하는 것이 바로 이 어펙션이다. 어린 아동과 부모 사이의 어펙션이 충만한 관계란 그 내부에 감정-정서적으로 충분한 정보가 흐르는 관계라는 뜻이다. 이 관계 안에 흐르는 어펙션에 의해서 아동의 두뇌는 지속적으로 발달한다.

정동 vs 느낌 vs 감정

　어펙션은 특히 우리나라 부모들이 매우 이해하기 어려운 개념인 것

같다. 감정과 정서를 표현하는 것을 불필요한 일로 치부했던 우리나라에서 어펙션은 경험할 수 없었던 문화이기 때문에 더욱 그런 듯하다. 느낌과 혼동되기도 하지만 어펙트(Affect)는 느낌(Feeling)과 감정(Emotion)을 모두 포함하는 것으로서 '느낌'이 개인적이며 전기적(biography)이고, '감정'이 좀 더 사회적인 느낌이라면 어펙트는 전개인적인(prepersonal) 상태를 말한다.

예를 들어 어린아이가 뜨거운 주전자를 처음 만졌을 때 아이는 소스라치게 놀라면서 울거나 소리 지르거나 하면서 온몸으로 자신의 이야기를 한다. 이때 아동이 온몸을 다 이용하고 소리까지 내면서 전달하고자 하는 정보가 바로 어펙션(Affection)이다. 이때 "뜨거워."라고 '들은 정보'와 손에 느껴져 감각으로 등록되며 "뜨겁다."라고 느끼는 감각은 '느낌'이다. 어린 아동은 사전 등록된 감각이 없기 때문에 언어로 표현된 뜨겁다는 느낌을 알지 못한다. 따라서 처음에 아동이 뜨거운 주전자를 만졌을 때 아동이 전달하는 정보는 어펙션이다. 아이가 '뜨겁다'라는 느낌을 뇌에 저장하기 전 아이가 표현하는 것이 어펙션이라는 뜻이다. 즉 요약하자면 뜨겁다는 것은 첫째로 사전적인 개념이 있고, 둘째로 감각 기관이 느끼는 감각이 있고, 셋째로는 뜨겁다는 것을 전달하고자 동원한 소리, 표정, 몸짓으로 나타나는 어펙션이 있는 것이다.

부모는 표정과 목소리와 몸짓을 모두 더해 "이건 뜨거운 거야, 앗 뜨거워, 앗 뜨거워." 하면서 아이에게 이 느낌을 가르친다. 아이는 부모의 표정, 몸짓, 말소리 등 모든 것을(어펙션) 통하여 뜨거운 것이 어떤 느낌이라는 것을 정보로 등록하게 된다. 그 후 아이에게 "뜨거운 것을 만지면 안 돼!"라고 말했을 때 의미가 있다. 이렇게 어떤 느낌이 정보로 아동에게 의미 있게 등록되기 위해서는 아동이 부모에게 들은 말과 부모의 표정, 당시의 상황, 만졌을 때 뜨거웠던 감각 등을 청각과 시각과 촉감으로 통합하여 처리할 수 있어야 한다.

만일 이렇게 적절히 처리되지 않는다면 이 경험은 아동에게 유의미한 정보로 등록된 것이 아니다. 즉 뜨거웠던 느낌과 보았던 것, 들었던 것이 제각각 기억된다면 아동은 다음에 주전자만 보더라도 도망가고 무서워하던가 아니면 부모가 "뜨거우니까 이 컵은 만지지 마."라고 하는 말을 전혀 연상하지 못한다.

감정(emotion)은 개개인이 가지는 주관적 느낌을 투영하는 것이다. 그래서 느낌과 같을 수도 있고 다를 수도 있다. 어떤 사람은 뜨거운 물에 목욕하는 것을 행복해하고 어떤 사람은 뜨거운 물속에 들어가는 것을 혐오하는 것이 그 예다. 그런데 어린아이들의 경우 감정 표현을 하는 경우도 있지만 실제로 그런 감정을 느끼지 않거나 언어적으로 알아듣지 못한 채 자신의 어펙션으로 표현하는 것이 대부분이다.

유아의 어펙션은 보통 타고난 것이라 표정, 호흡, 자세, 음성을 통해 자신에게 부딪히는 자극의 강도를 표현할 수 있다. 따라서 우리는 아이들이 어펙션으로 자신의 감정을 표현한다고 이해하면 사실 맞는 것이다. 어펙션을 중요하게 여기는 것이 바로 이러한 이유이다. 어펙션은 아동이 스스로에 대해 전달하는 모든 메시지다. 우리가 아동을 이해하고 그 세계에 들어가기 위해서 우리는 아동의 메시지를 알아야 하기 때문이다.

어린아이들의 감정이 어펙션 그 자체인데 비해 어른들의 감정은 진정한 어펙션으로 해석하기 어렵다. 왜냐하면 성인들의 감정 대부분은 사회적인 기대를 반영하는 것이기 때문이다. 어른들은 개인적으로 마음에 들지 않는 것도 주변 사람들이 좋아하면 좋아하는 것처럼 표현한다. 아이들의 감정이 어펙션으로서 많은 메시지를 함축하고 있는 반면 어른들의 감정은 순수한 메시지라기보다는 의식적인 통제하에 있는 자신만의 느낌의 강도다.

따라서 어른들의 감정은 아이들과 일치하기가 어렵다. 그래서 어른들이 아이들에게 화를 내어도 아이가 그를 이해하지 못하는 상황이 발생하는 것이다. "아이가 제가 화내는 것을 몰라요. 화를 내고 있는데 전혀 모르나 봐요. 웃고 있어요." 상담 시 우리가 종종 부모들에게 듣는 이야기이다. 발달이 느린 아동들이 어른의 상황과 그 감정을 이해하지 못하는 것은 너무나 당연하다. 그들은 서로 다른 것을 바라보고 있을 뿐더러 사회적인 상황으로 만들어진 성인들의 사회적 감정을 아이들은 도저히 이해할 수 없다.

어펙션은 생각의 기초가 되며 행동을 일으키는 동기를 준다. 날카로운 것에 손을 베었을 때 피가 나지만 아무런 고통이 없다면 우리는 어서 치료해야지 하는 생각을 갖지 않는다. 그런데 고통을 느끼면 빨리 무언가를 해야겠다는 생각이 든다. 어펙션은 이런 것이다. 우리가 결정해야할 행동을 활성화하고 다음 행동을 일으키게 한다.

아이가 울어도, 넘어져 무릎에 피가 나도, 아이가 옹알이를 해도 무표정하고 무감각하게 대응하는 부모에게 양육 받은 아이들이 자라서 타인의 감정에 공감하지 못하고 그러한 상황에 매우 기계적이거나 이론적인 해답만을 도출하는 것은 당연하다. 감정이 풍부하고 표정이 풍부한 양육 환경에서 자란 아이들은 타인의 어려움이나 고통, 기쁨에 적극

자폐 아동을 위한 플로어타임 프로그램

적으로 반응하며 다양한 방식으로 문제해결과 확장이 가능하다. 풍부한 어펙션은 많은 정보의 습득을 가능하게 하며, 또 경험된 정보를 조직하고 방향을 바꾸어주기도 하며, 깊이를 더하기도 하면서 이러한 과정들을 한데 묶는 마치 접착제 역할을 한다. 어려운 것이 있어도 도전할 수 있는 힘을 주기도 하며 새로운 것을 만드는 힘이 되기도 한다.

뇌는 끊임없이 변화하고 발달한다. 인간이 하는 모든 결정은 뇌에서 나온다. 도전을 결정할 것인가, 포기할 것인가? 말을 할 것인가, 함묵할 것인가? 함께할 것인가, 혼자 숨을 것인가? 결정의 핵심에 어펙션이 있다. 그린스판 박사는 플로어타임을 하는 부모들에게 팬터마임을 많이 보고 배울 것을 권유했다. 즉 언어를 사용하지 않고 소품을 사용하지도 않은 채 감정과 정서를 전달하는 과정을 팬터마임에서 배울 수 있기 때문이다. 이 과정을 통하여 부모들이 바로 어펙션 넘치는 의사소통 과정을 배우길 원한 것이다.

언제나 플로어타임, 어디서든지 플로어타임

실생활에서 플로어타임을 실행하고자 할 때 종국적인 구호는 '언제나 어디서나 플로어타임'일 것이다. '언제 어디서나 플로어타임(Floortime All the Time)'은 최근 미국 ICDL에서 권장하는 캠페인이다. 그린스판 박사는 매일 20분간 최소 6번 집에서 플로어타임을 실행할 것을 기본으로 하였다. 그러나 몇 년이고 이런 생활을 지속하는 것은 쉽지 않다. 아이가 여럿이거나 부모가 모두 현업에 종사하고 있다면 현실적으로 거의 불가능에 가깝다.

이러한 현실성을 반영하여 부모들에게 대안을 제공한 것이 이 구호이다. 플로어타임을 하는 과정에 점차 익숙해지면 사실 생활 전반에서 아이를 대하는 법 자체가 플로어타임적으로 변하게 된다. 그렇게 된다면 특별한 시간을 할애하지 않는다 해도 언제 어디서나 아이를 플로어타임적으로 대할 수 있게 된다.

결국 우리는 '하루 2시간씩 플로어타임을!'이라는 구호에서 '언제 어디서나 플로어타임!'이라는 구호로 진화해야 한다. 실생활에서 이렇게 이루어질 수 있다면 정해진 시간에 하는 것보다 더 큰 효과를 기대할 수 있을 것이다. 이렇게 플로어타임을 실생활에 접목하는 한편 관련 기관에서 플로어타임 서비스를 받는다면 더 빠른 변화를 기대할 수 있다.

언제 어디서나 플로어타임을 실천하기 위해서는 몇 가지 조건이 필요하다.

첫째로 가장 중요한 것은 엄마와 아빠가 철저히 바뀌어야 플로어타임이 가능하다는 사실이다. 언제 어디서나 플로어타임을 한다는 것은 수업 시간에 아이 중심이 되는 것만으로는 불가능하다. 부모의 일상적인 행동이 플로어타임적인 행동으로 바뀌어야만 가능한 것이다. 그러자면 부모들은 생각도 생활습관도 모두 아동 중심적인 사고방식으로 다 바꾸어야만 한다.

특히 한국적 교육관을 머릿속에서 빼내 멀리 버리는 것이 중요하다. 그리고 아동 중심적인 교육관으로 탈바꿈이 필요하다. 아이는 이래야 하고 저래야 한다는 식의 규정과 어른은 아이를 가르치는 사람이라는 유교적인 생각 자체를 버려야 한다. 아이는 있는 그대로 귀중하며 아이의 행동은 항상 가치 있는 것이기에 우리가 할 일은 아이가 원하는 것을 도와주는 것이 최선이라는 사고방식으로 완전히 탈바꿈하는 것이다. 그래야만 우리는 특별한 노력과 주의가 없어도 아이를 플로어타임적으로 대할 수 있게 된다.

플로어타임은 아이를 바꾸는 과정이 아니라 부모를 바꾸는 과정이다. 바뀐 만큼 부모는 아이에게 제대로 된 플로어타임을 실행할 것이고, 부모가 그렇게 플로어타임을 실행하는 만큼 아이들의 영혼은 풍성해지고 자유로워질 것이다.

둘째로 지적할 것은 의무적인 플로어타임은 실패한다는 것이다. 부모가 즐기지 못하는 플로어타임은 실패한다. 부모는 아이가 하는 놀이 속으로 들어가 아이보다 더 즐겨야 한다. 플로어타임은 아이와 함께 즐기는 과정이다. 같이 하는 부모가 이 과정을 즐기지 못하고 의무감과 부담감을 느낀다면 플로어타임을 진정으로 지속하기 어려울 것이다.

아이와 함께하는 플로어타임을 지속하기 위해서는 부모도 아이의 놀이에 재미를 느껴야 한다. 놀이 속에서 아이가 느끼는 재미를 부모도 같이 느껴보려고 노력하자. 우리들 모두의 내면에는 동심이 여전히 살아 있다. 부모라는 의무감을 훌훌 털어버리고 어린아이가 되어보자. 내 아이의 또래 친구가 되자. 그리고 아이의 놀이 속에서 엄마가 더 재미있어 하고 즐거워해보자. 그러면 아주 자연스럽게 아이들은 놀이 속으로 따라 들어올 것이다.

실생활 규칙과 준비물

식사 시간 하루 중 한 번의 식사 시간을 선택해서 가능한 많은 종류의 음식을 준비하고 충분한 시간 동안 아이와 함께 음식을 즐긴다. 음식의 종류, 다양한 접시나 그릇, 크기가 별다른 포크나 수저 등 다양한 것들을 준비하고 아이가 선택하고 사용하게 해본다. 부모의 요구나 안내는 배제하고 아이의 주도에 따라야 하는 것은 필수다.

간식 미리 제공하지 않기 아이가 좋아하는 간식의 사진이나 그림을 아이가 잘 볼 수 있는 곳에 크게 붙여둔다. 간식을 먼저 제공하지 않고 아이가 사진이나 그림을 선택하여 간식을 달라는 표시를 하기를 기다려본다.

옷 골라 입기 아이에게 자유롭게 옷을 골라 입거나 벗을 수 있는 시간을 준다. 어려울 때 슬쩍 도와주는 것 외에 어떤 지시나 권고도 하지 않고 아이의 모습을 즐겁게 지켜보자.

목욕할 때 다양한 목욕 놀이 장난감과 버블, 브러시 등을 준비하고 스스로 즐기게 한다.

아침에 일어나서 아무것도 제안하지 않는다 언어를 할 수 있는 아이라면 스스로 일과를 계획할 수 있도록 하는 것은 매우 좋은 방법이다. 아이가 말을 하지 못하더라도 무언가 의사표시를 할 때까지 기다린다. 이것은 주말에 부모가 모두 집에 있을 때 할 수 있다. 하루 동안 아무 제안 없이 아이를 바라보면서 아이의 주도적 표현을 기다려보자.

잠자기 전 잠자기 전에 따뜻한 수건이나 우유 등으로 아이를 편안히 해준다. 아이가 원하는 곳을 쓰다듬어주거나, 마사지 또는 긁어주

자폐 아동을 위한 플로어타임 프로그램

는 것도 좋다. 반드시 아이가 요구하는 것을 실행해주는 것이 중요하다.

외출할 때 엘리베이터 버튼은 누가 누를 거야? 우리는 몇 층에 갈까? 아빠 차는 어디에 있지? 누가 찾아볼까? 어떤 음악을 들을까? 어디에 앉고 싶어? 벨트는 누가 맬까? 등등 질문을 통해 아이에게 주도권을 주도록 노력한다.

장난감 사기 아이가 장난감을 인지한다면 장난감 가게에서 자유롭게 구경하도록 하고 본인이 장난감을 선택할 수 있도록 도와준다. 아이가 표현하는 단서를 잘 잡아내야 하기 때문에 어떤 제안도 하지 않더라도 아이를 주의 깊게 바라보아야 한다.

포기하지 않고 여러 번 실행하기 위에 제안한 것들이 어쩌면 처음에 이루어지지 않을 수 있다. 아이들이 기억하고 있는 지난 경험들 때문이다. 처음에 실패하더라도 몇 번을 시도하여야 한다.

실생활에서 문제해결 유도하기

- 아이가 늘 앉는 식탁 의자를 미리 원래 위치보다 약간 멀리 두거나 수저, 포크 등을 미리 놓아두지 않는다.
- 음료수 병을 줄 때 미리 뚜껑을 따서 주지 않고, 과일 간식을 줄 때도 미리 껍질을 까거나 봉지를 뜯어주지 않는다.
- 식탁 위에 물컵을 엎어놓는다.
- 옷을 입을 때 일부러 거꾸로 주거나 다른 사람 옷을 준다.
- 양말을 손에 끼우거나 아이의 양말을 엄마나 아빠가 신는 모습을 보여준다.

- 목욕이나 집에서 물놀이를 할 때 물을 받아 놓지 않고 "물놀이 하자~"라고 부른다.
- 아이의 신발을 다른 사람의 것과 섞어놓는다.
- 외출할 때 아이에게 어른 신발을 준다.
- 좋아하는 장난감들의 위치를 바꾼다.
- 아이에게 빨대나 포크 등을 줄 때 여러 개를 고무줄로 묶은 채로 준다.
- 두세 개의 퍼즐 판을 섞어놓는다.
- 아이가 좋아하고 늘 찾는 것들을 엉뚱한 곳에 놓아둔다.

플로어타임 놀이에서 제안하는 놀잇감 준비물

- 음식물 모형과 주방 놀이 도구, 전화기, 카트
- 기차, 미니카(10개 이상), 트럭, 포클레인 등 중장비, 비행기, 배, 버스 장난감
- 각종 표지판, 길, 빌딩, 나무, 꽃 모형
- 아기 인형과 엄마, 아빠, 할머니, 형제 등 가족을 표현할 수 있는 인형
- 의사, 간호사, 경찰 등 각종 직업을 나타내는 인형
- 목욕 놀이를 위한 다양한 물놀이 장난감, 스펀지, 빈 병(큰 것, 작은 것)
- 공룡, 곤충 등 동물 피규어
- 그림을 그릴 수 있는 커다란 종이나 보드, 크레용, 색연필, 핑거페인팅, 클레이 브러쉬

자폐 아동을 위한 플로어타임 프로그램

- 그림책, 알파벳, 숫자, 한글 마그넷이나 카드
- 크기가 다양한 나무 블록이나 플라스틱, 종이 블록
- 다양한 크기의 공, 짐볼, 튀는 공, 붙는 공, 불빛 나는 공, 소리 나는 공
- 색깔 테이프, 풀, 고무줄, 보자기, 커다란 담요, 커다란 박스, 다양한 크기의 박스(사각, 원통 등), 끈, 쿠션, 빈 백

4장

플로어타임과
언어치료

플로어타임에 열정을 보이는 부모나 치료사가 쉽게 가지는 의문은 사회적인 기능은 언제 어떻게 가르칠 것인가이다. 대표적인 사회성 기술은 사회적 자조 기술과 언어능력일 것이다. 플로어타임으로 놀아만 주다보면 이런 실질적인 기술 습득은 늦어질 것 같은 불안에 시달리게 된다. 그리고 플로어타임에는 이런 기술 습득 과정이 없다고 성급한 착각을 하기도 한다.

그러나 이는 오해다. 플로어타임은 단순 놀이법이 아니다. 아동이 스스로 사회적 기술을 습득할 수 있도록 자주적인 발달을 유도하는 발달치료 과정이다. 그러므로 자조 기술이나 언어치료에 대한 자체 프로그램이 존재한다. 이 책에서는 가장 민감한 문제가 되는 언어치료 부분만 간단히 다루고자 한다.

ABLC 개괄 소개

그린스판 박사는 2005년 플로어타임을 이용한 언어치료법을 소개한 책을 출판하였다. 책 제목은 『정서에 기반한 언어치료 커리큘럼』으로 원제는 *The Affect-Based Language Curriculum*이고 약자로 'ABLC'다. 380쪽에 달하는 방대한 양의 책이다.

이 책의 목적은 아동이 '기분 좋은 상호작용을 포함한 정서와 참여'를 통하여 언어발달을 이루도록 돕는 것이다. 그린스판 박사는 이 책에서 아동의 사회성발달단계에 맞게 등장해야 할 언어능력을 정리하였고, 언어발달을 유도하기 위하여 언어 시도를 촉진시킬 수 있는 반구조화된 플로어타임법을 소개하였다. 또한 발달장애 아동에게는 아주 특별하게도 구강감각 발달을 정상화하기 위한 감각적인 발달치료가 개입되어야 함을 강조하고 구강 자극법을 필수적인 프로그램으로 소개하였다.

언어발달과 사회성발달의 관계

그린스판이 언어발달 치료에서 플로어타임적인 접근법을 만들게 된 이유는 언어발달의 주된 동력이 '기술로서의 언어능력'이 아니며, 언어발달에는 사회성발달이 선행한다는 것이 명확하기 때문이다. ABLC 서문에는 다음과 같이 쓰여 있다.

> "정서와 참여가 언어기술의 발달을 가져다주는 가장 기본적인 연료라는 것을 깨달은 후에 우리는 이 이론을 따르는 혁신적이고도 독특한 과정을 만들기로 했다."

즉 언어기술은 사회성발달에 따르는 도구라는 것이다. 인간은 사회성발달에 따라 다른 인간과 의사소통을 시도하는데 낮은 수준은 비언어적인 의사소통에서 시작하는 것이다. 비언어적인 의사소통이 충분히 성숙한 다음에 보다 복잡한 '논리적인 상황 전달'을 목적으로 언어가 출현하게 되는 것이다. 언어를 이용하면 보다 간명한 의사소통이 가능하기 때문이다. 결국 '언어기술'이란 사회적 의사소통 능력의 발달의 산물인 것이다.

이런 이유로 그린스판 박사는 '언어기술' 출현의 단계에 적합한 사회성의 발달을 선행시켜야 한다고 주장하였다. 사회성발달의 동력은 앞서 플로어타임 이론에서 반복적으로 강조한 바와 같이 '정서의 교류', '아동의 주도적인 참여'이다. 그러므로 그린스판 박사는 언어기술을 발달시키는 원동력도 '정서와 참여'라고 한 것이다.

자폐 아동을 위한 플로어타임 프로그램

사회성발달을 선행해야 한다는 ABLC의 언어치료법은 전통적인 언어치료법과 명백한 차이가 있다. ABLC의 언어치료법은 무엇보다 아동과 정서적 교감을 나누며 의사소통을 하는 플로어타임 과정을 만드는데 주의를 기울인다. 언어치료에서 아동과의 상호작용의 중요성을 강조하며 그린스판 박사는 다음과 같이 언급했다.

> "각각의 발달단계에서 우리는 아이가 새로운 언어기술을 배우기 전에 즐겁게 활동에 참여할 수 있는 환경을 만드는 것에 주의를 기울였다. 또한 매 단계 언어치료에서 부모나 치료사는 아이와 정서적인 의사소통을 만들고 유지해야 한다."

그린스판 박사는 감정-정서의 상호작용에 기초한 언어치료는 단순하게 언어기술만 출현시키는 것이 아니라 복잡한 논리적 언어능력, 화용적인 언어능력을 발달시킬 수 있다는 것도 강조하였다. 자폐스펙트럼장애의 치료에서 '언어기술'을 발달시킬 때 가장 어려운 것은 화용 능력과 논리적 능력을 키우는 것이다. 사회성 부족으로 화용적 능력이 근본적으로 부족하다 보니 기계적인 사고방식에 갇힌 아이들이 많기 때문이다.

그러므로 자폐스펙트럼장애의 언어치료는 단순히 의사소통하는 발화 능력을 키우는 것에 한정되지 않는다. 화용적인 논력력을 발전시키는 과정까지 포함하고 있다. 그린스판 박사는 논리력과 화용성 있는 언어능력을 키우는 것은 상호작용의 단계를 7, 8, 9단계까지 발달시키면서 언어치료를 진행해야 가능하다고 했다. 아래는 이와 연관해서 ABLC에서 지적한 내용이다.

"이 연구에 나타난 ABLC 프로그램은 언어발달의 요점을 '의미 있는 감정적 상호작용'을 확장하고 체계화하는 데 두고 있다. 아동이 어떻게 참여하고 상호작용하며, 의미 있게 의사소통하는지를 중요시한다. 그리고 언어능력과 사고력의 발달뿐 아니라, 창의성과 논리성 있게 상황을 이해하는 능력을 키우는 것에 중심을 두고 있다."

결국 '언어기술'을 가르치기 전에 '사회적 상호작용' 능력을 키워주고, '언어기술'을 가르치기 전에 '감정-정서의 교류'를 유지해야 한다는 것이다. 그리고 화용성 있고 논리성 있는 '언어기술'의 발달을 위해서는 '창의성과 논리성 있는 상호작용'이 선행되어야 한다는 것이다.

구강감각 발달과 언어의 관계

그린스판 박사가 주창한 ABLC 프로그램의 주요한 특징은 언어치료 프로그램 중 '구강감각 발달 프로그램'을 필수적인 프로그램으로 제시했다는 점이다. 자폐스펙트럼장애 아동에게서 나타나는 언어 지연의 원인 중 가장 큰 것이 '사회성발달 지연'이라면 두 번째 원인은 '구강감각 발달장애'다. 만일 구강감각이 언어를 구사하기에 문제가 없는 아동이라면 '사회성발달'만으로도 언어는 특별한 치료나 개입 없이 자연스럽게 출현한다. 우리는 실제 치료 현장에서 언어치료 없이 언어가 유창하게 출현하는 많은 아동을 경험하였다. 그러나 사회성발달에도 불구하고 언어출현이 지연된다면 이는 '구강감각 발달장애'가 근본 원인인 것이

자폐 아동을 위한 플로어타임 프로그램

다. 이런 현상을 ABLC에서는 다음과 같이 지적하였다.

"빨거나 삼키거나 깨물거나 씹는 데 어려움을 보이거나, 적당한 양의 음식을 먹기 어려워하거나 음식에 대한 혐오를 보이는 등 먹는 것에 대한 어려움을 보이는 모든 아동과 나이에 맞는 소리를 내지 못하는 아동들은 이런 문제들을 다루는 구강 운동 평가를 받아야 한다."

즉 입을 이용한 다양한 동작에 어려움을 나타내는 아이들과 음식 섭취에 곤란이 있는 아동들은 구강감각장애가 있는 것이다. 그러므로 이런 경우는 구강감각장애를 해결해야 언어의 출현이 이루어질 수 있다고 하였다. 이때 다양한 평가가 필요하다고 지적하였는데 그중 대표적인 구강감각장애가 '구음장애'와 '통합운동장애'다. ABLC에서 다룬 내용을 축약하면 다음과 같다.

구음 장애 조음기술, 발성기술, 호흡기술을 감소시키는 근육의 약화가 있다. 이런 문제가 있으면 주로 나타나는 현상은 침을 흘리는 것이다. 또한 이 영역에 문제가 있으면 아동의 섭식에서 이상이 발생한다.

통합운동장애 말하는 소리를 내기 위해서는 턱, 입술, 혀의 움직임을 실행하고 계획을 세울 능력이 필요하다. 이런 능력에 문제가 있는 아동은 단어를 한 번 말하고는 절대 다시 말하지 않는다. 그들은 끊임없이 계획하고 말하기 위해 필요한 운동 패턴을 복제하는 데 어려움을 겪고 있다.

그린스판 박사는 구강감각장애가 있는 아동은 사회성발달과 함께 구강감각의 발달을 정상화하기 위한 감각발달치료를 지속해야 한다고 강조했다. 이를 위해서 예시한 활동 중 대표적인 것들은 얼굴 마사지, 구강 마사지, 피리 불기, 비눗방울 불기, 빨대 사용하기 등이다.

응용된 플로어타임과 어휘의 확장

이 과정은 언어치료와 플로어타임을 결합하는 과정이다. 즉 아동의 언어발달단계에 맞춰서 유도해야 할 발성이나 단어가 있다면 그것을 플로어타임 과정에 나타날 수 있도록 하는 것이다. 이런 과정을 잘 유도하기 위하여 특정한 소품이나 장치를 이용하여 플로어타임을 기획하는 것이다.

아동이 우유라는 발성을 다양한 방식으로 발성하고 논다면 이를 플로어타임 과정에서 적절한 언어 사용으로 경험시키는 과정을 기획하는 것이다. 그를 위하여 인형에게 우유 먹이는 놀이를 기획하고 아동의 자발적 참여를 유도하여 플로어타임을 진행하는 것이다. 그리고 과정 중에 "우유를 먹일까?", "우유를 먹여봐.", 우유병을 가리키며 "이게 뭐지?" 하고 묻는 등 우유라는 발성이 언어로 작용하도록 플로어타임을 구성하는 것이다. 이를 '응용된 플로어타임'이라고 하는데 기획안이 개입되다 보니 주로 반구조화된 놀이를 이용하는 것이 용이하다.

이때 응용된 플로어타임은 주로 아동이 실제 낼 수 있는 언어를 위주로 하여 진행하는 것이 좋다. 또한 놀이의 기획도 아동이 즐겁게 참여할 수 있는 놀이로 이미 익숙한 놀이를 약간 변형하는 것이 좋다. 그래야만 아동이 준비된 놀이를 즐기면서 언어를 적절하게 배치하는 발성을 시도할 수 있다.

'어휘의 확장'은 아동의 언어발달에서 다음 단계의 언어 출현에 필요한 발음이나 언어를 놀이 중에 배치하는 것이다. 그래서 플로어타임 과정에 새로운 언어에 도전할 수 있는 기회를 가지도록 하는 것이다. 이 과정은 아동이 발화할 수 있도록 유도하는 충분한 도움 장치들이 필요하다. 예를 들어 부모가 놀이 중 발성을 먼저 하는 과정을 넣어 아이가 따라 하는 놀이를 유도하거나, 아니면 특정한 발성이 나오는 음성플레이어를 이용하거나 발성을 연상할 만한 특정한 물건을 보여주어도 좋다.

ABLC를 관통하는 개념은 정서발달에 기초한 사회성발달, 구강감각통합과 조음 능력 발달, 그리고 언어 자극을 주기 위한 응용된 플로어타임 과정이다. 언어기술을 직접 강조하는 전통적인 언어치료법과는 차이가 있지만, 언어발달을 단계적으로 유도하는 전통적인 언어치료법의 정신이 그대로 반영되어 있다. 그렇지만 여전히 가장 중요한 점은 강요된 언어발달을 하는 것이 아니라 아동이 주도하는 언어발달 과정임을 그린스판 박사는 강조하고 있다.

플로어타임을 적용한 언어치료 현황과 실제

플로어타임적인 언어치료법은 플로어타임 과정을 위주로 하며 전통적인 언어치료를 보조적으로 결합하길 권유한다. 우리는 장시간 수많은 발달장애 아동들에게 플로어타임을 진행하며 전통적인 언어치료만으로는 얻기 힘든 성과가 만들어지는 것을 확인했다. 다음은 언어치료에 대한 잘못된 시각이 교정되는 것을 돕기 위하여 언어치료에서 중요한 몇 가지 이슈를 가볍게 다루어 보겠다.

반향어가 없는 아이들
― 자폐증 반향어의 문제점과 극복 방법

우리가 플로어타임을 진행하며 놀라게 되는 것은 자폐 아동인데 반향어가 안 생긴다는 것이다. 보다 정확하게 말하자면 플로어타임 과정을 통하여 언어발달이 이루어지는 아동들은 반향어 관찰이 안 된다는 것이다. 반향어는 자폐증의 언어 특성을 이야기할 때마다 빠질 수 없는 내용 중 하나다. 자폐 아동을 실제 치료 현장에서 만나보면 반향어를 보이는 아이들을 흔히 확인할 수 있다. 자폐 아동에게 자주 관찰되다 보니 으레 자폐 아동이라면 반향어를 하는 것으로 생각하는 부모들이 많다.

심지어는 자폐증을 치료한다는 치료사가 언어발달 과정에서 필수적으로 반향어를 거치는 것이라고 주장하는 경우도 있다. 무발화 자폐 아동은 반향어 과정을 거친 이후에 자발어로 갈 수 있다며 이를 무슨 공식같이 주장하는 경우도 있다. 무발화 아동에게 반향어가 나오게 만든 것을 큰 성과인 양 오도되기도 한다.

그러나 이것은 매우 잘못된 생각이다. 반향어는 매우 비정상적인 언어발달의 결과다. 정상 아동에게서도 언어발달 초기에 반향어가 관찰되기도 한다. 그러나 이는 아주 짧은 시기에만 관찰되며 곧 소실되고 만다. 일정 기간 지속적으로 사용되는 반향어는 정상발달 과정의 결과가 아니다. 대부분은 부모나 치료사가 언어 모방을 강하게 압력하는 것을 반복할 때 강압에서 오는 긴장을 피하기 위한 언어습관으로 등장하는 것이다.

프리잔트(Barry M. Prizant)는 상호작용의 효과가 없는 반향어는 공포나 통증의 표현이거나 자신의 동작이나 행동을 조절할 목적으로 발생한다고 했다. 즉 장기간 반복되는 반향어란 언어기능으로 사용되는 것이 아니라 긴장 해소용으로 사용되고 있는 것이다.

리델(Patrick J. Rydell)과 미렌다(Pat Mirenda)는 1994년 발표한 논문에서 부모가 제약을 가하는 행동이나 말을 할 때 아동에게서 반향어가 자주 관찰된다고 보고하였다. 플로어타임을 이용한 자폐스펙트럼장애 치료를 정식화한 그린스판 박사는 사회성발달의 왜곡이 있을 때 반향어가 등장한다고 하였다.

결국 자폐 아동에게 반향어의 언어습관이 등장하고 고착되어 있다면 이는 그 이전 과정에 문제가 있었음을 증명하는 것이다. 아동에게 언어 발화를 요구하는 강한 압력이 있었고 자폐 아동은 그로 인하여 고도의 스트레스를 겪었음을 보여주는 것이다. 이후 아동은 어려운 동작을 하거나 긴장, 불안, 공포 등을 느낄 시 조건반사같이 반향어를 나타내는 것이다.

가장 좋은 치료는 반향어가 나타나지 않는 치료이다. 반향어가 나타나지 않은 채 언어발달이 이루어진다는 것은 사회성발달이 선행된 이후 언어발달이 결합된 것이다. 또한 부모나 치료사가 강압이 아니라 애정 넘치는 상호작용을 통하여 자연스러운 언어습득이 이루어지도록 했기 때문이다.

그렇다면 반향어가 나타나고 고착된 자폐 아동은 어떻게 치료할 것인가? 답은 두 가지 방면에서 찾아야 한다. 첫째로는 다시 낮은 수준의 사회성발달 과정을 겪는 플로어타임을 거쳐야 한다. 치료사나 부모와 애정 넘치는 관계에서 감정적인 교감이 지속되는 과정을 거쳐야 한다. 이후 언어를 도구로 사용할 수 있는 사회성발달단계 4단계 이상의 수준으로 아이를 끌어올려야 한다.

둘째로는 언어 강압을 제공하였던 당사자인 부모나 치료사가 아이와 애정 넘치는 새로운 수준의 관계 맺기를 시도해야 한다. 아동 중심적인 상호작용을 누적하기를 반복해야 아이는 언어 자체에서 오는 긴장감과 공포를 심리적으로 해소할 수 있다.

반향어가 고착된 경우 오히려 무발화증보다 치료에 대한 반응이 더딘 경우가 많다. 반향어 자체가 심리적인 트라우마를 겪은 결과이기 때문이다. 반향어를 없애는 과정 자체가 사회성 치료 과정이면서 과거의 트라우마에 대한 치유 과정까지 결합되어야 하기 때문이다.

무발화 자폐 아동의 언어치료
─강압적 발화? 인간적 발화?

자폐 아동의 상당수는 무발화 상태다. 통계에 따라 차이가 있지만 적은 경우는 자폐증 진단을 받은 아이 중 30%가량이 무발화이며 많은 경우 50%까지도 조사된다. 이렇게 통계적으로 차이가 있는 것은 아마도 자폐 아동의 연령과 상관이 깊은 것으로 추정된다. 무발화였던 자폐증이라도 점차 나이를 먹어가며 발화가 되고 초보적인 언어발달이 이루어지는 경우가 많기 때문에 연령이 낮은 자폐증 아이들을 대상으로 하면 무발화 비율이 높게 나타난다.

무발화 자폐 아동을 둔 부모들은 마음이 급해지기 마련이다. 어떻게든 아이가 언어를 흉내더라도 발화가 이루어지기를 희망하기에 단순하지만 강력한 방법을 쓰게 된다. 엄마, 아빠, 물, 밥, 과자 등 자주 쓰는 단어를 모방하여 따라 할 것을 끝없이 요구하는 것이다. 아이가 따라 하지 않으면 부모는 화를 내기를 반복하고 아이가 따라 하게 되면 격한 칭찬이 따르게 마련이다.

이런 방법은 매우 단순하지만 극히 효과적이다. 자폐 아동은 끝없는 압력에 고통을 느끼기에 이 과정을 피하기 위하여 가능한 한 반응을 하기 때문이다. 이런 방법이 체계화되어 ABA라는 행동치료적인 언어치료법이 주류를 이루게 되었다. 이런 치료법은 강하게 아동을 압박하는 방법을 선호하게 되기 마련이다. 자폐 아동이 고통스러울수록 발화가 잘되고 보상이 강력할수록 발화가 잘되기 때문이다.

자폐 아동의 ABA 치료법을 최초로 정립한 UCLA의 로바스 박사는 놀랍게도 전기충격까지 사용하기도 했다고 한다. 즉 요구하는 행동 반응이 나오지 않을 때 징벌적인 방식으로 전기충격을 가했다고 한다. 아동에게 더 강력한 반응을 유도하기 위하여 더 강력한 압력 방식을 만들다 보니 어이없는 아동학대까지 이루어지게 된 것이다.

지금 자폐 아동에게 가해지는 무자비한 전기충격은 사라지고 없다. 그러나 자폐 아동에게 끝없이 발화 압력을 가하는 강제적인 발화유도법은 여전히 한국에서 유행하고 있다. 특히나 전통적인 치료법에서 일탈된 아동학대적인 치료법이 유행인 듯하다.

폭력만이 압력이 아니다. 압력의 방법은 다양하다. 전기충격 대신에 무관심, 무반응이라는 방법으로 압력을 가한다. 화를 내지는 않지만, 아이가 반응할 때까지 끝없이 반복적인 언어 모방 요구를 진행한다. 유화된 방법으로 완화되기는 했지만, 자폐 아동에게는 여전히 폭력적인 접근법일 뿐이다.

폭력적인 방법이지만 극단의 순간에 몰리면 자폐 아동은 무발화를 깨고 발화를 한다. 의도하지 않았지만 자폐 아동을 둔 부모들은 대부분 경험이 있다. 목이 말라 힘든 아이의 요구를 무시하고 물을 장시간 안 주면 극단에 몰린 아이가 갑자기 "물!" 하고 외마디를 치게 된다. 놀라서 물을 주게 되면 다시 아이는 무발화 상태의 침묵으로 빠지곤 한다. 이런 극단의 상태를 반복하고 지속한다면 자폐 아동이 발화하는 횟수가 늘고 언어적인 표현이 증가하게 될 것이다. 무엇이 옳은 것일까?

한 가지 분명한 점은 있다. 이렇게 강압적인 경험을 통하여 발화가 이루어진다면 아동의 언어는 자연스러운 교감을 나누는 대화 능력이 향상되는 것이 아니라 로봇같이 말하는 단순 언어 기능만이 나오게 된다. 이것은 자폐스펙트럼장애가 치료되는 과정이 아니다. 단순하게 말이 나오게 만들었을 뿐이다.

자폐가 치료된다는 것은 인간과 인간 사이에 풍성한 상호작용이 증가하게 되는 것이다. 그러므로 자폐 호전의 정도를 평가하는 데서 가장 중요한 것은 언어 자체의 기능적 출현이 아니다. 비언어적인 의사소통이 활발해지는 것이 더 중요하다. "엄마!"라는 말을 흉내 내는 것보다 더 중요한 것은 엄마를 바라볼 때 다정한 표정, 애정 넘치는 눈빛, 애정을 주고받는 몸짓 등이 나타나는 것이다.

나는 속된 말로 이런 현상을 '무표정하고 무관심하던 아이가 엄마를 보고 꿀 떨어지는 표정을 짓는 아이로 바뀐다.'라고 표현한다. 풍부하게 감정 교류를 할 수 있는 아이로 변한다는 것은 아동이 자폐를 벗어나고 있다는 증거가 된다. 언어의 출현은 그다음에 나타난다. 비언어적인 의사소통이 활발해진 이후 아동은 의사소통을 더욱 원만하게 하기 위하여 부모의 언어를 모방하기 시작하는 것이다. 이때가 돼서야 자연스러운 언어, 애정 넘치는 언어인 인간적인 발화가 출현하게 된다.

비언어적인 의사소통이 애정 넘치게 이루어지게 된 자폐 아동이 무발화로 머무는 것을 본 적이 없다. 시간이 빠르고 느린 차이가 있지만 감정-정서 교류를 활발하게 이루게 된 아동은 결국은 말을 하게 된다. 강압적인 발화유도가 아니라 자연적이며 인간적인 방법으로 발화에 도달하게 하는 것이 가장 바른 치료법이며, 그것이 플로어타임에 기초한 무발화 아동의 언어치료법이다.

인간적인 언어치료를 향하여

이제 긴 글을 마쳐야 할 시간이다. 플로어타임을 하며 수많은 자폐 아동을 만났다. 이 과정에서 가장 기쁜 일은 아이들이 좋아지는 모습을 지켜볼 때다. 눈도 맞추지 못하고 호명 반응도 안 되어 종일 혼자서 멍하니 지내던 아이가 엄마와 말을 주고받고 대화까지 하게 되는 과정을 지켜보는 것은 정말 감동이다.

그런데 실은 기쁨보다 슬프고 고통스러운 일이 더 많다. 가장 큰 고통은 자폐증에 대한 잘못된 이해와 잘못된 치료가 넘쳐나고 있는 현실을 지켜보는 것이다. 효과 없는 치료를 받는 아이들도 많지만 더 문제가 되는 것은 비인간적인 치료를 받는 아이들 역시 많다는 것이다. 노골적인 폭력에 노출된 아이들도 있고 치료라는 이름의 폭력을 강요당하는 아이들도 많다. 더 기막힌 사실은 수많은 부모들이 이런 폭력적인 치료를 선호하며 찾고 있는 현실이다.

상황이 이렇다 보니 자폐 아동을 치료하는 과정은 실은 부모의 잘못된 인식을 교정하는 과정인 듯하다. 부모의 의식이 바뀌지 않으면 아이의 치료도 불가능하다. 여러 가지 잘못된 인식 중 가장 문제가 되는 것은 언어능력이 떨어진다는 이유만으로 아이를 바보 취급하는 것이다.

언어 지연을 이유 삼아 아이를 바보 취급하는 부모나 치료사가 있다면 꼭 칼리 이야기를 들어보길 바란다. 여러 경로로 잘 알려진 이야기다. 한마디 말도 못 하던 무발화중의 칼리가 어느 날 컴퓨터 자판으로 대화하는 법을 배우더니 유창한 문장으로 글을 쓰고 글로 대화를 할 수 있었다는 이야기. 말 한마디 못 하는 칼리였지만, 그 머릿속에는 제대로 된 생각이 넘쳐났던 것이다. 다만 그 생각을 혀로 입으로 말로 옮기지 못한 것뿐이었다. 칼리는 입 대신 컴퓨터로 혀 대신 손가락으로 언어를 표현하면서 유창한 문장을 쓰는 작가로 데뷔까지 하며 세상을 놀라게 했다.

칼리는 이야기했다.

"세상 사람들은 내가 말을 못 한다는 이유만으로 저를 바보 취급했어요."

칼리는 말 자체를 못 하는 것이 아니라, 말이 마음속에 머릿속에 가득 차 있지만 단지 입 밖으로 꺼내지 못한 것이다. 우리는 이를 보면서 역으로 생각을 해봐야 한다.

'칼리는 얼마나 외롭고 고통스러웠을까?'

칼리만 그런 것이 아니다. 말 못 하는 자폐 아동을 기르는 부모만 힘든 것이 아니다. 자폐 아동들도 자신의 마음을 전달하지 못해 힘들어

한다는 것을 이해해야 한다. 그래야만 자폐증 아이들을 제대로 치료할 수 있다. 자폐증 아이들의 애절한 마음을 이해하고 그 마음과 하나 되는 인간적인 교감을 나누어야만 아이들은 언어발달을 하나씩 이루어갈 수 있는 것이다.

플로어타임이 제기하는 언어치료법은 강제적으로 주입하는 언어치료법이 아니라 교감을 나누는 과정을 중시하는 치료법이다. 이것을 단지 플로어타임 접근법이라고만 부르는 것으로는 부족하다. 나는 플로어타임의 언어치료법을 가장 인간애가 넘치는 인간적인 언어치료법이라 부르고 싶다.

다음은 ICDL 홈페이지에서 공개적으로 제공하는 플로어타임용 차트들이다. 이 차트를 이용하면 아동의 상태를 분석하는 데 도움이 될 것이다. 그러나 가정에서 플로어타임을 진행하더라도 초기에는 전문가의 도움을 받아 프로파일링 과정을 거쳐서 아동의 상태를 이해하고 계획 수립까지 하는 것을 권유한다.

관계 및 의사소통의 뇌발달적 장애 – 기능적 정서적 발달 수준

NDRC – NEURO-DEVELOPMENTAL DISORDERS OF RELATING & COMMUNICATION
- FUNCTIONAL EMOTIONAL DEVELOPMENTAL LEVELS

아동명 : _____   양육자 : _____

	1	2
최고 레벨(1–6)까지 선 그리기 더 강하고 질적으로, 평가가 높을수록	전혀 나타나지 않음	거의 나타나지 않음
기능적 능력		
I. 자기조절 및 관심 광경과 소리를 듣고 공동 관심을 유지함		
II. 친밀함과 관계 다른 사람에게 애착을 느끼거나 감정을 통해 연결되어 있음		
III. 의도 전달을 위한 정서 사용–양방향 의사소통 요청할 경우 상호작용이 이루어짐		
IV. 행동적인 조직 문제해결 사회적 문제해결을 위해 사람들과의 정서적인 상호작용의 지속적인 흐름		
V. 상징적인 것을 만들어냄 아이디어와 감정적인 주제를 나타냄		
VI. 감정적인 사고 논리적–추론 아이디어를 연결하고, 정교하게 만들고, 시간과 공간을 인지 하고, 행동, 동기를 표현할 수 있음		

1–4 : 아동이 양육자의 도움이 필요함.

자폐 아동을 위한 플로어타임 프로그램

이 부분은 아동의 사회성발달단계를 추정하기 위한 차트다.

안내에 따라 체크를 하면 아동발달 상태의 단계와 균형 정도를 추정할 수 있다.

조사관 : _____ 날짜 : _____ 진단 : _____

3	4	5	6	7
지속적인 또는 예측 가능한 지원의 경우 이러한 능력이 간간히 나타남	구조적으로 이끌면, 높은 정서, 제스처, 언어, 감각 운동 지원이 확장 될 수 있음	미숙한 수준에서, 미성숙한; 주기적일 수 있지만 자주 되돌아감	또래와 비슷한 수준이지만 스트레스에 취약함 또는 정서적 범위가 제한적임	정서적인 범위가 매우 넓어 또래와 비슷한 수준임

5-6 : 아동이 독립적인 발달수준을 보이나 제한적임. 7 : 나이에 맞음

조절 능력 (반응성)	기능을 위한 자세 조절	소리, 몸짓, 언어적 의사소통에 대한 반응 (의사소통을 위한 왕복 상호작용)

Indicate +1 = 위
        −1 = 아래
        ± = 둘다
각 감각영역에 대한 반응성
____ 청각
____ 시각
____ 촉각
____ 전정
____ 고유수용
____ 미각
____ 후각
 	
**주요한 기능적 프로필
(기술하시오) :**
	원하는 것을 얻기 위해 연속적인 목적이 있는 몸짓, 행동
	
	1. 원하는 것(시선, 도달)을 나타내는 간단한 신체 동작
	2. 신체적으로 제스처를 비추는 행위
	3. 신체적으로 제스처를 모방하는 행위
	4. 목적에 따라 신체적 행동을 모방
	5. 원하는 것을 얻음
	6. 문제 탐험을 위해 환경에서 사람과 사물과 상호작용하도록 공간에서 움직이기 위해 몸으로 단계를 해결함
	– 장난감의 기능과 목적을 위해
	– 자기 도움을 위해
	– 가족 및 친구들과 앞뒤로 상호작용하십시오.(기록된 #____ 단계
		청각 환경에 적응하고 방향을 맞추고, 영향을 주고 몸짓을 하고, 단어(w)를 (신호/ 몸짓 / 또는 시각적(v) 전략의 이점을 통해) 이해할 수 있는 아동의 능력을 관찰함
		
		1. 환경에서 청각 소리가 나는 곳으로 향함(청각 장애물 바닥)
		2. 다른 사람의 발성에서 핵심 톤에 맞춤
		3. 다른 상호작용에서 주요 제스처에 응답함
		4. 다른 상호작용에서 핵심 단어에 응답함
		5. 청각적 주의를 자기와 다른 사람들 사이에서 앞뒤로 전환함 (자기 모니터, 다른 모니터 및 통합)
		6. 지시 사항을 따름 (____ 번 레코드)
		7. 질문을 이해함 (어떻게, 누가, 무엇을, 언제, 어디서, 어떤 경우, 만약 그렇다면)
		8. 추상적인 아이디어로 대화를 함

이 부분은 아동이 사회적 의사소통을 할 수 있는 감각적인 준비 상태가 되어 있는지를 측정하는 항목이다. 아래 항목에 문제가 있다면 감각처리장애를 해결할 수 있는 계획을 추가하는 것을 권유한다.

의사소통을 위해 음성, 자세, 단어와 언어 사용 (의사소통을 위한 왕복 상호작용)	시각적인 환경에 대한 반응	실행 – 실행적인 기능 –기능을 위해 정보를 조율하는 전두엽 피질 실행은 과거의 경험에서 얻을 수 있는 자원으로 미래에 직면하는 순간의 형태입니다.
아이가 사용하는 – 1. 의사소통의 목적과 함께 발성을 따라함 2. 의사소통 의향이 있는 몸짓을 따라함 3. 의도를 전달하기 위해 고유한 비언어적 제스처를 의도적으로 사용함 4. 의도를 전달하기 위한 정서적인 음색 및 소리의 의도적 인 사용함 5. 의도, 행동 및 욕구를 전달하는 의미 있는 단일 단어를 사용함 6. 두 단어 어구를 의미 있게 사용함 7. 의미 있는 문장을 사용함 8. 앞뒤로 주고받는 구절과 문장을 논리적인 흐름과 함께 사용함	아동은 시각적인 공간 전략을 체계적으로 사용하여 원하는 대상을 탐구하고 차별화합니다. 아이는 – 1. 원하는 대상을 관찰하고 초점을 맞춤 2. 시선을 바꿈(시각적으로 공동주의를 시작한다.) 3. 다른 사람의 시선을 따라 주의의 대상과 의도를 결정함 (시각적으로 반응) 4. 자기와 다른 사람(자기 모니터, 다른 모니터 및 통합) 사이에서 시각적인 주의를 앞뒤로 전환 5. 배경 자극(시각적인 그림)에서 돌출된 시각적 자극을 차별화함 6. 숨겨진 것으로 보이는 대상을 적극적으로 탐색 7. 공간의 두 영역을 탐색하고 원하는 객체를 탐색할 수 있음 8. 공간, 모양 및 재료에 대한 시각적 평가를 통해 두 개 이상의 영역을 탐색함	실행은 아동의 의존성에 따라 이러한 개별적인 처리 차이를 모두 포함합니다. – 아이디어 – 계획 – 일련의 활동 – 실행 – 적응 1. 명확한 목표와 목적으로 아이디어를 시작함 2. 신체, 시각 시스템, 청각 시스템으로부터 감각 인식을 연관시켜 계획을 수립할 수 있음 3. 순서의 단계를 개발함 (# steps – 1, 2, 3, 4…). 4. 단계를 실행하고 지속함 5. 계획대로 되지 않거나 다른 사람의 행동에 의해 방해되는 경우 계획을 조정

지침 : 운영 기준을 사용하여 관찰과 부모 보고에 기초하여 아이의 기능적 능력을 확립함

각 NDRS 서브 I–IV을 위한 알고리즘을 운영 기준과 매칭시킴

양육자 및 가족의 특성 차트(Caregiver and Family Patterns)

이 부분은 부모가 플로어타임을 할 태도가 준비되어 있는지를 검토하는 차트다.
차트의 점수를 합산하여 50점이 될 수 있도록 부모의 태도 변화를 장려해야 한다.

	10점	0점
1. 도움이 되는 양육자/가족의 특징	**예**	**아니오**
1) 양육자는 아이가 화가 났을 때 아이를 더 긴장하게 하는 경향이 있는 것이 아니라 더 편안하게 해준다		
2) 양육자는 아이의 관심을 끌기에 적절한 자극 수준을 찾는 경향이 있다		
3) 양육자는 아이를 무시하지 않으며, 아이와 즐거운 관계를 유지한다		
4) 양육자는 아이의 정서적인 신호와 필요를 읽고 응답한다		
5) 양육자는 아이의 발달과정을 잘못 이해하거나 과장하지 않고 아이가 앞으로 발달할 수 있도록 격려한다		

	−1점
2. 도움이 되지 않는 양육자/가족의 특징	**문제점**
1) 과도하게 자극한다	
2) 소극적이거나 아이와 접촉이 없다	
3) 즐겁지 않고 열정이 없다	
4) 아이의 신호를 읽거나 반응하는 데 무작위적이거나 혼란스럽다	
5) 아이의 정황/상황에 둔함	
6) 지나치게 엄격하고 아이를 통제하려고 한다	
7) 아이의 의사소통을 읽거나 반응하는 것이 비논리적이다	
8) 특정한 감정을 피하려고 한다	
9) 격분한 감정에 불안정한 표정이 드러난다	

자폐 아동을 위한 플로어타임 프로그램

정서적 기능발달 능력 기본 차트(FEDL)

이 부분은 사회성발달단계마다 아동이 획득해야 할 능력들을 정리한 차트다. 각각의 항목이 필요한 순간에 항상적으로 유지될 수 있도록 해야 안정적인 발달을 이룬다고 평가할 수 있다.

		3점	2점	1점
정서기능발달 1단계	**자기 조절력 및 세상에 대한 관심**	항상 있음	가끔 있음	전혀 없음
1) 3초 이상 다양한 감각에 관심을 보인다				
2) 부모의 도움을 받으면 아동이 2분 이상 침착성을 찾고 집중력을 유지할 수 있다				
3) 기분이 나쁘거나 짜증이 나도 달래주면 20분 이내에 회복할 수 있다				
4) 무생물뿐만 아니라 부모에게도 관심을 보인다				
5) 소리나는쪽으로 머리의 방향을 돌린다				
6) 아이가 기쁘거나 기분이 나쁠 때 부모가 그 이유를 안다				

		항상 있음	가끔 있음	전혀 없음
정서기능발달 2단계	**친밀함과 인간관계를 형성함**			
1) 부모의 접근(미소, 찡그림, 손을 뻗기, 목소리, 다른 의도적인 행동)에 반응한다				
2) 부모가 다가오면 언제나 기쁘게 반응한다				
3) 부모가 다가오면 호기심을 보이고 적극적으로 반응한다(예: 부모의 얼굴을 관찰한다)				
4) 보였다 사라진 물건을 예측할 수 있다(예: 아동이 관심을 보이며 웃거나 옹알거린다)				
5) 놀다가 부모가 반응이 없으면 아이가 기분 상해한다				
6) 불쾌할 때 반항하고 화를 낸다				
7) 부모의 도움을 받으면 15분 이내로 불쾌한 기분이 풀린다				

정서기능발달 3단계	양방향 의도적인 소통(두 사람 사이에 오고가는 소통)	3점	2점	1점
		항상 있음	가끔 있음	전혀 없음
1) 부모의 몸짓에 대해 아이도 의도적인 몸짓으로 응답한다(예: 부모가 손을 뻗으면 아이도 손을 뻗는다, 부모의 목소리나 모습에 돌아본다)				
2) 부모와 상호작용을 한다(예: 장난감을 얻기 위해 당신의 코나 머리카락을 향해 손을 뻗친다, 안길 때 손을 올린다)				
다음과 같은 감정을 드러낸다				
3) 친밀감(예: 같이 안아주기, 안길 때 손 올리기)				
4) 즐거움 & 흥분(예: 당신의 입속에 있는 장난감을 뺏어서 자신의 입속에 넣으며 기쁘게 웃는다)				
5) 적극적인 호기심(예: 머리를 만지거나 탐색한다)				
6) 적개심 또는 화(예: 탁자에서 음식을 밀어내거나 원하는 장난감을 사주지 않으면 소리를 지른다)				
7) 공포(예: 고개를 돌린다, 무서워 보인다, 갑자기 낯선 사람이 다가오면 울음을 터트린다)				
8) 아동이 사회적 상호작용을 하게 되면 10분 이내로 불쾌한 기분이 풀린다				

정서기능발달 4단계	복잡한 의사소통(단순한 문답형 소통이 아닌, 자신의 감정을 표현하는 것과 같은 소통)	3점 항상 있음	2점 가끔 있음	1점 전혀 없음
1) 연속으로 10번 이상의 의사소통을 주고받는다(예: 당신의 손을 잡고, 냉장고를 향해 걸어간 다음, 가리키고, 목소리를 내고, 당신의 질문에 더 많은 소리와 몸짓으로 대답하며, 아이가 원하는 것을 받을 때까지 계속 당신과 몸짓을 주고받는다)				
10번 이상의 의사소통을 다음과 같은 매체를 이용하며 주고받는다				
2) 발성 또는 단어 말하기				
3) 얼굴 표정				
4) 상호 간의 만지기 또는 잡기				
5) 공간 안에서의 움직임(예: 야단법석 떨기)				
6) 큰 움직임(예: 잡기 놀이, 오르기 놀이)				
7) 공간을 사이로 의사소통하기(예: 방을 가로지른 상태에서 당신과 10번 이상의 의사소통을 주고받을 수 있다)				
다음과 같은 감정을 느끼면서 3번 이상의 의사소통을 주고받을 수 있다				
8) 친밀감(예: 포옹 또는 키스를 받기 위해 얼굴 표정, 몸짓, 그리고 발성 사용하기, 장난감 전화기를 이용하여 당신이 전화하는 것을 모방하기)				
9) 즐거움 & 흥분(예: 다른 사람에게 모습과 발성을 이용하여 신나는 일 함께하기, 특정한 자극에 다른 아이들 또는 어른들과 함께 웃으며 농담 주고받기)				
10) 적극적인 호기심(혼자 탐색하기; 혼자 놀면서 방 건너 있는 당신과 대화하기)				
11) 공포(방어적인 태도 보이기, 예: "안 돼!"라고 소리치고 당신 뒤로 숨기)				
12) 분노(의도적으로 때리거나 꼬집거나 소리지르기, 또는 방바닥에 드러눕기, 가끔 행동 대신 차갑거나 화난 표정만 짓기)				
13) 제한된 환경(당신이 단어나 몸짓으로 제시하는 제한에 이해하고 응답한다)				
14) 불쾌한 기분을 대처하거나 이겨내기 위하여 모방을 사용한다(예: 방바닥을 탕 치고 본인에게 소리지른 사람에게 다시 소리지른다)				

정서기능발달 5단계	감정적 발상(단어, 그림, 기호를 통해서 생각과 의도를 소통하고 사고를 전달)	3점 항상 있음	2점 가끔 있음	1점 전혀 없음
1) 두 가지 또는 그 이상의 아이디어로 연극 만들기(예: 트럭 사고 후 돌맹이 줍기, 인형 안은 후 소꿉놀이하기)				
2) 단어, 사진 또는 몸짓을 사용하여 두 가지 또는 그 이상의 아이디어를 한 번에 전달하기(예: "잠 안 잘래…, 놀래!"). 이때 아이가 두 아이디어의 관계에 대해 설명할 필요는 없다.				
원하는 것, 의도하는 것, 그리고 느낌을 다음과 같은 매체를 이용하여 나타낸다				
3) 단어				
4) 연속적으로 다양한 몸짓				
5) 스킨십(예: 많이 안기 또는 까불기)				
6) 규칙을 가지고 간단한 운동 게임 하기(예: 차례를 지키며 공 던지기)				
두 개 또는 그 이상의 아이디어를 나타낼 때 다음과 같은 감정을 놀이 또는 단어를 사용해 나타낼 수 있다				
7) 기쁨과 흥분(예: 우스운 말을 한 후 웃기)				
8) 적극적인 호기심(예: 방 주위에 비행장을 만들어 달나라로 간다고 말한다)				
9) 공포(예: 인형이 큰 소리를 무서워해서 엄마를 부르는 연극을 감독한다)				
10) 분노(예: 군인을 한 명씩 총으로 쏜 후 넘어뜨린다)				
11) 제한적인 환경(예: 인형들이 규칙을 가지고 소꿉놀이)				
12) 불쾌한 기분을 대처하거나 이겨내기 위하여 연극놀이를 사용한다(예: 실제로 가질 수 없는 과자를 먹고 있는 척 한다)				

자폐 아동을 위한 플로어타임 프로그램

		3점	2점	1점
정서기능발달 6단계	감정적/정서적 사고(논리적인 사고, 정서적 사고와 현실감을 형성)	항상 있음	가끔 있음	전혀 없음
1) 아이디어 연결하기(감정들 연결하기)				
2) 행동을 설명하고 되새길 수 있다				
3) 시간과 공간을 지각한다				
4) 새로운 것을 창작한다(예: 새로운 게임)				
5) 규칙을 따르며 게임을 할 수 있다				
6) 자신의 느낌을 인지할 수 있다				
7) "W" 문제들을 묻고 답할 수 있다(누가, 무엇을, 언제, 어디서, 왜, 그리고 어떻게)				
8) 자신의 기분과 행동에 대해 의견과 이유를 말할 수 있다				
9) 논리적이고 추상적인 생각을 이용할 수 있다				
10) 토론하고 타협할 수 있으며 선택 항목을 나타낼 수 있다				
11) 지속된 자신의 느낌과 타인의 느낌을 갖고 있을 수 있다				
12) 갈등, 외로움, 공격성, 좌절감, 그리고 도덕성과 같은 다양한 범위의 감정들을 표현할 수 있다				

그린스판 박사의 차트

그린스판 박사는 연령별로 아이와 부모를 평가하는 평가척도용 차트를
직접 제작하여 사용하였다. 차트는 부모용과 아동용으로 나누어져 있다.
이곳에서는 대표적으로 3~4세용 하나만을 소개한다.

기능적 감정 평가 척도 점수 방식

나이 :   만 3~4세

평가 대상 :   양육자

아이 이름 : _____   검사 날짜 : _____

아이 연령 : _____

아이와 놀이한 자 :   엄마 : _____   아빠 : _____   양육자 : _____   검사자 : _____

점수 계산 방식

점수는 2점 척도임

    0 = 전혀 아니거나 명확하게 아님

    1 = 가끔씩 나타나고, 몇 번 관찰됨

    2 = 지속적으로 나타나고, 자주 관찰됨

    관찰되지 않은 행동에 대해서는 N/O로 표시하시오

점수를 변환하라는 지시문이 있을 때는 다음 점수로 변환하시오

    0은 2로

    1 = 1

    2는 0으로

상징놀이와 같은 점수는 SYM 칼럼에 점수가 들어가야 하고, 감각놀이는 SENS 칼럼에 점수가 들어가야 합니다. 검사자가 아이와 함께 놀이를 했을 때, EXAM 칼럼에 점수가 들어가야 합니다. 마지막 칼럼은 아이와 함께 놀이한 추가적인 양육자(가령, 엄마, 아빠, 양부모, 베이비시터)를 위해 점수를 넣어야 합니다.

점수는 상징놀이나 감각놀이 상황에서 일차적인 양육자에 의해 해석됩니다. 점수가 상징놀이나 감각놀이에 따라 달라지지 않는다면, 단 한 가지 점수로 해석됩니다. 그러나 행동이 다른 놀이상황에 대해 다르게 나타난다면, 상징놀이 점수, 감각놀이 점수 각각 2개 점수로 계산됩니다. 프로파일 양식의 커트라인 점수를 해석하게 됩니다.

자폐 아동을 위한 플로어타임 프로그램

	SYM	SENS	EXAM

나이 :　　만 3~4세　　　　아이 이름 : _____

실행자 :　　양육자

용어 : SYM = 상징놀이, SENS = 감각놀이, EXAM = 검사자

	SYM	SENS	EXAM
자기조절 및 세상에 대한 관심			
1. 아이와 차분히 상호작용하고, 아이의 반응을 기다릴 수 있다.			
2. 놀이를 통해 즐겁고 재미있고, 즐거운 반응이 보인다. 　　채점 : 　　0 = 무표정, 우울한 감정 　　1 = 만족감이 있지만 중립적이다 　　2 = 행복하고 따뜻하고 미소를 짓는			
3. 아이가 다양한 질감의 장난감을 경험하도록 돕는다. 즐거운 방법으로 아이와 신체접촉할 수 있으며, 아이의 필요에 예민하고 민감하게 반응한다.			
자기조절 및 세상에 대한 관심 = 총점			
친밀감과 인간관계를 형성함			
4. 아이와 함께 상호작용하는 동안 편안하다. 아이의 모든 행동에 지나치게 간섭하지 않는다.			
5. 아이를 정서적으로 대하며, 애정 어린 관계가 보인다.			
6. 미소와 즐거운 외적인 모습을 통해 아이와 놀이하고 즐거움을 느낀다. 이를 어떻게 느끼는지는 문화적 차이를 고려하여야 한다.			
7. 항상 요청 시 도움을 주고 아이에게 관심이 있다는 것을 보여주고 아이에게 말이나 시선을 고정한다. 아이가 방을 탐색하기 위해 양육자를 떠나 있지만 양육자는 몸짓, 음성, 얼굴 표정을 통해 공간을 가로질러 아이와 연결되려고 노력한다.			
관계 형성, 애착, 참여 = 총점			
양방향 의미 있는 의사소통			
8. 아이가 놀이 주제를 결정하고, 놀이를 시작하고, 아이가 찾거나 필요로 하는 방식으로 장난감을 탐험할 수 있도록 한다.			
9. 아이들이 어떻게 놀이하기를 원하는지 알고 아이가 원하는 것, 의도, 행동에 맞게 적절히 반응한다. 예를 들어, 아이는 부모에게 장난감을 건넬지도 모른다. 부모는 장난감에 대해 어떠한 것을 말하거나 그것을 가지기 위해 반응할지도 모른다. 아이들에게 부모가 했던 것에 반응하기 위해 기회를 준다. 　　채점 : 　　0 = 아이들이 추구하는 것에 반대로 반응하고, 아이들의 신호를 잘못 해석하며, 아이들이 원하는 것으로부터 활동을 바꾼다. 　　1 = 아이들의 신호에 25~50% 잘못 해석하며, 아이의 활동이나 장난감을 바꾸거나 아이들의 신호를 정확하게 읽지 못한다. 　　2 = 대부분(아이 반응의 75% 이상) 아이의 신호에 적절하게 반응하며, 아이가 장난감을 선택할 때까지 기다린다.			

	SYM	SENS	EXAM
10. 장난감을 혼자 갖고 놀고, 아이와 함께 놀이를 하다가도 집중력이 흐트러지거나 병행놀이로 진행된다. 　＊0점을 2점으로 바꾸어서 기록하시오.			
11. 발달적으로 적합한 단계로 아이와 놀이한다. 양육자는 아이의 기술 수준보다 약간 높은 수준의 놀이를 할 수 있다. 아이가 하는 일에 라벨을 붙이거나 물건의 기능을 설명하는 새로운 방법을 제시할 수 있다.			
12. 아이의 반응을 기다리며 아이가 반응할 수 있는 속도로 자극을 준다. 아이에게 반응을 해주고 아이를 지나치게 자극하지 않도록 행동한다.			
양방향, 의미 있는 의사소통 = 총점			
행동 조직화, 문제해결 능력, 내면화(복잡한 자기감각)			
13. 아이와 상호작용이 잘 이루어진다. 예를 들어 양육자가 아기 인형을 소개한다. 아이가 인형의 얼굴을 만지고 양육자가 인형의 머리를 쓰다듬고, 양육자가 아기라고 말하면 아이는 엄마와 인형을 흘겨본다. 양육자는 놀이에서 아이를 흉내 내거나 방해할 수 있다. 　채점 : 　　0 = 0~2번의 서클 　　1 = 3~5번의 서클 　　2 = 6번의 이상의 서클			
14. 의사소통의 범위를 늘리기 위한 수단으로 몸짓과 얼굴 표정을 사용한다.			
15. 의사소통의 범위를 높이기 위한 수단으로 언어 또는 발성을 사용한다.			
16. 양육자가 아이의 놀이에 협력하고 복잡성을 키운다. 양육자는 아이가 놀이 주제에 머무르는 동안 아이가 하는 일을 확장한다. (예: 부모가 완전히 새로운 놀이 아이디어를 소개하지 않음) 양육자는 놀이에 약간의 도전이나 흥미로운 것을 제공한다. 그리고 아이에게 문제를 해결할 수 있는 기회를 제공한다. 예를 들어, 양육자와 아이가 자동차를 서로 앞뒤로 밀고 있다. 이때 부모는 자동차가 구르는 것을 방지하기 위해 다리로 벽을 쌓고 아이가 이 상황을 어떻게 해결하는지 기다린다.			
17. 아이가 놀이에서 자기주장을 할 수 있게 하고, 자신이 하고 있는 것을 마음껏 탐구할 수 있게 한다. (즉 장난감을 세게 치거나 바보같이 굴거나, 인형을 들고 달리거나 방에서 뛰어다니는 것과 같은 특정한 방식으로 놀이하기를 강하게 표현한다) 아이가 어떤 방법으로 놀든 양육자가 아이의 놀이에 관심을 보이거나 존중함으로써 의존성과 친밀함, 독립심과 호기심, 공격성, 자율성 또는 쾌락에 대한 욕구를 자극한다. 이 영역을 지원하는 양육자의 능력을 방해할 수 있는 문제들은 내성, 철회, 과잉보호, 또는 아이들의 능력 수준보다 훨씬 높은 수준에서 노는 것일 수 있다.			

　　　　　　　　자폐 아동을 위한 플로어타임 프로그램

	SYM	SENS	EXAM
18. 어떤 방식으로든 아이가 원하는 놀이를 할 때 아이와 함께 놀이하는 데서 아이가 즐겁고 흥미로워하는 모습이 보인다. 　채점 : 　0 = 양육자에 의해 별로 즐거움이나 흥미가 없음 　1 = 양육자에 의해 즐거움과 흥미가 여러 의사소통 과정(3~5번)에서 유지됨 　2 = 많은 의사소통의 과정(6번 이상)에서 즐거움이나 흥미가 유지됨			
19. 아이에게 적절한 한계를 제시한다. 양육자는 방을 떠나지 말고, 양육자를 때리거나 양육자에게 장난감을 던지지 않도록 일러줍니다. 놀이 중 한계가 발생할 필요가 없다면 N/O를 표시하고 2점을 준다.			
행동 조직화, 문제해결, 내면화 = 총점			
표현 능력(정교화)			
20. 양육자가 아이가 표현하는 행동을 장려하는 방식으로 재료를 모델링 또는 결합하여 상징적인 놀이를 하는 것을 아이에게 격려한다. (즉 양육자는 아기 인형의 입 근처에 숟가락을 대고 "아기에게 먹일까?") 이때 부모는 아이를 믿고 놀게 하는 것이 편안해 보인다.			
21. 양육자는 아이의 놀이에 또 다른 놀이를 결합하여 아이의 놀이를 설명한다. 예를 들어 어린이가 인형을 차에 넣고 밀 때 양육자가 "아, 아빠는 가게에 가는거야?"라고 말한다.			
22. 양육자가 아이가 친밀감을 가진 놀이 주제를 표현할 수 있게 한다.			
23. 양육자는 아이의 놀이에 대해 질문을 하거나 웃으며 아이의 놀이에 열정적으로 동참한다. (예: "아, 좋은 생각이야. 어떻게 되는거야? 그렇구나. 웃거나. 재밌어!")			
24. 양육자는 아이가 원하는 놀이를 표현하도록 허용한다. (예: 아이가 경찰인 척하고 양육자를 감옥에 데려간다. 아이가 회사에 나가고 양육자가 집에 있는 것처럼 보이게 한다.) 아이디어와 정서적 사고 사이의 교량을 구축하면서 아이의 흉내를 내서, 논리적으로 말할 수 있는 기회를 만들어낸다.			
표현 능력(정교화) = 총점			

	SYM	SENS	EXAM
표현의 차별화(아이디어와 감정적 사고의 다리를 구축)			
25. 양육자가 아이의 놀이에 정교하게 아이디어를 내면서 드라마를 만들어 낼 수 있다. 아이가 놀이에서 벗어나면 그 놀이를 이어가기 위해 양육자는 "그런데 악어는 어떻게 되었지?" "어떻게", "왜?", "언제?" 등의 질문을 던질 수 있다. 만약 아이가 주제를 벗어난다면, 양육자는 의사소통의 원을 가상놀이 주제로 다시 연결시키기 위해 질문을 한다. "악어는 어떻게 된 거야? 악어는 수영할 준비가 되어 있고 지금 너는 트럭을 가지고 놀고 있어."			
26. 양육자가 아이의 놀이에 대해 논리적으로 인과관계를 잘 적용한다. 세 가지 이상의 아이디어를 현실에 기반한 스토리 시퀀스로 연결한다. 예를 들어, 아이가 두 동물이 싸우는 놀이를 하고 있다면 "동물들이 어떻게 싸우고 있어?", "동물들이 서로 알고 있어?" 이렇게 질문한다.			
27. 아이가 폭 넓은 감정을 정교하게 설명할 수 있도록 돕는다. 확신성, 즐거움, 흥분, 두려움, 분노 또는 이별과 상실 등을 양육자가 수용한다. 아이가 서로 다른 감정과 주제를 가지고 놀며 다른 감정을 표현해도 불편해 하지 않는다.			
표현의 차별화를 위한 총계(감정적 사고) = 총점			
총 양육자 점수			

자폐 아동을 위한 플로어타임 프로그램

기능적 감정 평가 척도 점수 방식

나이 :　　　　만 3~4세

평가 대상 :　　아이

아이 이름 : _____　　　　검사 날짜 : _____

아이 연령 : _____

아이와 놀이한 자 :　　엄마 : _____　　아빠 : _____　　양육자 : _____　　검사자 : _____

점수 계산 방식

점수는 2점 척도임

　　0 = 전혀 아니거나 명확하게 아님

　　1 = 가끔씩 나타나고, 몇 번 관찰됨

　　2 = 지속적으로 나타나고, 자주 관찰됨

　　관찰되지 않은 행동에 대해서는 N/O로 표시하시오

점수를 변환하라는 지시문이 있을 때는 다음 점수로 변환하시오

　　0은 2로

　　1 = 1

　　2는 0으로

상징놀이와 같은 점수는 SYM 칼럼에 점수가 들어가야 하고, 감각놀이는 SENS 칼럼에 점수가 들어가야 합니다. 검사자가 아이와 함께 놀이를 했을 때, EXAM 칼럼에 점수가 들어가야 합니다. 마지막 칼럼은 아이와 함께 놀이한 추가적인 양육자(가령, 엄마, 아빠, 양부모, 베이비시터)를 위해 점수를 넣어야 합니다.

점수는 상징놀이나 감각놀이 상황에서 일차적인 양육자에 의해 해석됩니다. 점수가 상징놀이나 감각놀이에 따라 달라지지 않는다면, 단 한 가지 점수로 해석됩니다. 그러나 행동이 다른 놀이상황에 대해 다르게 나타난다면, 상징놀이 점수, 감각놀이 점수 각각 2개 점수로 계산됩니다. 프로파일 양식의 커트라인 점수를 해석하게 됩니다.

나이 :	만 3~4세	아이 이름 :

실행자 : 아이

용어 : SYM = 상징놀이, SENS = 감각놀이, EXAM = 검사자

	SYM	SENS	EXAM
자기조절 및 세상에 대한 관심			
1. 아이가 장난감을 가지고 노는 것에 관심이 있고 집중한다.			
2. 경계하지 않고 자유롭게 사물을 탐색한다.			
3. 놀이 시간 동안 울음이나 고통 없이 침착하다.			
4. 거친 질감의 장난감을 만지거나 양육자가 만지는 것을 편안해 한다.			
5. 행복한 모습을 보이고, 정서를 포함한다. 　채점 : 　　0 = 낮은 우울 또는 우울한 경향 　　1 = 만족감이 있지만 중립적이다 　　2 = 행복하고 만족스러운, 건강한 미소, 따뜻하고 매력적인 정서			
6. 물건이나 양육자에 대해 산만하지 않고 집중한 상태를 유지한다. 　채점 : 　　0 = 집중이 안 되고 자주 산만함 　　1 = 약간 집중되고 어느 정도 산만함 　　2 = 대부분 집중이 안 되고 산만함			
참고: 문항 7 또는 8, 어디든 적용 7. 과소반응: 느리거나 후퇴한 것으로 나타남. 　채점 : 　　0 = 거절하고 관여하기 어려움 　　1 = 행동이 둔하고 느리지만 나중에는 자극하고 관여할 수 있음 　　2 = 전반적으로 집중되고 밝고 깨어 있는 상태임			
8. 과민반응: 장난감 및 환경에 과장되게 나타남. 　채점 : 　　0 = 매우 활동적이고 양육자와 장난감을 멀리한다 　　1 = 적당히 활동적이고 때때로 변화하여 장난감에 짧은 시간만 집중함 　　2 = 속도 및 활동이 잘 조절되고 장난감 또는 활동을 바꾸기 전에 오랜 　　　기간 양육자와 보냄			
자기조절 및 세상에 대한 관심 = 총점			
친밀감과 인간 관계를 형성함			
9. 양육자에게 목소리를 내고 미소를 지으며 감정적인 관심과 관계를 보여 준다.			

　　　　　　　　자폐 아동을 위한 플로어타임 프로그램

	SYM	SENS	EXAM
10. 아이가 활동적이고 양육자가 아이로부터 멀어져도 안정감 또는 편안함을 느낀다.			
11. 양육자가 재미있는 물건이나 게임을 보여주면, 호기심을 보이거나 흥분을 한다.			
12. 상호작용 놀이 시 양육자의 반응이 없어지거나 반응하지 않는 행동에 처하면, 불편함, 불쾌함 또는 슬픔의 징후를 표시한다. (양육자가 반응하는 경우 "N / O"로 관찰되지 않으므로, 2점을 할당 하십시오.)			
13. 아이가 양육자와 신체적인 친밀감을 시작하지만 집착하지는 않는다. 아이가 양육자로부터 멀리 이동해도 양육자와 말 또는 시선은 연결되어 있다.			
14. 고개를 돌리거나, 시선을 피하거나, 사회적 참조(social reference) 없이 멀리 이동하거나, 멀리 떨어져서 앉는다. 양육자에게 냉담한, 쌀쌀맞은, 회피하는 모습을 보인다. *0점을 2점으로 바꾸어서 기록하시오.			
15. 장난감을 가지고 놀면서 양육자에게 사회적 참고(social reference)를 한다.			
16. 멀리 이동한 후 양육자와 보기, 제스처 및 발성 등으로 소통한다.			
관계 형성, 애착, 참여 = 총점			
양방향, 의미 있는 의사소통			
17. 의사소통의 원을 시작한다: 양육자와의 상호 작용에 참여하여 의도적인 행동을 시작한다. (즉 아이가 물건을 조작한 다음 양육자를 보고 웃거나 목소리를 높인다.)			
18. 신호를 준다: 물건을 가지고 의도적인 행동을 시작한다. *채점* : 0 = 놀이나 상호작용을 시작하려면 상당한 도움이 필요함; 명확한 몸짓 이나 체계화된 의도가 없음 1 = 놀이나 상호작용을 시작하지만 고착화된 행동을 함. 장난감을 오랫 동안 입에 넣고, 같은 장난감으로 다른 행동을 하지 않고, 놀이를 시작하지만 행동은 목적이 없거나 혼란스럽게 보임 2 = 놀이는 의도와 다양성을 보여주며 둘 이상의 행동에 참여함. 몸짓 은 구체적이며 장난감에 맞게 기능적으로 가지고 놀 수 있음			

	SYM	SENS	EXAM
19. 원을 닫는다: 양육자의 의도에 부합하는 행동으로 응답한다. (즉 엄마는 장난감을 제공하고 아기는 그것을 가져다가 용기에 넣는다.) 　채점 : 　0 = 양육자의 의도를 알아차리지 못한다 　1 = 양육자의 반응과 외모를 알아차리지만 응답하지 않는다. 양육자의 의도와 아무 상관없는 우발적인 행동을 한다 　2 = 양육자의 의도에 부합하는 행동을 한다. 양육자가 한 일과 연관되어 있는 일, 즉 양육자가 의도한 손에 들고 있는 장난감을 가지고 또 다른 놀이를 진행한다			
20. 상호작용을 하는 동안 언어를 사용한다. (예: 소리, 단어 또는 제스처) 원중에 사용되었다.			
양방향, 의미 있는 의사소통 = 총점			
행동 조직화, 문제해결 능력, 내면화(복잡한 자기감각)			
21. (아이에 의해 시작되거나 정교해진) 몸짓, 발성, 단어를 사용하면서 양육자와 여러 의사소통의 원을 연결하여 함께 복잡한 패턴으로 상호작용한다. 　채점 : 　0 = 0~2개 사용 　1 = 3~5개 사용 　2 = 6개 이상 사용			
22. 양육자가 소개하는 새로운 것을 모방하거나 따라한 다음 아이디어가 놀이에 통합된다. (즉 양육자가 인형을 먹이고 자녀가 이것을 따라함.)			
행동 조직화, 문제해결, 내면화 = 총점			
표현 능력(정교화)			
23. 다양한 장난감을 가지고 상징적인 놀이에 참여한다.(예: 자동차 경주를 펼친다.) 단순한 구체적인 행동을 한다. (예: 컵으로 자기가 먹는다.)			
24. 양육자와 함께 협업을 통해 적어도 하나의 아이디어로 된 놀이에 패턴을 적용한다. (예: 스크립트 또는 시나리오의 일부가 재개됨)			
25. 욕구, 원하는 것, 의도 또는 감정을 전달하기 위해 언어를 사용하거나 가상놀이를 한다. (예: 인형놀이)			
26. 친밀감이나 의존 관계를 주제로 가상놀이를 사용한다. (예: 인형을 옆에 두고 재우는 것, 양육자가 인형을 돌보는 것.)			
27. 유머러스한 내용을 중심으로 즐거움과 흥분을 주제로 한 가상놀이를 한다. (예: 유머러스한 행동을 모방)			

	SYM	SENS	EXAM
28. 놀이에 자기주장을 중심으로 주제를 표현하기 위해 가상놀이를 한다. (예: 자동차 경주)			
29. 관련이 없는 두 개 이상의 아이디어나 논리적으로 연관이 있는 것으로 가상 드라마를 만든다.			
표현 능력(정교화) = 총점			
표현의 차별화(아이디어와 정서적 사고 사이의 연결)			
30. 현실적이지 않지만 두 가지 이상의 아이디어를 포함하며, 논리적으로 서로 연결되어 있다. 아이는 놀이에서 어른인 척 할 수 있다.			
31. 두 개 이상의 아이디어로 일련의 놀이를 연속해서 정교하게 만든다. 논리적으로 연결되어 있고 현실에 기반을 둔 계획이 있다. 아이는 "어떻게", "왜", "언제"라는 질문에 대해 상세하게 설명할 수 있다. 드라마에 깊이를 부여한다.			
32. 친밀감 또는 의존성을 다루는 두 개 이상의 아이디어를 포함하는 놀이 또는 언어를 사용하여 다음과 같은 주제를 전달한다. (예: 인형이 다치고, 아빠한테 뽀뽀를 받은 다음 함께 공놀이를 한다.)			
33. 놀이 또는 언어를 사용하여 즐거움과 흥분을 다루는 두 가지 이상의 아이디어 놀이를 한다. (예: 재미있는 단어를 듣고 따라 하고 양육자가 어떻게 반응하는지 지켜보고 그다음 웃는다.)			
34. 두 개 이상의 아이디어와 자기주장이 들어 있는 주제를 전달하기 위해 가상놀이나 언어를 사용한다. (예: 군인들이 찾고 있는 것, 실종자를 찾은 다음 다시 그녀를 구하기 위해 싸운다.)			
표현의 차별화(감정적 사고) = 총점			
아이 점수 총점			
FEAS 척도 점수(양육자 및 아이 점수 합산)			

나이 :　　　**만 3~4세**　　　　　　　아이 이름 : _____

평가 대상자 : 아이

기능적 감정 평가 척도 점수 방식

만 3~4세를 위한 프로파일 양식

하위검사	점수			표준	위험	부족
	SYM	SENS	EXAM			
양육자						
자기조절 및 세상에 대한 관심				4-6		0-3
관계 형성, 애착 및 참여				7-8	6	0-5
양방향, 의미 있는 소통				9-10	8	0-7
행동 조직화, 문제해결, 내면화				12-14	11	0-10
표현능력				6-10	5	0-4
표현의 차별화				2-6		0-1
총 양육자 점수				42-54	40-41	0-39
아이						
자기조절 및 세상에 대한 관심				12-14	11	0-10
관계 형성, 애착 및 참여				14-16	13	0-12
양방향, 의미 있는 소통				8-10	7	0-6
행동 조직화, 문제해결, 내면화				2-4		0-1
표현능력				8-14	7	0-6
표현의 차별화				2-10		0-1
총 아이 점수				48-66	46-47	0-45
총 FEAS 점수				93-120	86-92	0-85

단어 : SYM = 상징놀이, SENS = 감각놀이

　　　　　　　자폐 아동을 위한 플로어타임 프로그램

발달장애 아이의 **참여**와 **의사소통**, 긍정적인 사고와 행동을 유도하는 사회성발달 치료법

ⓒ 권현정·김문주

초판 1쇄 발행 2019년 11월 28일
초판 8쇄 발행 2024년 12월 10일

지은이 권현정·김문주
펴낸이 조동욱
책임편집 이현호

펴낸곳 와이겔리
등록 제2003-000094호
주소 03057 서울시 종로구 계동2길 17-13(계동)
전화 (02) 744-8846
팩스 (02) 744-8847
이메일 aurmi@hanmail.net
블로그 http://blog.naver.com/ybooks

ISBN 978-89-94140-37-7 03510

＊책값은 뒤표지에 있습니다.

＊잘못 만들어진 책은 바꿔 드립니다.

이 도서의 국립중앙도서관 출판예정도서목록(CIP)은 서지정보유통지원시스템 홈페이지
(http://seoji.nl.go.kr)와 국가자료종합목록 구축시스템(http://kolis-net.nl.go.kr)에서
이용하실 수 있습니다. (CIP제어번호 : CIP2019046252)